Boeddhisme voor moeders

Sarah Napthali

Boeddhisme
voor moeders

Praktische gids voor ontspannen moederschap

Altamira-Becht · Haarlem

Derde druk, 2006

© 2003 Sarah Napthali

Oorspronkelijke titel: *Buddhism for mothers*

Oorspronkelijke uitgever: Allen & Unwin

Voor het Nederlandse taalgebied:

© 2004 Uitgeverij Altamira-Becht BV, Postbus 317, 2000 AH Haarlem
(e-mail: post@gottmer.nl)

Uitgeverij Altamira-Becht BV maakt deel uit van de Gottmer Uitgevers Groep BV

Vertaling: Marce Noordenbos

Omslagontwerp: Ivar Hamelink

Foto omslag: © Getty Images

Typografie: Wim ten Brinke, BNO

Druk en afwerking: Drukkerij Hooiberg, Epe

ISBN 90 6963 630 1 / NUR 718, 854

www.altamira-becht.nl

Inhoud

Woord van dank

Melanie Lotfali, Colleen Sattler en Joanne Fedler zijn vriendinnen die me spirituele ondersteuning en stapels empathische vreugde hebben geboden. Samen hebben ze de hoofdstukken doorgenomen, die van zinvol commentaar voorzien en ze hebben mij geholpen op mijn eigen spirituele pad.

Susan Murphy is zo edelmoedig geweest me toestemming te geven om te citeren uit haar prachtige werk en Anne Cushman is zo edelmoedig geweest haar vermakelijke artikel 'Mothering as Meditation Practice' beschikbaar te stellen. Andere mensen die een inspirerende bijdrage hebben geleverd zijn Betsy Coombs en Chittaprabha van de *Western Buddhist Order* en zenleraar Subhana Barzaghi. Ik wil alle moeders bedanken die me hebben toegestaan de intieme details van hun leven op te nemen in dit boek. Sommigen van hen wilden niet bij naam worden genoemd en ik ben hen dankbaar voor het vertrouwen dat ik hun privacy zal beschermen.

Mijn dank gaat uit naar Marek, mijn echtgenoot, die ondanks zijn gebrek aan interesse voor alles wat spiritueel is me heeft ondersteund en geholpen tijdens het schrijven van dit boek, en mijn zoons Zac en Alex omdat ik ze heb mogen meeslepen naar allerlei bibliotheken en omdat ze uitstekende spirituele leraren zijn. Mijn schoonmoeder Barbara is uit Polen naar ons toe komen vliegen om de baby letterlijk in haar armen te nemen terwijl ik de tweede versie afmaakte. Daarvoor bedank ik haar en tevens put ik inspiratie uit haar sterke verlangen om te helpen. Ik dank mijn vader, Bryan Napthali, voor alle keren dat hij op de jongens heeft gepast, en mijn moeder Sue, mijn vriendin Viv en mijn zussen Amanda en Jane.

Een laatste woord van dank is voor de redacteuren Colette Vella en Jane Gleeson-White voor hun inzet en inzichten, en voor Annette Barlow en Emily O'Connell voor al hun aanmoediging.

6

Woord vooraf

Op mijn vierentwintigste woonde ik in Jakarta in Indonesië, waar ik docent Engels was. In 1991 was Jakarta geen prettige stad; je zat er dagelijks urenlang in het verkeer vast en de lucht was er zwaar vervuild. Frustraties waren er alom: telefoons deden het nooit, het immense lawaai van tien miljoen mensen nam zelden af en als vreemdeling werd je voortdurend belaagd door straatventers, bedelaars, taxichauffeurs en nieuwsgierigen. De open riolen liepen gewoon langs de straten. In het begin hield ik erg van het contrast van deze stad met mijn thuis – het gegons van de onophoudelijke activiteit, het feest van alle zintuiglijke indrukken – maar zoals dat gaat, drong na verloop van tijd de cultuurschok door en ik moet bekennen dat ik daar weinig subtiel mee omging.

Hoewel Indonesië voornamelijk islamitisch is, kreeg ik bij toeval het boek van een Engelsman, Guy Claxton: *The Heart of Buddhism – Practical Wisdom for an Agitated World* in handen. Nog nooit had ik zoiets wezenlijks gelezen en ik begon de passages die me het meest inspireerden met een stift te markeren. Al snel was mijn markeerstift op. Ik spoorde mijn vrienden aan om het boek ook te lezen, zodat we het er samen over zouden kunnen hebben – en door de jaren heen heb ik steeds naar dit boek teruggegrepen.

De leerstelling waardoor ik het eerst werd geraakt en die mijn leven volkomen op z'n kop zou kunnen zetten, was dat de mens doorgaans in een toestand van volledige zinsbegoocheling leeft. We gaan ervan uit dat zoals wij de wereld, de mensen en onszelf zien, is zoals het is. Het boeddhisme leert ons dat onze waarnemingen er helemaal naast zitten en ertoe leiden dat we onze energie verdoen met het streven naar illusoir geluk. Ik kon dit direct toepassen op de cultuurschok waaraan ik ten prooi was gevallen: ik keek met nieuwe ogen naar de ergernissen om me heen, ik ging ze anders zien en reageerde op een andere manier. De dagelijkse irritaties werden opeens potentiële leersituaties.

Het boeddhisme spoort ons aan om ons bewust te worden van al onze waarnemingen, gedachten en overtuigingen, om ons te ontdoen van de misvattingen die ons lijden veroorzaken. Door ons bewust te worden van de werking van de geest ontwikkelen we de kracht waarmee we onze ervaring van het leven kunnen transformeren. In de woorden van de Boeddha:

We zijn wat we denken. Alles wat we zijn, ontstaat door middel van onze gedachten. Met onze gedachten maken we de wereld.

Volgens de boeddhistische leer hangt ons vermogen om gelukkig te zijn af van de toestand van onze geest. En aangezien het boeddhisme geen God-figuur kent, ligt de verantwoordelijkheid voor onze geest en het transformeren van onze wereld helemaal bij onszelf.

Mijn inzicht in het boeddhisme was jarenlang volledig gebaseerd op *The Heart of Buddhism*, totdat ik me uiteindelijk wat breder ging oriënteren. Ik liefhebberde wat in boeddhistische meditatietechnieken, maar werd meer bekoord door boeddhisme als filosofie dan als praktische beoefening. Ik had ook werkelijk baat bij het boeddhisme als filosofie – het enige probleem was echter dat het boeddhisme nooit als filosofie is bedoeld. Waarachtig boeddhisme is geen afzonderlijk onderdeel dat losstaat van de rest van je leven, maar iets wat je op elk moment dat je eraan denkt in praktijk kunt brengen.

Als twintiger kon ik het me maar moeilijk voorstellen dat mijn ogen sluiten en me concentreren op de beweging van mijn ademhaling een zinvolle tijdsbesteding was. Ik wilde dingen doen, mensen ontmoeten, mijn hersens gebruiken, mijn vaardigheden uitbreiden – en een hoop lol maken. Dit waren vaak leuke ervaringen, maar uiteindelijk verloor ik de meeste mensen die ik had ontmoet toch weer uit het oog en ik vergat ook weer het meeste van wat ik had geleerd. Nu ik er zo op terugkijk, realiseer ik me dat ik er meer aan zou hebben gehad als ik me op mijn spirituele ontwikkeling had geconcentreerd, omdat ik dan nu verder zou zijn op het gekozen spirituele pad.

Toen ik als dertiger met kinderen een volkomen ander leven kreeg, werd het boeddhisme nog belangrijker voor me. Ik wilde een wijze moeder zijn, maar betrapte mezelf vaak op gedachten en gedragingen waar ik niet erg trots op was. Ik voelde de behoefte, met name in het belang van mijn kinderen, om een deugdzamer mens te worden: iemand met meer verdraagzaamheid, compassie en een positievere houding. Ik wist dat het niet genoeg was om het alleen maar te willen – hier waren inzet en discipline voor nodig.

En dus ging ik mijn spirituele ontwikkeling serieuzer ter hand nemen. Als moeder van een klein kind en een bedrijf aan huis was dit een hele onderneming en ik moet erkennen dat er maanden waren waarin ik totaal geen aandacht aan het spirituele besteedde. Op andere momenten lukte het me om dagelijks te mediteren. Toch voelde ik het verlangen naar stilteretraites en intensieve aaneengesloten perioden van meditatie. Als moeder van een klein kind had ik niet zoveel vrije tijd, maar ondertussen zag ik wel dat de combinatie van spirituele beoefening met het dagelijkse leven een krachtig effect had. Mijn onregelmatige meditatiebeoefening gaf me meer rust en een positievere houding. Door de boeddhistische leer toe te passen, werd mijn kijk op de dingen helderder en verliep mijn leven soepeler.

Toen ik in verwachting was van mijn tweede zoon, was ik me bewust van de beproevingen die me te wachten stonden en ik was meer dan gewoon een beetje gespannen. Ik wist dat ik niet alleen de jubelstemming, de opluchting en de 'hormonale hogere sferen' kon verwachten, maar ook het gebrek aan slaap, de vele uren thuiszitten en het probleem om nog tijd voor mezelf te kunnen vinden. Ik wilde me geestelijk voorbereiden en voorkomen dat ik zou afglijden naar een depressie. Ik blies mijn toewijding aan de boeddhistische beoefening weer nieuw leven in: regelmatig mediteren, cursussen volgen en proberen opmerkzamer te zijn, compassie en moraliteit in mijn leven te brengen.

Tijdens die zwangerschap heb ik de eerste versie van dit boek geschreven, maar toen de tweede baby er eenmaal was, werd ik me er nog bewuster van hoe moeilijk het ouderschap kan zijn. Ik vulde de eerste versie aan met een hoofdstuk over woede – in deze nieuwe situatie waarin ik met twee kinderen moest jongleren, was ik verbijsterd hoe snel mijn stoppen doorsloegen in de omgang met Zac, mijn eerste zoon, die nu drieëneenhalf was. Voordat de kleine Alex er was, had ik met Zac nooit veel woede ervaren. Intense frustratie, irritatie en wanhoop, dat wel! Maar nooit deze gewelddadige woede die maakte dat ik wilde schelden en daadwerkelijk uithalen. Ik heb Zac nooit geslagen; wel heb ik een keer mijn vingernagel in zijn dijbeen gezet en opeens werd het me duidelijk dat mishandeling van kinderen niet noodzakelijkerwijs door monsters gebeurt, maar ook door ouders zoals ik. Ik was gealarmeerd en besefte dat woede een belangrijk thema zou worden bij mijn spirituele beoefening. Ik stond er echter niet alleen in. Veel moeders die ik heb gesproken worstelden met hetzelfde beest. In het boeddhisme wordt woede beschouwd als niet behulpzaam en schadelijk, en de leer benadrukt voortdurend hoe belangrijk het is om ons uit zijn greep te bevrijden.

Ondergedompeld worden in het ouderschap kan bij een moeder een innerlijk tumult veroorzaken. De boeken over het ouderschap concentreren zich echter stuk voor stuk op de opvoeding van de kinderen en niet op de moeders die ermee worstelen om hun kinderen deze opvoeding te geven. Boeken over het innerlijke leven van moeders zijn meestal deprimerende verslagen waarin we worden afgeschilderd als het slachtoffer van een manier van leven waarvoor niemand ons had gewaarschuwd. Ik had behoefte aan een boek waarin zowel de pijn als de vreugde van het moederschap werd erkend. Een boek dat methodes bood die niet alleen werken, maar ook ons leven een diepere betekenis zouden kunnen geven.

Ook in de populair-boeddhistische literatuur wordt nauwelijks aandacht besteed aan de speciale situatie van moeders. Er wordt van uitgegaan dat je tijd hebt om dagelijks te mediteren, actief deel te nemen in een spirituele gemeenschap en lange retraites te doen. De boeddhisten die als voorbeeld worden genomen, zijn vaak celibatair, non, monnik, wereldreiziger, een beroemdheid – mensen van wie we een hoop kunnen leren, maar die niet blootstaan aan de beproevingen van het ouderschap.

Boeddhisme voor moeders is geen handboek voor de opvoeding, maar een boek voor moeders. Door middel van de boeddhistische methodieken die erin worden behandeld, biedt het moeders een manier om weer in contact te komen met hun innerlijke zelf en rustiger en gelukkiger te worden. Een groot aantal boeddhistische moeders heb ik dezelfde vraag voorgelegd: 'Wat voor baat heb jij bij je boeddhistische beoefening?' Het meest gegeven antwoord bestond steeds uit diezelfde vier woorden: 'Het maakt me rustiger.' En een moeder die rustiger en gelukkiger is, kan onze gezinnen alleen maar ten goede komen.

In dit boek wil ik het leven van moeders als uitgangspunt nemen: met welke zorgen en problemen krijgen zij te maken en hoe kan de boeddhistische leer hierbij helpen? Een aantal van de thema's die ik behandel gaat over het positieve effect van leven in het nu, zowel voor onszelf als onze kinderen, over rust en kalmte vinden en over hoe we omgaan met onze woede en zorgen. Ook ga ik in op de invloed van het moederschap op onze relaties met onze partner, vrienden en familie, en met onszelf.

In appendix 2 en 3 vind je een aantal nuttige boeken en websites die interessant zijn voor moeders.

Ik wil hier al duidelijk stellen dat ik in dit boek een eclectische benadering van het boeddhisme heb gehanteerd; ik heb geput uit de kostbaarste schatten van de belangrijke boeddhistische tradities. Soms voelde ik me een dief die het boeddhisme afstroopt op zoek naar voor moeders bruikbare schatten. Ik maakte me daarbij zorgen of mijn benadering wel paste in de geest van het boeddhisme, dat ons aanmoedigt om de verschillende leringen niet met elkaar te vermengen of te vergelijken, maar ons te beperken tot één traditie, onder begeleiding van een gekwalificeerde leraar. Er is natuurlijk een aanzienlijke overlap tussen de verschillende tradities, en het hart van het boeddhisme – de centrale leer – is bij alle tradities hetzelfde. Het kan echter zijn dat ik in sommige gevallen toch een verkeerde stellige uitspraak doe, die niet voor alle stromingen evenzeer opgaat. Mijn eclectische benadering betekent ook dat dit boek slechts een begin is, een voorproefje van wat het boeddhisme te bieden heeft. Een serieuze beoefening van het boeddhisme beperkt zich tot één bepaalde traditie onder leiding van een gekwalificeerde leraar. Iedereen kan voor zichzelf bepalen in welk deel van de veelomvattende boeddhistische wereld hij of zij het beste een plek kan vinden – of niet.

Ik moet er ook bij zeggen dat ik een heel gewoon mens ben. De meeste boeddhistische schrijvers hebben een lijst met geloofsbrieven zo lang als een Boeddha in ruste. Sommigen van hen zijn misschien wel verlicht. De meesten van hen hebben jarenlang in afzondering doorgebracht en een aantal indrukwekkende leraren gehad. Zelf ben ik nog nooit naar een retraite met meer dan twee overnachtingen geweest (waarbij ik mijn zoons moest meenemen) en ik kan me niet herinneren dat ik ooit langer dan anderhalf uur aaneen heb gemediteerd. Ik ben geen spiritueel zwaargewicht, maar eerder iemand die voortmoddert en voortdurend nederig beseft hoeveel ze nog te doen heeft, maar ook verbaasd is over hoezeer boeddhistische beoefening haar dag kan verbeteren.

Juist doordat ik niet zo bijzonder ben, hoop ik moeders met een 'gewoon' leven met de gebruikelijke beperkingen meer inzicht te kunnen geven in een aantal van de kostbare schatten die het boeddhisme te bieden heeft. Na dat te hebben gezegd, wil ik de lezers op het hart drukken om nog lang na het lezen van dit boek op zoek te blijven gaan en met name terug te gaan naar de bron: de vertalingen van de woorden van de Boeddha in de bekende *Dhammapada* en andere geschriften.

Uiteindelijk maakt het echter weinig uit wat ik, of iemand anders, heb geschreven of wat je in de geschriften hebt gevonden, om de eenvoudige reden dat het je eigen ervaring is die jouw leerproces in gang zet en houdt. De lessen die je eigen leven je leert zijn het betrouwbaarst en bruikbaarst. Het is jouw reis. De boeddhistische leer biedt een uitstekende verduidelijking van wat er zich allemaal op je pad voordoet en biedt tevens een veel betreden pad naar geluk.

HOOFDSTUK 1

Boeddhisme en moederschap

*M*OEDERS MET KLEINE KINDEREN zijn vaak alleen. Afgezien van het fysieke isolement ten opzichte van andere volwassenen, hebben we vaak een pijnlijk gebrek aan mensen tot wie we ons kunnen wenden als we naar wat steun verlangen. Toen we nog geen moeder waren, in ons werkende of studerende leven, hadden we waarschijnlijk een groep mensen om ons heen, inclusief bondgenoten die te allen tijde bereid waren met ons te praten over onze grieven of te lachen om onze problemen. Nu we een groot deel van de week met onze kinderen alleen thuiszitten, brengen we minder tijd met andere volwassenen door. Voor de meesten van ons is het moederschap echter een periode waarin onze behoefte aan gezelschap groter is dan ooit.

Onze oude vrienden en familieleden begrijpen ons wellicht niet; misschien hebben ze zelf geen kinderen of ze hebben met hun kinderen andere moeilijkheden dan wij met de onze. Ouders van kinderen met slaapproblemen worden doorgaans omringd door ouders wier kinderen lekker doorslapen, net zoals ouders met ondeugende kinderen het gevoel hebben dat ze uitsluitend worden omgeven door ouders met rustige, welgemanierde kinderen. Of misschien voelen we ons teleurgesteld door de reactie van vrienden en familie wanneer we onze problemen met hen willen bespreken. Ze kunnen niet goed luisteren: wanneer we met onze zorgen komen, hebben ze het over zichzelf, ze geven ongewenst advies of veranderen gewoon van onderwerp. Misschien blijven we zitten met het gevoel dat we niet worden gehoord, of nog erger, dat we worden bekritiseerd. Het is waar dat andere moeders geweldige bondgenoten kunnen zijn, maar de meesten van ons kunnen slecht luisteren, ook al is dat alleen maar doordat we voortdurend worden onderbroken door onze kinderen.

In het geval dat je wel over een wijze steun en toeverlaat beschikt, is het niet aannemelijk dat deze persoonlijke schat beschikbaar is op de momenten dat jij haar het hardst nodig hebt. Trouwens, als zorgzame schepsels die we zijn, houden moeders er niet van om één persoon op te zadelen met al onze zorgen, irritaties en ongemakken.

Hoe zit het met onze partners, zij die zich ooit hebben ingeschreven voor deze levenslange verbintenis van het ouderschap? Als we eerlijk zijn, moeten we toegeven dat alleen een heilige de fysieke en psychologische beproevingen waarmee we te maken krijgen werkelijk zou kunnen begrijpen. En laten we er niet omheen draaien, onder ons bevinden zich er niet velen die een heilige hebben getroffen. Ook al zou dat wel het geval zijn, dan nog zijn onze partners waarschijnlijk de meeste tijd aan het werk.

Inderdaad, het moederschap dwingt ons tot een nieuw soort zelfredzaamheid. De enige hoop op een gelukkig en wijs moederschap die we hebben, is dat we zelf de noodzakelijke innerlijke bronnen ontwikkelen om onszelf staande te houden. Heen en weer geslingerd tussen de behoeften van anderen, is een moeder voortdurend aan het geven; daarom moeten we op zoek naar mogelijkheden om weer bij te tanken. De leer van de Boeddha voorziet ons van talrijke middelen om deze opgave te vervullen; hij biedt ons inzicht in hoe we kunnen omgaan met verontrustende emoties en gedachten, en hoe we op een kalmere en gelukkiger manier met anderen kunnen samenleven.

Als moeder zijn we er bij uitstek klaar voor om over het boeddhisme te horen. We hebben immers twee van de hoekstenen van de boeddhistische leer aan den lijve ondervonden: we begrijpen dat er lijden is in het leven en we hebben een waarachtiger liefde ervaren.

Wie is de Boeddha?

De letterlijke betekenis van het woord Boeddha is 'de ontwaakte'. In de loop van de geschiedenis zijn er verschillende boeddhisten 'ontwaakt', wat betekent dat er vele boeddha's zijn: vroegere, huidige en toekomstige. Als we het over 'de Boeddha' hebben, bedoelen we echter Siddhartha Gautama, die rond 560 v.Chr. in het Himalayagebergte werd geboren. Zijn vader was een van de vele koningen die er destijds in India waren, maar verder was Siddhartha een gewone man zonder enige goddelijke autoriteit.

Het levensverhaal van Siddhartha werd enkele eeuwen na zijn dood opgeschreven. Er bestaan verschillende versies, maar boeddhisten maken zich niet druk over het ontbreken van een 'geautoriseerde versie'. In het boeddhisme neemt het verhaal van de oorspronkelijke Boeddha een minder belangrijke plaats in dan zijn boodschap dat er een uitweg is voor lijden en ellende.

Het bekende verhaal gaat zo.

Toen Siddhartha werd geboren, voorspelde een heilige dat deze pasgeborene een wereldleider zou worden of een groot leraar die de staat van verlichting zou bereiken. Zijn vader gaf de voorkeur aan de eerste mogelijkheid en voorkwam dat Siddhartha in aanraking kwam met de buitenwereld. Hij zorgde ervoor dat het zijn zoon binnen de paleismuren aan niets ontbrak en dat hij werd onderwezen in kunst, wetenschap en sport.

Na verloop van tijd vertelde een van de bedienden Siddhartha over het leven, wat de nieuwsgierigheid van Siddhartha naar de wereld buiten de paleismuren wekte. Hij begon uitstapjes te maken en hoewel zijn vader ervoor had gezorgd dat de minst bedeelden uit de straten waren verwijderd, kwam Siddhartha toch oude, zieke en dode mensen en hun rouwende familieleden tegen. Siddhartha was hevig ontdaan door het leed dat hij had gezien en werd steeds vastberadener in zijn voornemen om de oorzaak van het lijden te vinden, evenals een manier om

*het te overwinnen. Toen hij negenentwintig was verliet hij het
paleis om op zoek te gaan naar een antwoord. Dit betekende
dat hij zijn vrouw en zijn pasgeboren zoontje Rahula achterliet
(dit is een punt waarover in boeddhistische kringen veel discussie bestaat).
Gedurende zes jaren trok Siddhartha rond, op zoek naar antwoorden. Hij experimenteerde met allerlei verschillende
beoefeningen, onder meer door zich te buiten te gaan aan allerlei geneugten, zodat er vanzelf een weerzin tegen de lichamelijke verlangens zou ontstaan, zelfkastijding, kastijding door
anderen, yoga, trance, diepzinnige gesprekken en, ten slotte,
vasten. Het vasten maakte hem zo ziek en zwak dat hij ermee
ophield en onder een boom ging zitten en plechtig beloofde: 'Ik
blijf net zolang op deze plek zitten totdat ik volmaakt inzicht
heb… of sterf.' Nadat hij tot verschillende inzichten over de
aard van het leven was gekomen, werd Siddhartha de verlichte
Gautama de Boeddha. Hij beloofde plechtig er alles aan te
doen om het lijden in de wereld te verlichten en de resterende
vijfenveertig jaar van zijn leven bracht hij door als leraar.*

De Boeddha vond op eigen kracht de antwoorden op zijn vragen
en boeddhisten worden aangespoord om hetzelfde te doen. De
laatste woorden van de Boeddha voordat hij stierf waren:

*Aangezien er geen externe verlosser is,
zal ieder zijn eigen bevrijding moeten bereiken.*

Wat was het onderricht van de Boeddha?

De essentie van de leer van de Boeddha is vervat in de vier Edele
Waarheden. In elk ervan wordt het lijden genoemd, in de vorm
van ontevredenheid, onvolmaaktheid, angst, ongemak, irritatie – alles wat maar in enige mate onaangenaam voelt. Dit zijn de
vier Edele Waarheden.

1 Er is lijden.

2 Gehechtheid is de oorzaak van het lijden.

3 Het lijden kan worden beëindigd.

4 Er is een pad dat tot de beëindiging van het lijden leidt.

Het lijden en de ontevredenheid zullen niet van de ene dag op de andere verdwijnen, maar door te beginnen met een boeddhistische beoefening kun je wel al het zaad zaaien waarmee je je leven kunt verbeteren.

Er is lijden – de eerste Edele Waarheid

De eerste Edele Waarheid van het boeddhisme is dat er lijden bestaat. De Boeddha gebruikte hiervoor het woord *dukkha*, dat het best vertaald kan worden met ontevredenheid of onvolmaaktheid. De eerste Edele Waarheid is dus dat het leven inherent onbevredigend en onvolmaakt is. Toen we nog geen moeder waren, hadden we deze leerstelling misschien te zwartgallig gevonden. Als we ons niet helemaal gelukkig voelden, gingen we gewoon naar de film, belden een vriend of vriendin of leidden onszelf op allerlei andere manieren af om de pijn maar niet te hoeven voelen. Nu zorgen onze kinderen er echter voor dat we vrijwel geen tijd meer hebben voor dit soort afleiding. Daarbij hebben we de beproevingen doorstaan van een zwangerschap, een bevalling, een pasgeboren kind en de opvoeding en daarom lijkt een dergelijke kijk op het leven niet zo melodramatisch. Nu we eenmaal moeder zijn, hebben we allemaal kennisgemaakt met lijden, zelfs met wanhoop.

Als moeder ontdekken we dat het leven geen makkelijke ervaring is. We hebben verantwoordelijkheden, zielige beetjes tijd voor onszelf en wanhopige zorgen of onze kinderen wel gezond, 'normaal' en opgewassen zijn tegen de verwachtingen van de kritische wereld om hen heen. We voelen ons schuldig dat we die honderd andere dingen er niet ook nog eens bij doen. We maken ons zorgen over onze carrière en, in veel gevallen, het verlies ervan. Op sommige donkere momenten worstelen we misschien met onze eigenwaarde als we zien hoe er rimpels verschijnen en bepaalde delen van ons lichaam gaan hangen.

Een groot aantal moeders geeft aan dat kinderen hebben van invloed is op hoe ze naar het nieuws kijken. Als moeder komt de pijn van de wereld harder aan. De slachtoffers van misdaden, oorlogen en drugsverslaving zien we nu als de geliefde kinderen van lijdende moeders. Verhalen over ontvoeringen, kindermishandeling of zelfmoord lijken nu te pijnlijk om nog te kunnen aanhoren. We beseffen dat elke dood en elk verlies hun sporen achterlaten bij een kwetsbaar gezin. Onze reactie is een teken van ons grotere bewustzijn van het lijden en de ontevredenheid in het leven.

Deel van de oorzaak van de ontevredenheid is wat in het boeddhisme **vergankelijkheid** of veranderlijkheid wordt genoemd: alles verandert voortdurend in iets anders – niets blijft hetzelfde. Alles in het leven – mensen, omstandigheden, voorwerpen, tot op microscopisch niveau – is in beweging; zodoende is er niets vaststaands of blijvends om ons op te kunnen verlaten. Het boeddhisme zegt niet dat geluk niet mogelijk is, want dat is het wel. Het probleem is dat we het geluk niet kunnen vasthouden. Net als al het andere gaat het voorbij. Geboorte, ouder worden, pijn en dood, dat zijn de vaste ingrediënten van het leven. We kunnen onszelf ons hele leven lang proberen af te leiden van deze gegevenheden, maar uiteindelijk ontkomen we er niet aan.

Misschien ben je het er wel mee eens dat er elementen van lijden in het leven bestaan, maar wie wil daar lang bij stilstaan? Het boeddhisme lijkt een deprimerend pad als je niet verder zou kijken dan dat. Gelukkig brengen de andere drie Edele Waarheden goed nieuws. Als je echter wilt weten waar het boeddhisme om draait, kun je dat het beste van de Boeddha zelf horen:

Ik onderwijs het lijden en het eind van het lijden.

De geest van liefde

De tweede reden waarom we er als moeder klaar voor zijn om van het boeddhisme te profiteren, is dat we een enorme stap vooruit hebben gezet om te bereiken wat boeddhisten 'de geest van liefde' noemen. Zoals we weten gaat het moederschap over veel meer dan lijden; het gaat ook over de bewustzijnsverruimende ervaring van liefde.

De liefde die een moeder voor haar kind voelt, is de waarachtigste liefde die we kennen. Houden van een kind leert ons wat echte liefde is: onzelfzuchtig, verdraagzaam en vergevend. We leren dat liefde onvoorwaardelijk en vrij van oordelen is en weinig of niets terug verwacht. Natuurlijk zijn er ook momenten waarop we kwaad zijn op onze kinderen, waarop ze ons in contact brengen met de donkere kanten van onze persoonlijkheid, maar over het algemeen genomen is onze band met hen er een van overweldigende liefde. Een van de moeders verwoordt het zo:

> *Toen ik eenmaal een kind had, realiseerde ik me dat de liefde die ik in het verleden had gevoeld – met name bij partners – altijd egoïstisch was geweest. Voortdurend was er de overweging: 'wat biedt deze relatie mij?' En als er niet aan mijn verwachtingen werd voldaan, droogden de positieve gevoelens al snel op. Mijn dochter heeft me door een hel laten gaan, maar niets wat zij doet kan ervoor zorgen dat ik niet meer van haar houd.*

Onze liefde voor onze kinderen geeft ons een gevoel van vreugde, gelukzaligheid en blijdschap. Wat echter nog veel inspirerender is, is dat we door onze liefde voor een kind ook beter in staat zijn om liefdevol naar anderen te zijn. De mogelijkheden om dat wat we leren van onze liefde voor ons kind toe te passen op andere relaties zijn onbegrensd. Vaak ontdekken moeders dit al uit zichzelf: ze voelen meer compassie voor andere mensen, ze realiseren zich dat ook zij ooit zijn begonnen als een lief baby'tje dat de toewijding van een moeder verdiende. Deze moeders ontdekken een nieuw vermogen om verdraagzaamheid op te brengen bij een knorrige caissière, een agressieve automobilist of een behoeftig familielid.

Ik heb ooit deelgenomen aan een boeddhistische cursus over het ontwikkelen van liefdevolle vriendelijkheid in relaties. Wanneer de docent een voorbeeld gaf van echte liefde, had ze het steeds over de liefde van een moeder voor haar kind. Ze gebruikte de moeder-kindrelatie om ons te laten zien welk effect liefde op ons gedrag heeft en wat de weldaden zijn van echte liefde. Ik ervaar het als een voorrecht dat ik als moeder dat onderricht ook werkelijk kan begrijpen doordat ik het aan den lijve heb ervaren.

Een uitspraak over het moederschap die volgens mij het beste klopt, is dat het je leven twee keer zo zwaar én twee keer zo mooi maakt. Er is lijden en er is ontevredenheid, maar we worden gered door de liefde.

Vriendelijk, verdraagzaam en volhardend

Een andere reden waarom moeders er klaar voor zijn om kennis te maken met de boeddhistische leer is dat ze zo ongenadig veeleisend kunnen zijn tegenover zichzelf. Vaak proberen moeders te voldoen aan de hoogste eisen en verwachtingen ten aanzien van hun rol – en voelen zich vervolgens schuldig, omdat het hun niet lukt de perfecte moeder, partner, familielid, vriendin, werknemer, huisvrouw, slankelijner en burger te zijn. Zodoende bekritiseren we onszelf, terwijl we ons eigenlijk in een periode van ons leven bevinden waarin we behoefte hebben aan steun en medeleven. Bij de meesten van ons zou het niet in ons hoofd opkomen om tegen iemand anders net zo tekeer te gaan als tegen onszelf.

Het boeddhisme onderwijst compassie voor alle levende wezens en we moeten onszelf dus ook meerekenen. Ondanks het feit dat het boeddhisme wel hoge gedragsnormen hanteert, is het niet de bedoeling dat we onze energie verspillen aan schuldgevoelens – zelfverwijten worden niet behulpzaam gevonden en moeten worden vermeden. Als onze gedachten en handelingen niet volledig aan de normen der wijsheid voldoen, is het enige wat we moeten doen ons ervan bewust zijn, onze aandacht erop richten in plaats van ze onopgemerkt laten voortwoekeren. Ons doel is helder waarnemen wat er gebeurt. Daarnaast cultiveren we doelbewust heilzamer gemoedstoestanden.

Ooit heb ik een meditatieleraar dit advies horen geven: 'Wanneer je geest afdwaalt tijdens de meditatie is het niet nodig om gefrustreerd te raken – de juiste houding is dat je *vriendelijk, verdraagzaam* en *volhardend* blijft.' Ik heb die woorden meteen onthouden, omdat ik zag hoe waardevol ze waren, zowel voor mijn meditaties als voor het dagelijkse leven. Om onze zelfredzaamheid te voeden, moeten we onze eigen beste vriendin worden en wanneer we het gevoel hebben dat we niet voldoen aan onze eigen eisen, moeten we onszelf eraan herinneren om *vriendelijk, verdraagzaam* en *volhardend* te zijn jegens onszelf, zoals ook deze moeder heeft ontdekt:

Een van de grootste geschenken van het boeddhisme is dat het de nadruk legt op verdraagzaamheid en compassie naar jezelf. Ik ben opgegroeid in een streng katholiek gezin en als tiener kwelde ik mezelf met een enorm schuldgevoel, omdat ik mijn zondigheid niet kon overwinnen. Hoe hard ik ook mijn best deed, telkens zondigde ik weer, waardoor ik me dan weer een mislukking voelde en nog minder van mezelf hield. Door het boeddhisme moest ik me op een veel dieper niveau bewust worden van mijn zwakten. In plaats van ze bij de eerste tekenen de kop in te drukken, moest ik eerst begrijpen waar ze vandaan kwamen of wat de oorzaak ervan was.

Een van mijn zwakheden is bijvoorbeeld dat ik snel een oordeel heb over anderen. Het boeddhisme heeft me geleerd dat als ik me bewust zou worden van de oordelen die ik had, de gedachtegang erachter en het effect ervan op mijn lichaam en geest, mijn bewustzijn me dan veel meer ruimte kon geven om meer compassie te kunnen voelen met anderen. Het is niet nodig om

*kwaad te worden op mezelf of me schuldig te voelen. Ik heb
geleerd om verdraagzamer en vergevensgezinder te zijn jegens
mezelf. Deze manier van omgaan met mijn gebreken is veel
effectiever gebleken dan mezelf te straffen met een schuldgevoel.
In mijn opvoeding leer ik mijn kinderen hoe ze zich vanuit
liefde en onvoorwaardelijke acceptatie kunnen gedragen. Nu
ben ik aan het leren om hetzelfde voor mezelf te doen.*

Wat heeft het boeddhisme moeders te bieden?

Stel je een rustige, serene moeder voor, die alles wat het leven haar
voorschotelt aanvaardt. Onverwachte of ongewenste gebeurtenissen brengen haar niet van streek. Ze reageert nooit overdreven. Ze
is zich ervan bewust dat ze op sommige momenten niet over voldoende wijsheid of compassie beschikt, maar ze verdoet haar tijd
niet door zich dagenlang schuldig te voelen; misschien gaat het de
volgende keer wel beter. Ze is zich bewust van zichzelf, maar doordat ze heeft geleerd van zichzelf te houden, is ze in het contact met
anderen niet verlegen of alleen maar met zichzelf bezig. Haar
vrienden zeggen dat ze op een natuurlijke manier vriendelijk en
aardig is. Haar broers en zussen voegen daar aan toe dat ze een helder verstand heeft en goed beslissingen kan nemen. Mensen lijken
zich bij haar op hun gemak te voelen, of zelfs speciaal, en er is geen
gebrek aan mensen die van haar houden. Haar kinderen vinden
het heerlijk om bij haar te zijn, omdat ze hun het gevoel geeft dat ze
belangrijk zijn en dat ze worden begrepen. Ze is creatief, spontaan
en lacht graag, want waar ze zich ook mee bezig houdt, het leven is
een spel en geen werk.

Het boeddhisme kan ons helpen meer als deze moeder te worden, een gelukkiger soort moeder. Het vergt tijd, maar met wat
compassie en geduld met onszelf – in plaats van zelfverwijten en
schuldgevoelens – komen we naarmate onze beoefening vordert
steeds een beetje dichter bij dit ideaal. Het is niet zo dat het boed-

dhisme een massa kloonachtige Volmaakte Moeders zal opleveren – er zijn miljoenen manieren om op deze moeder te lijken en nog steeds je eigen unieke vervulling te vinden.

Wat zeggen boeddhistische moeders?

Een belangrijk effect dat de beoefening van het boeddhisme op ons leven kan hebben, is dat we er dan ook echt zijn. In plaats van dat we met onze aandacht ergens anders zijn terwijl ons leven zich ontvouwt, zoals meestal het geval is, proberen we in het hier en nu aanwezig te zijn. In hoofdstuk 2 belichten we dit aspect uitvoeriger, maar laten we hier eens luisteren naar wat een aantal boeddhistische moeders te zeggen heeft over het effect van het boeddhisme op hun dagelijkse leven.

We beginnen met Anne, een moeder met twee jonge dochters:

Het boeddhisme helpt me om het moederschap als een spirituele reis te zien. Op de vreselijkste momenten herinner ik mezelf eraan dat opvoeden een oefening is en wel een oefening van de zwaarste soort. Mijn kinderen zijn mijn leraren die me onophoudelijk dwingen in het hier en nu te leven en al mijn fantasieën over alle opwindende en stimulerende dingen die ik zou kunnen *doen op te geven.*

Als moeder moet je jezelf voortdurend de vragen stellen: 'Wat moet er dit moment gebeuren?' en 'Wat is er in deze situatie belangrijk?' Op de slechte dagen merk ik dat mijn dochters automatisch zichzelf herhalen alsof ze weten dat ik een verdwaasde zombie ben die niet helemaal aanwezig is. Wanneer dat gebeurt, weet ik hoe ik mezelf kan losrukken, weer terug in het hier en nu kan brengen, en mijn dochters weer meer aandacht kan geven. Met behulp van de boeddhistische leer lukt het me beter om mijn kinderen bewust op te voeden en aandacht te hebben voor wat er op dat moment nodig is, in plaats van hen het slachtoffer te laten worden van mijn automatische reacties.

In *Why Buddhism? Westerners in Search of Wisdom*, een boek met interviews met praktiserende boeddhisten, interviewt Vicki Mackenzie een Amerikaanse moeder, Yvonne Rand, die tevens zen-priester en leraar is. Yvonne verwoordt hetzelfde gevoel als Anne dat het ouderschap een spirituele oefening kan zijn.

> *De meditatie hielp me met mijn ouderschap, hoewel mijn kinderen zich er meer van bewust waren dan ikzelf. Toen mijn dochter op een keer op bezoek was bij een schoolvriendinnetje, vroeg de moeder: 'Waarom mediteert jouw moeder?' Het antwoord van mijn dochter was: 'Nou, ze is gezelliger en het lijkt alsof ze zich beter voelt.' Ze sloeg de spijker op de kop. Een van de effecten die het op mij had, was dat ik het gevoel had na lange tijd uit een sluimertoestand te ontwaken. Ik ging zien hoezeer ik op de automatische piloot had gevaren. Ik had ook het gevoel mijn thuis te hebben gevonden.*
>
> *Het werd me zonneklaar dat als mijn relatie met mijn kinderen niet strookte met wat ik in mijn boeddhistische onderricht leerde, ik op de een of andere manier de boel bedonderde. Ik wilde mijn relatie met mijn kinderen gebruiken als een mogelijkheid om mijn eigen gedachtestroom te bestuderen en mijn bewustzijn te vergroten. Ik zag in dat mijn bewustzijnstoestand een heel sterk effect had op mijn dochters.*

Melissa heeft twee dochtertjes van drie en vijf. Ook zij gebruikt het boeddhisme om haar emoties te leren beheersen. Ze lijkt een zekere mate van zelfacceptatie te hebben bereikt, zonder zelfingenomen te worden.

> *Het boeddhisme heeft me geholpen me meer bewust te worden van de werking van mijn geest. Telkens wanneer ik eraan denk, probeer ik me bewust te zijn van hoe ik tegen mezelf praat. Dit vereist veel aandacht en concentratie, en die ontwikkel ik door te mediteren.*
>
> *Tegenwoordig, nu ik me meer bewust ben van mijn mentale*

gemopper, probeer ik mezelf te betrappen op negatieve gedach-
ten. Op dagen dat het niet lekker loopt met de kinderen
bestaan mijn gedachten voor een groot deel uit klagen en
mezelf in een toestand van wanhoop werken. Als je het vermo-
gen ontwikkelt om dit proces te zien gebeuren, dan ben je beter
in staat je beeld bij te stellen en jezelf te bevrijden uit het lijden.

In al deze voorbeelden zien we dat als we de beproevingen van ons
leven vanuit het hier en nu tegemoet treden, we meer kans hebben
op een constructieve manier te reageren.

Verzekering tegen de nachtmerries van het ouderschap

Persoonlijk ben ik iemand die voorbereid wil zijn op de tijden van
beproeving die in het verschiet liggen, met name de puberteit van
mijn zoons. Ik wil de innerlijke capaciteiten hebben ontwikkeld
waarmee ik een waardevol onderdeel van hun leven kan zijn, hetzij
als vriend, vertrouweling of iemand die zich met haar eigen zaken
kan bemoeien indien dat nodig is. Zoals bij de meeste moeders is
mijn grootste angst dat mijn schattebouten op een gegeven moment zullen lijden. Op zwartgallige ogenblikken kwel ik mijzelf
door me voor te stellen dat ze zich eenzaam, gedeprimeerd of vernederd voelen. En mocht een van beiden zelfmoord plegen, dan zie
ik mezelf ten ondergaan aan het verdriet.

Mijn intuïtie vertelt me dat hoe wijzer ik ben, hoe toegankelijker ik zal zijn en hoe groter de kans dat ik mijn kinderen zal kunnen helpen wanneer ze in nood zijn. Als mijn kinderen respect
voor me hebben, zullen ze me eerder in vertrouwen nemen. Als ze
me zien als iemand die geen contact heeft met zichzelf, die haar
emoties niet in de hand heeft of te weinig compassie kan opbrengen, zal het hun moeite kosten om respect voor me op te brengen.
Ze zullen hun zorgen zeker niet willen delen met iemand die er in
hun ogen starre denkbeelden op nahoudt. De boeddhistische beoefening zorgt ervoor dat we ons meer bewust worden van onszelf

en helpt ons de minder heilzame lagen van onze persoonlijkheid af te pellen. Daardoor worden we toegankelijker voor onze kinderen wanneer ze lijden.

Hoewel ook de kinderen van ouders die wel de juiste houding hebben in de problemen kunnen komen, zou het scala aan leed waarmee onze kinderen te maken kunnen krijgen bij wijze ouders in omvang moeten afnemen. Zoals de Dalai Lama het verwoordt in *The Heart of the Buddha's Path*: 'Als de ouders warmhartige, vreedzame en rustige mensen zijn, zullen de kinderen over het algemeen genomen ook die houding en dat gedrag ontwikkelen.'

De beoefening van het boeddhisme kan ons wijzer maken en, al was het alleen maar voor mijn kinderen, wijsheid is waar ik naar streef. Maar wat is wijsheid? Wanneer onze kinderen van streek zijn, hebben ze niet noodzakelijkerwijs behoefte aan een deskundige of een autoriteit. Misschien willen ze niet dat we hun de antwoorden geven die we uit boeken hebben geleerd, uit onze ervaringen of op onze reizen. In het boeddhisme heeft wijsheid niets te maken met oordelen vellen en weten wat het antwoord is. Het accepteren van het mysterie van het leven, weigeren onze bekende automatische voorbarige conclusies te trekken, een nederige houding van niet-weten – dat zijn de dingen die ons helpen open en gevoelig te blijven in al onze contacten.

De oorzaak van het lijden – de tweede Edele Waarheid

Als moeder hebben de meesten van ons wel enige ervaring opgedaan met ongemak en leed; de eerste Edele Waarheid is dus betrekkelijk makkelijk te begrijpen en te aanvaarden. De tweede Edele Waarheid is meer een openbaring. Hierin wordt gezegd dat verlangen de oorzaak is van lijden en ontevredenheid. De wereld waarin we leven heeft ons veranderd in schepsels die worden geteisterd door ontelbare verlangens. De dingen waar ons verlangen naar uitgaat brengen ons echter geen vrede, en vaak zijn we blind voor de gevolgen van onze onophoudelijke inspanningen.

We willen een belangrijk persoon zijn, bewonderd worden, veel geld, voortdurend spannende dingen meemaken. Geobsedeerd jagen we onze doelen na en we vertellen onszelf dat als we die doelen eenmaal hebben bereikt, we ons leven dik voor elkaar zullen hebben. We verzamelen stapels spullen omdat we er hevig naar verlangen om modieus te zijn, smaakvol, overal uit te blinken en bij te horen, overal behalve *hier*. We beschouwen onze verlangens als opstapjes naar het geluk, maar in feite zorgen ze ervoor dat we de mogelijkheden tot geluk in het moment zelf over het hoofd zien.

Adrienne Howley is een Australische boeddhistische non die in 1982 door de Dalai Lama is ingewijd. Ze heeft twee zoons en ze vertelt over een gesprek dat ze met een van hen had.

Ik beklaagde me over mijn moeder, niet voor de eerste keer, dat ze nooit tevreden was, wat iemand ook voor haar deed of wat iemand haar ook gaf. Ze nam het natuurlijk wel aan, maar liet er geen twijfel over bestaan dat het de verkeerde kleur of vorm was of niet hetgeen ze eigenlijk had willen hebben. Ik zei dat het leek alsof ze niet wist wat ze wilde hebben. Mijn zoon glimlachte en zei rustig: 'Mam, je begrijpt haar gewoon niet – dat is het. Ze weet wél wat ze wil – ze wil gewoon alles.*' Tot op zekere hoogte zijn we allemaal zo en sommige mensen krijgen enorme driftaanvallen als ze het niet krijgen en lijden intenser en kunnen daarmee ook anderen leed bezorgen.*

Een leven zonder verlangen betekent niet een leven zonder inspanningen, aspiraties of zelfs wensen. Het lijden begint op het moment dat we van onze doelen of voorkeuren eisen of noden maken; om gelukkig te zijn, moet ik x, y en z hebben. Door te hunkeren en vast te houden aan wat we willen hebben, plaveien we de weg voor gevoelens van angst en frustratie wanneer we dat niet krijgen. Zelfs wanneer onze verlangens zijn vervuld, is het geluk slechts van korte duur – al snel dienen zich weer nieuwe verlangens aan.

We lijden vanwege het verlangen naar de dingen die we niet

hebben, maar we lijden ook door het verlangen niet te hebben wat we wel hebben. Afkeer, de keerzijde van gehechtheid, heeft dezelfde kracht om ongeluk te creëren en met name voor moeders. Je bent in het park en je kind weigert mee naar huis te komen. Voor je gevoel sta je er al uren. Je hebt het koud en je krijgt honger. Terwijl je probeert je kleine rebel over te halen mee naar huis te komen, wordt je lichaam overspoeld door golven van frustratie en machteloosheid.

Of deze: het regent al dagen. Je hebt te weinig slaap gehad en je zit al uren opgesloten in je lawaaiige huiskamer. Je kinderen hebben ruzie gemaakt, ze zitten te zeuren en je hebt naar hun vreselijke muziek moeten luisteren. Je schiet uit je slof vanwege wat gemorst sap en denkt dan bij jezelf: ik haat dit. Ik kan helemaal geen moeder zijn! Het is allemaal een afschuwelijke vergissing! Akeer.

In plaats van onze gehechtheden stuk voor stuk aan te pakken, is er volgens de Boeddha één gehechtheid die alle andere veroorzaakt. Als je deze gehechtheid de baas zou kunnen worden, zouden alle andere verdwijnen: *ons geloof in een solide, afzonderlijk en consistent zelf, een ego*. Ons ego maakt ons tot slaven die levenslang voortdurend hun breekbare zelfbeeld moeten opvijzelen, op zoek naar genot en op de vlucht voor pijn. Dit inzicht, dat je leven kan transformeren, wordt in hoofdstuk 9 verder uitgewerkt.

Het lijden kan worden beëindigd – de derde Edele Waarheid

De boeddhistische stromingen kennen verschillende definities en uiteenzettingen van verlichting en het einde van het lijden. Verlichting ontstaat wanneer onze geest volkomen vrij is van negatieve bewustzijnstoestanden. We zijn niet langer in onwetendheid en hebben ons bevrijd van onze illusies. Nu we de waarheid helder zien, zijn we ook in staat te stoppen met genot na te jagen en pijn te vermijden. Ons hart is vervuld van liefde, aangezien we het egoisme hebben overwonnen. Volgens het zenboeddhisme kunnen we op ieder moment verlichting bereiken. Andere stromingen beweren dat er meerdere levens voor nodig zijn en dat er verschillende stadia zijn. Er bestaat wel overeenstemming over het feit dat het uiteindelijke ontwaken iets is wat niet in woorden is te vangen en wat de onverlichte geest niet kan bevatten. De verschillende stromingen zijn het er ook over eens dat de verantwoordelijkheid voor het bereiken van verlichting bij het individu ligt – er is geen verlosser of magische kracht die beslist wanneer wij er klaar voor zijn.

Toen de Boeddha onder zijn boom zat te mediteren en de staat van verlichting bereikte zei hij:

Alles is uitzonderlijk helder. Ik kan het landschap voor me helemaal zien. Ik zie mijn handen, mijn voeten, mijn tenen en ik ruik de vette rivierklei. Het voelt ongelooflijk vreemd en wonderbaarlijk om te leven. Wonder der wonderen! Deze verlichting is de aard van alle mensen, maar zij zijn ongelukkig bij gebrek eraan.

Tijdens meditatie is het mogelijk een glimp op te vangen van de verlichte geest, wat een enorme stimulans is. Een dergelijke ervaring is mogelijk op de hoogste concentratieniveaus en vraagt over het algemeen een jarenlange beoefening. Zoals de vierde Edele Waarheid aangeeft, is het een kwestie van het volgen van het pad.

Het pad dat ons uit het lijden voert – de vierde Edele Waarheid

De Boeddha heeft het pad waarmee we ons uit het lijden en ongeluk kunnen bevrijden, de vierde Edele Waarheid, beschreven aan de hand van het Edele Achtvoudige Pad, met zijn drie onderdelen: wijsheid, ethiek en geestelijke discipline. Alle boeddhistische scholen kunnen worden ondergebracht in een van deze acht categorieen.

Wijsheid
1 juist inzicht
2 juist denken
Ethiek
3 juist spreken
4 juist handelen
5 juist leven
Geestelijke discipline
6 juiste inspanning
7 juiste aandacht
8 juiste concentratie

Juist inzicht gaat over het leven zien zoals het is: het gaat er met name om dat we de waarheden van vergankelijkheid, ontevredenheid en 'geen-zelf' begrijpen. **Juist denken** gaat over de noodzaak van een oprechte toewijding ten opzichte van de boeddhistische beoefening, de vastberadenheid om je aandacht te vergroten en je gedachten te zuiveren van hebzucht, haat en illusie.

Juist spreken, handelen en **leven** geven het pad zijn morele fundament. Onze manier van spreken, handelen en leven moet getuigen van compassie, liefdevolle vriendelijkheid en eerlijkheid jegens anderen. Het pad naar wijsheid vereist een ethische levenswandel. Volgens het boeddhisme zullen alleen zij die integer leven de vruchten van meditatie kunnen plukken.

Juiste inspanning, aandacht en **concentratie** hebben betrekking op de meditatiebeoefening; hieraan zullen we in de latere hoofdstukken aandacht besteden.

Voor nu is deze uiteenzetting waarschijnlijk voldoende gedetailleerd. In appendix 1 vind je een meer uitgebreide toelichting op het Edele Achtvoudige Pad, evenals een aantal categorieën die in latere hoofdstukken aan bod zullen komen.

HOOFDSTUK 2

Opvoeden in aandacht

*I*K VIND HET HEERLIJK om Zac aan het eind van de dag op te halen uit de crèche. Het verheugde gevoel terwijl ik van de auto naar de crèche en door de crèche heen loop, de blije uitdrukking op zijn gezicht zodra hij mij ziet, het verdwijnen in zijn omhelzing – dit is een heerlijke ervaring waarbij mijn geest volkomen in het hier en nu aanwezig is.

Maar wanneer we dan de volgende dag samen thuis zijn, kan ik rusteloos of geïrriteerd zijn, of lusteloos omdat de tijd zo langzaam voorbijgaat. In een dergelijke stemming kan ik blind zijn voor hoe prachtig hij is, zijn jolige opmerkingen en simpelweg het wonder van zijn leven. Hij is een zegen, een buitengewoon kostbaar geschenk. Door beter naar hem te kijken, zo vaak mogelijk, geef ik mezelf de mogelijkheid om het moederschap op een vollere en bevredigender manier te beleven.

Als we onszelf konden leren volledig aanwezig te zijn in het nu en onze eigen 'nu-heid' te onderzoeken, in plaats van steeds opnieuw de oude verhalen uit het verleden te herkauwen of de toekomst aan het plannen te zijn, dan zouden we veel meer plezier in ons leven hebben, en zelfs momenten van ongekende gelukzaligheid. Dat is wat met aandacht wordt bedoeld, de zevende categorie van het Achtvoudige Pad, een pad dat ons uit het lijden naar het geluk voert. Het begrip 'aandacht' wil zeggen *dat we gewaar-zijn wat er gebeurt op het moment dat het gebeurt.*

Over het algemeen racen we op de automatische piloot door onze dagen heen. We worden in beslag genomen door onze gedachten en verrichten onze handelingen in een geestelijke waas. Onze gedachten springen heen en weer tussen een zoveelste versie van het verleden en plannen voor de toekomst. Ons bewustzijn gonst van de onopgeloste conflicten, kwetsende opmerkingen en de spijt, met daarnaast de fantasieën, dagdromen en lijstjes die nog moeten worden afgewerkt. Het is heel goed mogelijk dat we er na twee dagen achter komen dat het allemaal volkomen aan ons voorbij is gegaan en dat we geen idee hebben wat er allemaal is gebeurd. Als we de hele dag in ons eigen hoofd hebben gezeten, kan het zijn dat we het op een aantal punten hebben laten afweten:

- ons concentreren op wat we aan het doen zijn
- echt luisteren naar onze kinderen
- niet alleen de eerste hap proeven
- oog hebben voor onze omgeving
- een opbouwende spanning in ons lichaam voelen
- ons bewust zijn van onze emoties en weten waardoor ze werden veroorzaakt

Door ons gewaar-zijn te oefenen worden we wijzere ouders. Alleen door het hier en nu gewaar te zijn, maken we een kans om de ware aard van de dingen te gaan begrijpen, van 'wat is'. Zonder dit inzicht kunnen we niet anders dan ons leven waarnemen door de sluiers van onze illusies. Door te leren gewaar te zijn, kunnen we helder gaan waarnemen.

Het is heel moeilijk om je op ieder moment van de dag bewust te zijn. Onze 'monkey-mind' springt van tak tot tak, heen en weer tussen herinneringen en plannen, zodat onze geest honderden keren per dag afdwaalt en niet meer in het nu is. Waarom zouden we niet op de automatische piloot varen? Er zijn talrijke voordelen aan een bewust leven om moeite voor te doen, en aandacht te besteden aan de ontelbare en onvermijdelijke mislukkingen.

Aandacht
– in het belang van onze kinderen

Hoeveel aandacht hebben we in onze belangrijkste rol als ouder? In hoeverre gaat hun jeugd aan ons voorbij doordat we er niet met onze gedachten bij zijn? Ik sprak met een moeder die vanwege haar eigen jeugd zonder aandacht heel goed weet wat het belang is van opvoeden in aandacht.

Ik heb me altijd verdrietig en verward gevoeld over mijn verhouding met mijn ouders. Het waren geweldige ouders – er was eigenlijk niets op hen aan te merken en ik ben hen enorm dankbaar. Het probleem met ons gezin is echter dat we allemaal een beetje vaag en verstrooid zijn. We hebben geen van allen een geweldige aandachtsboog, wat betekende dat we nooit naar elkaar hebben geluisterd en dat we elkaar eigenlijk nooit goed hebben leren kennen of begrijpen. Mijn moeder is er wel altijd voor me, maar wanneer ik iets zeg, onderbreekt ze me, ze verandert van onderwerp, ze luistert niet echt of ze geeft me weer het antwoord dat ze altijd geeft zonder bewust te horen wat ik zeg. Ik vind het afschuwelijk als het klinkt alsof ik een vreselijk slachtoffer ben, terwijl mijn leed in het niet valt bij dat van bijvoorbeeld verwaarloosde kinderen. Toch kan ik er niet omheen dat het me veel verdriet doet dat ik me nooit echt gezien en begrepen heb gevoeld.

Het boeddhisme heeft me geleerd dat het hele probleem uiteindelijk neerkomt op een gebrek aan aandacht, het onvermogen om rustig en stil te zijn met elkaar, om elkaar met belangstelling, vriendelijkheid en openheid te bejegenen. Ik kan tenminste leren van de fouten van ons gezin en proberen er meer voor mijn eigen kinderen te zijn. Ik wil hun – en mijn echtgenoot – momenten van volledige aandacht, betrokkenheid en verbondenheid geven, zodat ze niet worden opgescheept met wat mijn zenmeester een 'verloren ervaring' noemt.

De woorden van deze moeder zijn me bijgebleven vanwege het gevaar dat erin doorklinkt. Op de dagen dat mijn bewustzijnsbeoefening te wensen overlaat en ik kilometers verwijderd ben van het nu, kan ik me opeens realiseren dat Zac me voor de derde of vierde keer dezelfde vraag stelt en dat het nu pas tot me doordringt. Dit zie ik kinderen vaak doen bij de volwassenen in hun leven en ik begrijp dat dit kinderen het gevoel kan geven dat ze onbelangrijk zijn, genegeerd worden of onzichtbaar zijn. We doen het allemaal en het is niet nodig om onszelf ervan langs te geven omdat we het doen; wel is het nodig dat we ons ervan bewust worden dat we het doen en ons in te spannen om het anders te gaan doen. Tegenwoordig probeer ik Zacs stem te gebruiken als een 'aanknop' voor mijn aandachtsbeoefening. Soms moet ik de vader van Zac of vrienden en familieleden even aanstoten: 'Zac vroeg je wat.'

Onze kinderen brengen een overvloed aan speciale momenten in ons leven: hun geboorte, hun eerste lach, hun eerste woordje, voor het eerst naar school. Als we echter volledig in beslag worden genomen door de voortrazende stroom van gedachten, missen we een hoop van de meer alledaagse momenten en, nog belangrijker, ook de mogelijkheid om elk moment dat we met onze kinderen doorbrengen speciaal te laten zijn. Wanneer we ons bewust zijn van de intensiteit en de kwaliteit van het hier en nu, openen we onszelf voor de mogelijkheid om er nog meer van te genieten.

Wanneer we ons bewust zijn van het nu, is ons gezin in veiliger handen, aangezien het de kans op kleine ongelukjes door onoplettendheid vermindert, evenals de kans dat we van achteren op een vrachtwagen inrijden. We zijn ook in staat gevoeliger te zijn voor wat onze kinderen van ons nodig hebben, zoals deze moeder vertelt.

Ik merk dat ik als ik onoplettend ben op een destructieve manier op mijn kinderen kan reageren. Wanneer ik werkelijk contact maak met het moment en weet wat er van me wordt verlangd, dan ben ik ontvankelijker voor mijn kinderen en kan ik hen beter helpen.

*In mijn traditie, het zenboeddhisme, hebben we het over een
beginner's mind, wat wil zeggen dat je elk moment met
nieuwe ogen bekijkt in plaats van in steeds hetzelfde reactiepa-
troon te vervallen. Ik vind dit zeer behulpzaam voor het ouderschap: wat vandaag werkte, werkt morgen misschien niet meer,
net zoals onze manier van omgaan met het ene kind misschien
niet werkt bij het andere. Ik probeer dus te reageren op wat dit
nieuwe moment biedt en niets anders. Het ouderschap is bij
uitstek onvoorspelbaar en daarom moet ik op elke situatie weer
anders reageren en elk moment zien voor wat het is.*

Deze moeder laat ook zien dat aandacht ons bewuster maakt van
wie onze kinderen zijn en ons beter in staat stelt hen te verlossen
van de druk om onrealistische verwachtingen waar te maken.

*Als ik met bewustzijn kijk, dan zie ik mijn kinderen voor wie ze
zijn en verlos ik hen van de ketens van mijn verwachtingen en
angsten. Zodoende kunnen ze zich op hun eigen manier ontwikkelen. Ik zal mijn dochter niet onder druk zetten om een
filosofische balletdanseres te worden die zich ontfermt over de
zieken, van dieren houdt en haar moeder verafgoodt. Ik stem
me af op haar interesses, zodat ik haar kan helpen haar eigen
doelen te bereiken, die waarschijnlijk anders zullen zijn dan ik
me had voorgesteld.*

Aandacht – in het belang van onszelf

Zoals deze moeder heeft ervaren, kunnen we door aandachtig te
zijn ook meer over onszelf leren; daarnaast ontdekken we dat onze
kinderen in veel opzichten onze 'opvoeders' zijn.

*Door het hier en nu gewaar te zijn, leer ik dingen over mezelf
en kan de tijd die ik met mijn kinderen doorbreng een tijd van
leren en spirituele groei worden – vaak is het een kwestie van*

leren van mijn fouten, maar ik leer er hoe dan ook van. Wan-
neer ik mijn zelfbeheersing heb verloren of tegen mijn kinderen
heb gesnauwd, zou ik ervoor kunnen kiezen om mezelf zo snel
mogelijk af te leiden van het onbehaaglijke gevoel, om het
onprettige hier en nu te ontvluchten. In plaats daarvan onder-
zoek ik het moment zo grondig mogelijk om te ontdekken wat
ik eruit kan leren en wat de volgende keer dat diezelfde knop-
pen worden ingedrukt een betere manier van reageren kan
zijn.

Door mijn gedachten waar te nemen, heb ik zoveel geleerd over
mijn onrealistische eisen die ik aan mijn kinderen stel en mijn
leefomstandigheden in het algemeen. Onzinnige dingen als 'het
huis moet eerst aan kant zijn' of 'mijn kinderen moeten altijd
gelukkig of dankbaar zijn'. Ik heb geleerd om me emotioneel
meer te onthechten van dat soort triviale irritaties en tevreden
te zijn met onvolmaaktheid.

En een wat lichtvoetiger effect: deze moeder die ernaar streeft om
in het hier en nu aanwezig te blijven loopt minder blauwe plekken
op.

Ik rende altijd rond met een hoofd vol stress over de toekomst.
Nooit had ik mijn gedachten bij wat ik op dat moment aan het
doen was, met als gevolg dat ik altijd tegen dingen aan liep,
mijn tenen stootte tegen de meubels, met mijn heupen tegen
tafels aan botste. Sinds ik meer aandacht heb voor het hier en
nu, bezeer ik mezelf niet meer.

Met aandacht aanwezig zijn is het gewaar-zijn van alles wat dat
moment omvat: de gewaarwordingen van je lichaam, je gevoelens,
waarnemingen, aannames en neigingen. We zijn ons bewust van
de gewaarwordingen in ons lichaam en merken misschien dat een
slecht humeur eerder wordt veroorzaakt door het hongergevoel in
onze maag of de pijn in onze nek dan door het gedrag van onze
kinderen. We gaan misschien ook beter voor ons lichaam zorgen

wanneer we ontdekken welk voedsel werkelijk bevredigend is, welke houdingen het prettigst zijn en hoeveel beter we ons voelen nadat we aan lichaamsbeweging hebben gedaan. Hoe ademen we – oppervlakkig, snel? Hoe ontspannen zijn onze spieren: waar zit de spanning en wat is de oorzaak? Wat is onze lichaamshouding en wat zegt die over onze gemoedstoestand?

Het aandachtig kunnen volgen van het ontstaan en wegebben van onze emoties zorgt ervoor dat we het leven in zijn volheid ervaren en de kwesties waarvan we het meest kunnen leren nooit over het hoofd zullen zien. Het is interessant dat we ons in eerste instantie bitter kunnen beklagen over een bepaald misnoegen, maar als we beter kijken ontdekken dat het in werkelijkheid niet het misnoegen is dat ons dwarszit. We bevinden ons in de greep van een emotie van voorbijgaande aard en we gebruiken het misnoegen om onszelf te rechtvaardigen. We kunnen het een slechte bui noemen of de schuld geven aan 'iets wat ik heb gegeten'; het is echter wel zinvol om deze neiging scherp in de gaten te houden, om te voorkomen dat we de ernst van het misnoegen overdrijven en er te sterk op reageren.

Wanneer ik aan het eind van de middag met mijn kinderen ben, word ik vaak overvallen door gedachten in de sfeer van 'ik word helemaal gek van het moederschap, ik moet hier weg, ik ben niet geschikt voor dit soort leven'. Wanneer ik mezelf op dit soort gedachten betrap, helpt het om te bedenken dat ik me in de greep bevind van een emotie die ook weer voorbijgaat, maar waarvoor ik met een bepaald misnoegen op de proppen denk te moeten komen. In mijn wanhopige poging een rechtvaardiging te vinden voor mijn inzinking, verzin ik allerlei rampen en frustraties. Zo makkelijk is het om te vergeten dat het gewoon mijn gebruikelijke middagdip is: mijn bloedsuikerspiegel is laag, ik ben moe en aan een pauze toe. Deze gevoelens hebben weinig te maken met mijn moederschap, want toen ik nog geen moeder was en fulltime werkte, had ik altijd precies dezelfde gedachten op dit tijdstip van de dag: ik overdreef de problemen met het werk en fantaseerde over vrij-zijn, alvorens ertussenuit te knijpen voor een verlossende shot chocola. Het is dus altijd de moeite waard om mezelf af te vragen wat er eerst was: de emotie of het misnoegen?

Het is ook handig om onszelf af te vragen wat het effect is van onze emoties op ons lichaam. Wanneer ik kwaad ben op mijn kinderen frons ik mijn voorhoofd, span ik mijn rechterschouder aan en adem ik onregelmatig. Als ik mezelf hierop kan betrappen, kan ik met wat zelfbeheersing eerst aandacht besteden aan mijn lichamelijke spanningen, die loslaten, dieper gaan ademen en mezelf tot rust laten komen.

Het hier en nu geeft niet alleen meer zicht op je innerlijke wereld, maar ook een groter bewustzijn van de wereld om je heen, die je met al je zintuigen waarneemt: het gevoel van de lucht op je huid, het knisperen van de bladeren onder je voeten, alles wat je ziet, hoort, ruikt. Als we onszelf ertoe zetten meer oog te hebben voor onze omgeving kunnen we versteld staan van de hoeveelheid details die we in onze buurt steeds over het hoofd hebben gezien. Over het algemeen lopen we gewoon door, blik omlaag, volledig in beslag genomen door onze gedachten of we merken slechts een klein deel op van alles wat er te beleven valt. Vaak laten we het aan onze kinderen over om ons te wijzen op de details van ons landschap. Hoeveel prachtige taferelen, geluiden en geuren missen we niet doordat we er gewoon niet op letten? Door bewust te letten op mijn omgeving ben ik erachter gekomen hoe droefgeestig, hoe ontroerend de zang van een vogel kan zijn. Terwijl ik met de kinderwagen voor me uit door de straten loop, zie ik de bloemen, bomen, stenen, het kleurenspel, de vloeiende beweging van de wolken. Het zijn niet alleen de grote, spetterende gebeurtenissen in het leven die vreugde schenken.

Bewustzijn kan ons leven nog meer verrijken doordat het ons meer energie, rust en inzicht geeft.

Energie

In ons dagelijkse leven verspillen we energie door ons niet te concentreren op het hier en nu en wat het nu van ons vraagt: we maken fouten, zeggen dingen waar we later spijt van hebben en verliezen de draad van waar we mee bezig waren. De in Engeland geboren Helen Jandamit is een boeddhistische moeder met twee zoons. Ze geeft al meer dan twintig jaar meditatieles aan het International Buddhist Meditation Centre in Bangkok. In haar boek, *The Path to Peace Within*, gebruikt ze een mooie analogie om te illustreren hoe we aan meer energie kunnen komen:

> *Stel je voor dat je een kom vasthoudt die tot de rand toe is gevuld met water. Als je geconcentreerd loopt, mors je heel weinig water. Maar als je je op een ongecontroleerde manier, met horten en stoten voortbeweegt, verlies je een hoop water.*

Bewust leven bespaart tijd en energie. Een gebrekkige concentratie zorgt ervoor dat we bepaalde handelingen opnieuw moeten doen, omdat we ze de eerste keer niet met aandacht hebben gedaan. Een onbewuste geest zorgt er misschien voor dat je niet meer weet waar je je spullen hebt gelaten, waarom je een bepaalde kamer in bent gegaan, of je de auto wel op slot hebt gedaan, of zelfs wat je ook al weer wilde zeggen. Leven met aandacht gaat afwezigheid tegen en cultiveert een scherpe geest.

We krijgen meer energie, waar verschillende redenen voor aan te wijzen zijn. Een belangrijke reden is dat de aandacht ervoor zorgt dat we vaker in vorm zijn, waardoor we ons gelukkiger voelen en energieker en minder lethargisch zijn. Daarbij komt dat de geestelijke stilte die je in meditatie kunt ervaren het energieniveau zodanig verhoogt, dat ervaren beoefenaars vaak zeggen minder slaap nodig te hebben.

Als we ons meer bewust zijn van onze lichamelijke reacties gedurende de dag, kunnen we onze energie beter bewaken. Zoals een boeddhistische moeder het verwoordt:

Ik probeer me zo vaak mogelijk bewust te zijn van mijn
lichaam en het loont echt de moeite. Telkens wanneer ik mijn
aandacht naar mijn lichaam breng, voel ik dat er spanning zit.
Door de spanning regelmatig los te laten en mezelf eraan te
herinnen me te ontspannen, heb ik aan het eind van de dag
meer energie dan als ik de spanning had laten oplopen.
Ik heb ook de neiging m'n gezichtsspieren in de loop van de dag
aan te spannen. Wanneer ik me hiervan bewust word, weet ik
dat het tijd is om te glimlachen en de dingen wat minder
zwaar te maken. Ik weet zeker dat het ontspannen van mijn
gezicht ook mijn contacten ten goede komt – mensen zullen me
er niet meer zo vaak op betrappen dat ik kwaad naar hen zit te
kijken.

Innerlijke rust

Door te mediteren en bewust te leven, nemen we een geestelijke vakantie van onze gebruikelijke tredmolen van gedachten, zorgen en plannen. Zoals dat ook bij andere vakanties het geval is, heeft het een verfrissende werking. We voelen ons vrediger en worden niet meer zo overspoeld door de beproevingen die het leven voor ons in petto heeft. Door bewust te leven, voelen we ons gelukkiger. Hoe kan het ook anders: al die dingen die ons in beslag nemen en ons ervan weerhouden de vreugde van het moment te kunnen zien, zijn we bereid los te laten. We gaan het hier en nu voller ervaren.

Meditatie biedt ons de mogelijkheid om te oefenen met het omgaan met negatieve emoties en dit vermogen kunnen we doortrekken naar ons dagelijkse leven. We gaan inzien dat negatieve emoties gemoedstoestanden van voorbijgaande aard zijn en dat we ons er niet zo door in beslag hoeven te laten nemen. Het is niet nodig om ze te uiten, te onderdrukken of ernaar te handelen. Als we ons bewust zijn van het moment waarop een bepaalde negatieve stemming ontstaat, is het makkelijker om een pauze in te lassen alvorens te reageren. Naarmate we ons bewuster zijn van onze negatieve emoties, is de kans groter dat we ze onder controle kunnen houden en onze innerlijke rust bewaren.

In het verkeer betrappen we ons erop dat we geïrriteerd raken: we onderkennen het gevoel, zijn gewaar hoe het opkomt, wezenlijk wordt en uiteindelijk weer verdwijnt. Door ons groeiende ongeduld met een jengelend kind met aandacht te observeren, geven we onszelf een manier om ons niet te zeer met de emotie te hoeven identificeren. We lassen een pauze in om onze zelfbeheersing te herwinnen en vervolgens te reageren op een manier die wijs en weloverwogen voelt.

Vandaag nog heeft de beoefening van aandacht voorkomen dat ik volkomen door het lint ging. Ik had vrienden uit een andere staat op bezoek en ik wilde heel graag dat ze zich bij ons op hun gemak zouden voelen. Mijn jongste had verhoging, was aan het huilen en wilde per se dat ik hem droeg. Mijn zoon Zac kreeg een paar driftaanvallen en had staan schreeuwen tegen een van onze jonge gasten – die het zich erg had aangetrokken. De loodgieter had het water afgesloten en de melk was op.

Vastbesloten om de voordelen van bewust leven op mijn situatie toe te passen, bleef ik me de hele ochtend gewaar van mijn innerlijke wereld. Ik nam de houding aan van de 'getuige' en zag hoe ik de ene negatieve gedachte op de andere stapelde (O, nee! … Ik had kunnen weten dat dit zou gebeuren! … Dit is niet te filmen!) en de ene negatieve emotie op de andere (frustratie, ergernis en een royale dosis oude, bekende woede). Ik wist dat als ik me te veel met mijn woede zou identificeren – er niet meer naar zou kijken, maar erin mee zou gaan – ik erin zou verzuipen (en waarschijnlijk iemand een oplawaai zou verkopen, hopelijk niet de loodgieter). Ik probeerde ook zo vaak mogelijk met mijn aandacht naar mijn ademhaling te gaan om te zorgen dat ik met beide benen op de grond bleef staan.

Ik was me bewust van een heel duidelijke keuze: ik kon me door de minirampen in een trillend wrak laten veranderen of ik kon kiezen voor wat meer ruimte en reageren vanuit relatieve onthechting ('morgen doet dit er allemaal niet meer toe'). Ik probeerde de situatie te accepteren zoals die was, in plaats van mijn energie te verspillen aan aversie en weerstand. We voelen ons als moeder niet altijd op ons gemak of ontspannen ten opzichte van onze situatie, maar we kunnen onszelf wel een houding van verdraagzaamheid aanleren en tegen onszelf zeggen dat elk moment deel uitmaakt van onze spirituele oefening. In het zenboeddhisme bestaat het gezegde: 'De hele wereld is een medicijn.' Van alles wat er met ons gebeurt kunnen we leren. Leven met aandacht leert ons ook beter om te gaan met negatieve gemoedstoestanden. In het volgende hoofdstuk gaan we daar dieper op in.

Inzicht

Onze rationele of intellectuele manier van denken en praten is niet altijd het middel om ons te bevrijden van onze illusies, slechte gewoontes en onze meest schadelijke neigingen. Velen van ons kennen de situatie dat we de problemen van onze relatie met praten proberen op te lossen. En als dat niet werkte, wat deden we dan? We praatten er nog meer over, maar nog steeds losten we er niets mee op. Hetzelfde zien we gebeuren als we nadenken over onze problemen: maar al te vaak raken we alleen maar meer in de knoop naarmate we er langer over nadenken. Soms is er iets krachtigers nodig om onze situatie te transformeren.

Wat we nodig hebben is inzicht, of het vermogen een probleem helder te zien. Inzichten, of gewaarwordingen, kunnen vanzelf ontstaan door bewust te zijn en ons vermogen om te zien wat er werkelijk gebeurt te ontwikkelen. Wanneer we de misvattingen waarop ons zelfvernietigende gedrag is gebaseerd uiteindelijk zien en begrijpen, dan is het niet meer dan natuurlijk om ons anders te gaan gedragen.

Een van de boeddhistische moeders die ik heb geïnterviewd, had een zentherapeut geconsulteerd over haar schuldgevoel. Voor haar was het gebrek aan erkenning en belangstelling een van de moeilijkste aspecten van het moederschap. Ze geneerde zich voor haar behoefte om meer in de schijnwerpers te staan en te worden opgehemeld. In plaats van het hier alleen maar op het intellectuele niveau over te hebben, gebruikte de therapeut het gewaar-zijn om tot een dieper begrip en inzicht te komen. In de woorden van de moeder:

Eerst praatten we over al mijn gevoelens rond dit thema van erkenning. Vervolgens bracht ze het thema op een dieper niveau door me te vragen mijn ogen dicht te doen en me te concentreren op de gewaarwordingen in mijn lichaam, op mijn ademhaling en alles wat zich in het hier en nu aandiende. Op een rustige manier vertelde ze me dat ze een zinnetje ging zeggen en me daarna een paar minuten de tijd zou geven om te voelen wat er gebeurde, in stilte.
Toen zei ze het.
'Het is oké om gezien te willen worden.'
Ik zat in stilte en liet het zinnetje langzaam doordringen, niet zozeer door erover te denken, maar door erbij aanwezig te zijn. En ik moet zeggen dat van die hele sessie van een uur dit ene zinnetje – het is oké om gezien te willen worden – me het meest is bijgebleven, veel meer dan al die andere dingen die we op een intellectuele manier hebben besproken. Dat ene zinnetje is voor mij zeer heilzaam geweest, aangezien het me helpt mezelf te accepteren en mezelf te vergeven dat ik zo'n behoeftige uitslover ben.

Leren bewust te zijn

Zowel in onszelf als om ons heen spelen er zich elk moment ontelbare dingen af. De uitdaging is om eraan te denken hieraan te denken of om daadwerkelijk onze aandacht erop te richten. Tijdens meditatie of gedurende de dag vallen we ten prooi aan gedachten en impulsen die onze aandacht daar weer vanaf leiden. Ondanks het feit dat onze gedachten vaak weinig behulpzaam zijn, raken we toch verstrikt in onze innerlijke drama's. Wanneer we onszelf eraan herinneren om bewust te zijn, veroordelen we onszelf niet wanneer onze geest afdwaalt, maar brengen we onze aandacht geduldig terug naar het hier en nu. Dit betekent niet dat we onze geest leegmaken en gedachteloze zombies worden. Het maakt niet uit wat we doen, het nu is altijd vol genoeg om onze geest te vullen.

Geen enkel gebaar en geen enkele beweging is te onbetekenend om ons er bewust van te zijn. De Boeddha zegt hierover:

... een monnik weet wanneer hij loopt, 'ik loop'. Wanneer hij staat, weet hij 'ik sta'. Wanneer hij zit, weet hij 'ik zit'. Wanneer hij ligt, weet hij 'ik lig'.

Deze monnik maakt 'mentale notities'. Het voelt in het begin misschien vreemd om jezelf te vertellen wat je aan het doen bent terwijl je het doet, maar het is wel een manier om je aandacht erbij te houden. Het is vergelijkbaar met de zijwieltjes die je gebruikt om te leren fietsen. Na verloop van tijd is je vermogen om in het moment zelf aanwezig te blijven zozeer gegroeid, dat je dit soort mentale notities niet meer nodig hebt.

Bij het opmerken van de details van het moment moeten we vermijden om ze in categorieën als 'goed' of 'slecht' en 'leuk' of 'vervelend' in te delen. Het doel van een boeddhist is een stille geest, die zich niet van zijn stuk laat brengen of zich te zeer laat raken door wat hij ziet; als een berg die de wisselende invloeden van de seizoenen waaraan hij wordt blootgesteld onbewogen ondergaat. Door onze waarnemingen niet in categorieën in te delen, geven we onszelf de mogelijkheid een gevoel van acceptatie in plaats van veroordeling te ontwikkelen; we laten de eis los dat het leven anders moet zijn dan het is. Dit is de gelijkmoedigheid die bij boeddhisten zo hoog in het vaandel staat. Door onze waarnemingen niet in categorieën in te delen, kunnen we onszelf ook behoeden voor de zelfveroordeling en het schuldgevoel waar zoveel moeders onder gebukt gaan. We hoeven niet meer het gevoel te hebben dat we onder de maat presteren.

Ga de komende dagen eens uitproberen of het je lukt om tijdens je dagelijkse bezigheden in het hier en nu aanwezig te blijven. Wees je bewust van de gewaarwordingen in je lichaam en het opkomen en weer verdwijnen van emoties. Probeer je gedachten te observeren in plaats van ze de vrije hand te geven. Kijk hoe vaak je geest naar het verleden of naar de toekomst afdwaalt, hoeveel doorzettingsvermogen er nodig is om je geest in het hier en nu te houden.

Waarschijnlijk voel je je nogal vernederd door je pogingen in het hier en nu te blijven – er zijn maar weinig mensen die het lang achtereen kunnen volhouden! We moeten onze geest oefenen en zodoende de tijdspanne dat we onze aandacht in het hier en nu kunnen houden steeds verlengen. Ons vermogen om bewust te zijn kunnen we vergroten door te mediteren: dat is het moment waarop we onszelf oefenen in het ons concentreren op een bepaald aspect van het hier en nu – meestal de beweging van de ademhaling. In hoofdstuk 9 gaan we nader in op de meditaties waarmee we ons concentratievermogen en het vermogen om vreugde in het moment te ervaren kunnen vergroten. Afgezien van mediteren, kunnen we elk moment aangrijpen om onze aandacht te oefenen: elke seconde van de dag biedt de mogelijkheid om bewust te zijn – eten, drinken, wachten, rusten, praten, werken…

Leven met aandacht wanneer je tijd tekortkomt

Misschien heb je net een baby gekregen, lijd je een slapeloos bestaan of moet je je in bochten wringen om werk en kinderen te combineren. Zelfs als je weinig of helemaal geen tijd hebt, kun je er enorm veel baat bij hebben om met meer aandacht te leven. Misschien heb je vrijwel geen tijd voor meditatie, maar je hebt elke seconde dat je wakker bent om je gewaar-zijn te oefenen. De uitdaging is om eraan te denken eraan te denken.

Thynn Thynn, een meditatieleraar in Californië en auteur van *Living Meditation, Living Insight*, is van mening dat gaan zitten om te mediteren slechts een hulpmiddel is en niet belangrijker moet worden dan dat je je dagelijkse leven op een meditatieve manier leidt. Volgens haar is meditatie een 'dynamische activiteit' die moet worden ingebed in de dagelijkse chaos.

> *Meditatie bevindt zich hier en nu, te midden van de ups en downs van het leven, te midden van de conflicten, teleurstellingen, het hartzeer, de vreugde, het succes en de stress van het leven. Juist hier, midden in de chaos, moeten we gewaar-zijn oefenen en in praktijk brengen om vrede te vinden in onszelf en het lijden te doen ophouden.*

Zij geeft aan dat we alle indrukken om ons heen kunnen gebruiken om onze geest in het hier en nu te brengen.

> *De beoefening van levende meditatie houdt niet in dat je alle afleidingen negeert of ervan wegholt, maar dat je ze juist gebruikt als doel van je beoefening.*

Tenzin Palmo, de Engelse boeddhistische non die twaalf jaar mediterend in een grot heeft doorgebracht, zegt in *Cave in the Snow* dat iedereen tijd heeft om te mediteren.

> *Je kunt mediteren terwijl je door de gang loopt, wacht totdat je computer een bewerking heeft uitgevoerd, bij het stoplicht, in de rij, op de wc, terwijl je je haar kamt. Wees gewoon in het hier en nu aanwezig, zonder enig mentaal commentaar.*

Zij raadt ons aan om te beginnen met één dagelijkse handeling, zoals theedrinken, en tijdens die handeling te mediteren.

Kamala Masters kreeg hetzelfde advies van haar leraar. Tegenwoordig is Kamala mededirecteur van de Vipassana Metta Foundation in Maui op Hawaii. In *Voices of Insight* vertelt ze hoe ze als jonge moeder verlangde naar spirituele ontwikkeling, maar gefrustreerd raakte door haar volkomen gebrek aan tijd: ze was een alleenstaande moeder met drie kinderen en twee banen. Ze gaf het echter niet op en kwam in contact met een leraar die bij haar thuiskwam. Hij noemde twee manieren waarop ze zou kunnen mediteren. Ten eerste moest ze mediteren onder het afwassen.

Wees je gewoon bewust van het afwassen, de beweging van je handen, de warmte of de kou van het water, het vastpakken van een bord, het inzepen, het afspoelen, het neerzetten. Er gebeurt nu niets anders – alleen maar het afwassen.

Haar leraar zag ook dat ze verschillende keren per dag door de gang liep. Hij adviseerde haar om elke keer dat ze door de gang liep

... deze tijd te gebruiken als mogelijkheid om aanwezig te zijn bij de eenvoudige handeling van het lopen... Bij elke stap kun je in je geest heel rustig een mentale notitie maken: 'lopen, lopen, lopen.'

Deze korte momenten, meerdere malen per dag, gaven Kamala meer rust in haar leven met haar kinderen. Binnen afzienbare tijd had ze de meditaties uitgebreid naar andere huishoudelijke taken en profiteerde ze van de voordelen die een reguliere meditatiebeoefening met zich meebrengt. In zenkloosters zijn huishoudelijke taken een belangrijke oefenmogelijkheid en in sommige kloosters wordt het huishoudelijke werk toebedeeld aan de meergevorderde monniken.

Hier zijn enkele manieren om ons gewaar-zijn in ons dagelijkse leven te ontwikkelen:

- Wanneer je loopt zeg je tegen jezelf 'ik loop' en voel je het effect van het contact dat je voeten met de grond maken.
- Wanneer je het huishouden doet, let je op zoveel mogelijk details van hetgeen waarmee je bezig bent.
- Wanneer je eet, ben je je bewust van de bewegingen van je handen, de smaak van het eten, de zintuiglijke gewaarwording

van het doorslikken en je spijsvertering, het gevoel van het
voedsel in je maag.

- Wanneer je bij het postkantoor of in de supermarkt in de rij
staat, ga je met je aandacht naar je lichaam. Zijn er gespannen
spieren die je kunt loslaten, moet je je houding corrigeren of je
gezicht ontspannen?
- Waar je ook bent, neem de omgeving in je op. Kijk of het je
lukt om elke dag opnieuw alle nieuwe details van de buurt in
je op te nemen.
- Luister aandachtig naar anderen en neem een adempauze
alvorens je in de conversatie te storten.
- Neem je denkproces zo vaak mogelijk waar, zonder beoorde-
lend commentaar.
- Maak van elke gelegenheid gebruik om met je aandacht naar
je ademhaling te gaan en je geest te ontspannen.
- Ga op zoek naar momenten van stilte en rust. Soms is het
beter om *niet* de radio of de televisie aan te zetten of zomaar
wat te praten.

Een andere aanbeveling is wat ik de 'één-minuut-meditatie' noem.
Tijdens een drukke dag met kinderen vind je af en toe een moment
voor jezelf dat doorgaans niet langer duurt dan één minuut. Vaak
gebruik ik deze momenten om mijn aandacht bij mijn ademhaling
te brengen en ik ben altijd weer verbaasd hoe groot het effect kan
zijn wanneer je niet meer dan een enkele minuut je aandacht concentreert op de beweging van je ademhaling. Het kalmeert je en
maakt je op de een of andere manier positiever. Het is intrigerend
dat een dergelijke transformatie ook kan plaatsvinden wanneer
mijn aandacht niet heel scherp is. Ik heb gemerkt dat het effect van
een dergelijke korte meditatie nog groter is als ik daarbij de klassie-
ke glimlach van de Boeddha op mijn gezicht tover.

Ik heb ook geprobeerd om meer tijd te maken voor gewone zitmeditaties. Kort nadat ik mijn tweede kind had gekregen, moest ik
tijd zien te vinden voor onze verhuizing, de verbouwing (het idee
van mijn echtgenoot!) en de afronding van dit boek. Het was geen

sinecure om tijd te vinden voor een zitmeditatie, maar het lukte me toch om een aantal korte zitmeditaties in mijn weken in te passen. Meestal was dat om zes uur 's ochtends nadat ik de baby had gevoed en meestal werden ze ook onderbroken door de verplichtingen van het gezinsleven. Ik had het geluk dat ik in deze periode een lezing hoorde van Lama Choedak, een Tibetaanse monnik, die zelf drie kinderen had. Zijn stelling was dat meditatie en ouderschap één zouden moeten zijn en dat het niet nodig is om er aparte delen van ons leven van te maken. Wanneer je kind halverwege je meditatie gaat huilen, moet je aandacht soepel, zonder enige weerstand of mentaal commentaar, uitgaan naar dat wat er op dat moment van je wordt gevraagd: je baby troosten. In zijn eigen woorden:

> *De doorwerking van de beoefening is belangrijker dan de beoefening als zodanig. Het moment waarop je de benzine gebruikt is niet bij de benzinepomp zelf.*

Als slaven van de tijd kunnen we geobsedeerd raken door 'dingen afkrijgen', door bouwen en bereiken. Wanneer we te ver doorslaan naar deze manier van denken, gaan we onze kinderen inpassen rond onze eigen planning en raken we steeds minder ontvankelijk voor hun behoeften. We kunnen niet meer genieten van onze kinderen, omdat we met onze aandacht ergens anders zijn. Wanneer we onze aandacht in het hier en nu brengen, bieden we onszelf de mogelijkheid om ons te openen voor het potentieel van het moment, om gewoon te 'zijn'. Susan Murphy is een zenleraar en moeder van twee kinderen, die gewaar-zijn beschrijft als 'de poort waardoor we aan de stalen tanden des tijds kunnen ontsnappen'.

> *Een kind nodigt je voortdurend uit om in het hier en nu te zijn en om te spelen. En je kunt niet met een kind spelen als je niet bereid bent om volledig in het hier en nu aanwezig te zijn. Naarmate we groeien in onze beoefening, groeit ook de speelse creatieve energie in ons. Denk maar eens aan een wandeling*

met een klein kind, hoe ongelofelijk lang je doet over één straat – zoveel dingen om naar te kijken, iets over te zeggen of iets over te vragen. Wanneer je in een plas kijkt, ontdek je dat het een soort spiegel is. Is het een spiegel of een ruit? Zijn wij dat die we in die plas zien, of is het een andere wereld? Het ziet er anders uit dan deze wereld. Ik herinner me dat toen mijn dochter vijf of zes jaar oud was we elke keer dat we ergens mos zagen moesten stoppen en met onze vingers als elfen door de elfenwereld moesten wandelen – de kleine stukjes mos leken op elfenbomen. Wandelingen duurden dus altijd erg lang en ook de tijd duurde erg lang. Het lijkt alsof een kind de tijd verlengt totdat die langzaam maar zeker oplost. Kinderen leven niet in onze klokkentijd. Ze dwingen je om je gebruikelijke doelgerichte gedrag tijdelijk aan de kant te zetten. En dat is buitengewoon kostbaar als geschenk en als onderricht.

Karma

Als je kinderen eenmaal groot zijn, wat voor soort moeder zul je dan geweest zijn? Hoe zullen je kinderen je beschrijven? Als een martelaar? Geduldig? Chagrijnig? Veeleisend? Makkelijk? Welk effect zullen je woorden en daden op je kinderen hebben gehad? En wat voor soort rolmodel zul je zijn geweest? In het boeddhisme wordt vaak gezegd dat als je een verklaring wilt voor je huidige situatie, je naar je verleden moet kijken; en dat als je je toekomst wilt weten, je naar je huidige situatie moet kijken. We kunnen ons verleden niet veranderen en ook niet onze toekomst dicteren; het enige waar we invloed op kunnen uitoefenen is het heden. Daar moeten we dus ons bewustzijn op concentreren. Daarom is bewust leven dus ook zo belangrijk: het beïnvloedt onze toekomst en – vanzelfsprekend – ook die van onze kinderen.

Het begrip karma hoeft niets magisch of bijgelovigs te betekenen. Zoals de Boeddha het beschreef, klinkt het volkomen logisch. Het heeft niets te maken met een universum dat een oordeel uitspreekt en slechte daden bestraft en goede daden beloont. Karma gaat over oorzaak en gevolg: alles wat je doet, denkt en zegt, heeft bepaalde gevolgen. De Boeddha zegt het zo:

Waar we ook heen gaan, waar we ook verblijven
de gevolgen van onze daden vergezellen ons.

Alle verschijnselen hangen met elkaar samen en elke handeling schept de voorwaarden waarbinnen de volgende handeling plaatsvindt. Niets ontstaat uit zichzelf. In deze versregels toont de Boeddha het belang van gedachten bij het creëren van karma.

De gedachte manifesteert zich als woord;
Het woord manifesteert zich als daad;
De daad ontwikkelt zich tot gewoonte;
En de gewoonte verhardt zich tot karakter.
Houd de gedachte en haar wegen dus zorgvuldig in
   het oog,
En laat haar uit de liefde ontstaan,
Die voortkomt uit bezorgdheid voor alle wezens.

Je moeder stak haar vriendinnen altijd een helpende hand toe. Je ziet dat een moeder hulp nodig heeft, herinnert je het voorbeeld van je eigen moeder en helpt je vriendin. Het was niet moeilijk en ook prettig om te doen en dus help je je vriendin opnieuw. Al snel ga je nog meer vriendinnen helpen en voordat je het weet ben je een behulpzaam mens geworden en heb je de toekomst van een behulpzaam mens voor je liggen.

Iemand maakt een neerbuigende opmerking over je kinderen. Je wordt overweldigd door het onrecht, de hypocrisie van een dergelijke opmerking. In plaats van geen aandacht te schenken aan de onattente opmerking zet je je stekels recht overeind en spring je in de bres voor je kinderen, waardoor er spanning ontstaat tussen jou en die persoon. De volgende keer dat jullie elkaar tegenkomen, gebeurt dit weer en je woede escaleert. Na verloop van tijd heb je de gewoonte ontwikkeld om van je af te bijten wanneer iemand een opmerking maakt die eigenlijk de moeite van het reageren niet waard is. Elke keer dat dit gebeurt, verhard je iets meer tot iemand die 'defensief' is en zich snel aangevallen voelt. Op een subtiele manier werkt dit door in de manier waarop mensen naar je kijken en je behandelen, maar ook in je eigen vermogen om rust en geluk te vinden.

In beide voorbeelden gaat het om een ervaring die leidt tot een **gedachte** of een **gevoel** waarnaar je uiteindelijk ook **handelt**. Je herhaalt de **handeling** en bouwt zo een **patroon** op dat al spoedig een **gewoonte** wordt. Onze gewoontes vormen onze **manier van doen** en onze manier van doen bepaalt ons **lot**. Dit is hoe karma werkt.

Als het om karma gaat, is de intentie waarmee we iets doen veel belangrijker dan wat we doen. Handelingen die worden gedaan vanuit een schuldgevoel of een gevoel van verplichting hebben karmisch gezien veel minder waarde dan handelingen die worden ingegeven door liefde of zorgzaamheid. Opmerkelijk genoeg heeft de Boeddha onderwezen dat liefdevolle of zorgzame gedachten jegens anderen het grootste positieve effect hebben op je karma.

Mijn vriendin Lorraine was een keer voor een weekend bij vrienden op bezoek en voelde zichzelf zeer deugdzaam omdat ze na elke maaltijd de afwas deed. Ze zei tegen zichzelf dat ze positief karma voor zichzelf creëerde, maar omdat ze wist dat de gedachte achter de handeling belangrijker was dan de handeling zelf, ging ze op zoek naar haar motieven. Om te zorgen dat ze haar een 'goede gast' zouden vinden, om te vermijden dat ze als een last werd beschouwd, om zichzelf een goed geweten te bezorgen – dat waren haar motieven. Ze hoopte ook dat haar vrienden het zouden onthouden en als ze bij haar zouden komen logeren ook met het huishouden zouden helpen.

Voor Lorraine was het even slikken om te ontdekken dat hoewel haar handelingen wel genereus leken, haar motieven dat geenszins waren. Ze ging door met afwassen en begon te mediteren op liefdevolle vriendelijkheid om haar intenties te transformeren in liefde en compassie voor haar gastheer en gastvrouw. Ze bedacht zich hoe moe ze wel niet zouden zijn, hoe aardig ze tegen haar waren en hoe dankbaar ze was voor hun vriendschap. Ze voelde de oprechte wens dat ze gelukkig zouden zijn en vrij van alle leed.

Wanneer we eenmaal onze vaste gewoontes en automatische reactiepatronen hebben ontwikkeld, vergt het grote inspanning om ons lot te veranderen. Elke keer dat je iets op een bepaalde manier doet, vergroot dat de kans dat je het de volgende keer op dezelfde manier doet, aangezien je jezelf bent gaan conditioneren. Herhaalde handelingen leiden tot patronen waar we ons over het algemeen niet eens bewust van zijn, patronen die onze manier van leven vormgeven.

Bij mijn eigen gevecht met onrust, opgesloten zitten in mijn huiskamer en wensen dat ik ergens anders was, kan ik zien hoe mijn gedachten zich voegen naar de oude vertrouwde patronen. Ik conditioneer mezelf om steeds negatiever te worden door gedachten als: ik verveel me; als we hier nou maar wat meer vrienden met kinderen in de buurt zouden hebben; ik wou dat onze vrienden hier in de buurt gewoon wat meer tijd zouden hebben; ik wou dat Marek thuiskwam; slaapje nummer twintig van vandaag; ik kan geen kinderboek meer zien; ik heb geen zin om naar het park te gaan; ik wou dat ik niet al die cakemix had opgegeten; als de kinderen nou maar wat ouder zouden zijn; ik baal van die eindeloos terugkerende huishoudelijke taken; daar gaan we weer, weer de afwasmachine inladen; o nee, niet nog een sapje moeten halen!

Als ik me regelmatig zou laten meeslepen door dit soort gedachten – die urenlang kunnen aanhouden als ik ze hun gang liet gaan – dan zou ik mezelf zo programmeren dat ik iemand werd die op het negatieve is gericht. De Boeddha heeft stapels tips gegeven voor hoe je kunt omgaan met negatieve gedachten, waarvan ik er enkele zal behandelen in het volgende hoofdstuk, dat over woede gaat. Een verrassend effectieve manier voor mij om te ontkomen aan deze maalstroom van zelfmedelijden is om met aandacht wat yogastrekkingen te gaan doen, ondanks het feit dat mijn kinderen dan over me heen gaan klauteren. Door mijn aandacht naar mijn lichaam te brengen en diep in elke strekking te ademen, creëer ik onmiddellijk een verrassende hoeveelheid energie om een nieuwe start te maken – opeens ben ik tikkertje aan het doen, de kinderwagen aan het afstoffen of tegen een voetbal aan het trappen. Mijn ervaring is dat yoga je weer in je lichaam kan brengen op de momenten dat je geest met je aan de haal dreigt te gaan. Het is interessant dat mijn buurvrouw, die yogales geeft, vaak op een ogenschijnlijk wilde en gekke manier met haar kinderen speelt. Zij lijkt te genieten van de tijd die ze met haar kinderen doorbrengt, en beaamt dat je meer energie krijgt door in contact te zijn met je lichaam en wat het nodig heeft.

Door te begrijpen wat karma is, realiseren we ons dat de toekomst in onze eigen handen ligt. We hoeven niet de persoon te zijn die we altijd zijn geweest of het leven te leiden dat we altijd hebben geleid – we kunnen kiezen, maar daarvoor moeten we ons eerst bewust zijn van de patronen die we hebben ontwikkeld. Op ieder moment van ons leven maken we keuzes die de rest van ons leven beïnvloeden. Dit laat weinig ruimte om onze ouders, of de omstandigheden of het systeem, de schuld te geven van onze ontevredenheid. Zelfs onder de slechtst denkbare omstandigheden kunnen we onze innerlijke reactie zelf bepalen: tonen we woede, vergeving, verdriet of compassie? Onze reactie op een gebeurtenis is veel belangrijker dan de gebeurtenis zelf.

Als we karma eenmaal begrijpen, dan weten we dat we onze aandacht op het nu moeten richten, want dit is het enige moment waarop we ons karma kunnen beïnvloeden. In de woorden van de Boeddha:

Als je wilt weten hoe je toekomstige leven eruit zal zien,
kijk dan naar je leven op dit moment.

Stel jezelf voortdurend de vraag: 'Hoe kan ik dit moment het beste gebruiken?' De boodschap van het boeddhisme is een zeer optimistische: door je geest te oefenen, kun je goed karma ontwikkelen en je kans op toekomstig geluk vergroten.

Wat je kunt doen

- Ruim tijd in zodat je kunt oefenen om bewust met je kinderen om te gaan en hun het gevoel te geven dat ze worden gezien, gehoord en begrepen.
- Word je bewust van de overvloed aan speciale momenten die er zelfs op een doodgewone dag zijn.
- Ontwikkel een 'beginner's mind', waarmee je elk moment met nieuwe ogen kunt zien en reageert op wat er op dat moment nodig is.
- Kijk echt naar je kinderen en ontdek wie ze werkelijk zijn, in plaats van je dromen, angsten en verwachtingen op hen te projecteren.
- Gebruik je bewustzijn om te ontdekken wat je kunt leren van een situatie – stel je onredelijke eisen aan het leven of accepteer je de onvermijdelijke onvolmaaktheid?
- Observeer het komen en gaan van de gewaarwordingen in je lichaam, je emoties en je gedachten; dit vergroot je bewustzijn van jezelf en bevordert je persoonlijke groei.
- Vermijd de neiging om een bepaald misnoegen te verzinnen bij een emotie van tijdelijke aard.
- Wees je bewust van de eventuele spanning die zich gedurende de dag in je lichaam opbouwt en laat de spanning bewust los.
- Heb oog voor je omgeving.
- Onthoud wat leven met aandacht je biedt: meer energie, meer rust en de mogelijkheid om tot dieper inzicht te komen.
- Besef dat je zelf je emotionele reactie kunt bepalen – vanuit stress en irritatie of vanuit ruimte en acceptatie.
- Bij het waarnemen van alles wat zich in het hier en nu

afspeelt, vermijd je het als 'goed' of 'slecht' en 'leuk' of 'vervelend' te benoemen.

- Onthoud dat je bij alles wat je doet kunt oefenen om gewaar te zijn.
- Mediteer zo vaak als je er de tijd voor kunt vinden, ook al is het maar één minuut.
- Realiseer je dat het enige moment om aan je karma te werken het 'nu' is; gebruik het dus om positief karma voor de toekomst te creëren.
- Ga ervan uit dat je pogingen om gewaar te zijn soms zullen mislukken en accepteer dat. Wees geduldig met jezelf.

HOOFDSTUK 3

Het vinden van innerlijke rust

*E*R ZIJN DAGEN waarop het lijkt alsof mijn kinderen pionnen zijn in een of ander goddelijk plan om een geestelijk wrak van me te maken. De dagen waarop het een genot is om met hen samen te zijn, worden afgewisseld met de dagen waarop ik het niet langer uithoud met hun afschuwelijke muziek, de martelgang van steeds dezelfde video's en de eindeloze reeks verzoeken. Op dat soort dagen zijn kinderen de ideale leerschool om innerlijke rust te ontwikkelen – als je in staat bent in het gezelschap van veeleisende kinderen je kalmte te bewaren, dan ben je inderdaad vergevorderd.

Te vaak hebben moeders het gevoel dat de eisen die een druk huishouden of de combinatie van werk en kinderen aan hen stelt te zwaar zijn. We kennen allemaal de lange dagen van thuiszitten, worstelend met gemoedstoestanden als verveling, rusteloosheid, doelloosheid of zelfs wanhoop. Vaak gaan we ervan uit dat innerlijke rust alleen mogelijk is als het hele huishouden aan kant is en de kinderen slapen of op de crèche zijn. Met veel geluk zouden we dan per dag een uurtje de tijd kunnen vinden om ons enigszins ontspannen te voelen. Het boeddhisme biedt ons echter methodieken die ons helpen om rust te vinden, wat we ook aan het doen zijn of in wiens gezelschap we ons bevinden. In dit hoofdstuk zien we hoe we het beste om kunnen gaan met de gemoedstoestanden waarmee we te maken krijgen, in het bijzonder het schuldgevoel.

Als we het boeddhisme gebruiken om te leren omgaan met negatieve gemoedstoestanden, dan moeten we er rekening mee houden dat we slechts langzaam vooruit zullen gaan, met kleine stapjes. Ik heb gemerkt dat de moeders die boeddhistische technieken hebben gebruikt, allemaal zeggen dat hun geduld en hun innerlijke rust bij het opvoeden hierdoor groter zijn geworden, maar dat de verandering wel wat tijd nodig heeft en niet van de ene dag op de andere plaatsvindt. Zoals wel vaker het geval is bij spirituele ontwikkeling, kan één stap vooruit worden gevolgd door twee stappen achteruit – zelden is er sprake van een lineaire en constante verbetering. De beloning is echter dat op de lange termijn de algehele verbetering duidelijk waarneembaar is. Op een gegeven moment weet je gewoon dat je gegroeid bent en is het duidelijk dat je op bepaalde situaties veel rustiger kunt reageren.

Iedere moeder die ik tegenkom heeft blijkbaar wel iets waarmee ze worstelt; of dat nu gaat om een gebrek aan ondersteuning in het gezin, spanningen met haar partner, niet genoeg tijd voor zichzelf, te weinig slaap of de zorgen om haar kind. Nog nooit heb ik een moeder ontmoet die geen wagonladingen compassie verdiende, dus waarom zouden we onszelf tot uitzondering bestempelen? In plaats van ons schuldig of gefrustreerd voelen omdat we worstelen met verontrustende gemoedstoestanden, moeten we nog meer compassie en verdraagzaamheid naar onszelf opbrengen vanwege het extra leed dat ze veroorzaken. Het helpt mij om mezelf er vaak aan te herinneren dat compassie voor mezelf en mijn eigen moeilijkheden en mislukkingen de eerste stap is naar leven met compassie voor alles en iedereen.

Negatieve gemoedstoestanden

Het moederschap laat ons kennismaken met gemoedstoestanden en extreme emoties die zeer ongewoon en verontrustend kunnen zijn. Kate Figes schrijft in haar boek *Life After Birth, What Even Your Friends Won't Tell You About Motherhood*:

> *Wanneer we een kind krijgen, beleven we opnieuw de rauwe emoties van onze jeugd. We voelen intense liefde, pure haat en woede, evenals extreme angst en bezorgdheid, en kunnen zo van het ene uiterste in het andere schieten.*

Kate Figes gaat ook in op de extra druk die het geeft om al onze angsten in het belang van onze kinderen te moeten verbergen, zodat zij de wereld moedig tegemoet kunnen treden. We hebben echter niet alleen te maken met de emoties die onze kinderen bij ons oproepen, maar ook met die welke ontstaan doordat we ons moeten aanpassen aan het leven van een moeder. Wanneer we bijvoorbeeld terugdenken aan de tijd dat we nog geen moeder waren en tot op zekere hoogte konden doen en laten wat we wilden, kunnen we worden overweldigd door alles wat we hebben opgeofferd.

Hoe kunnen we met al deze ingewikkelde emoties omgaan en onszelf wat gemoedsrust geven?

Niets duurt eeuwig

'Ik ben het zat.' 'Dit gaat te ver.' 'Ik ben op.' 'Ik ben ten einde raad.' 'Ik sta op instorten.' 'Depressief.' Dit zijn de emotionele diepten waarin we als moeder verzeild kunnen raken.

Wanneer ik me op mijn emotionele dieptepunt bevind, heb ik de neiging het negatieve te veralgemeniseren: alles is vreselijk, het is altijd al vreselijk geweest, het zal altijd vreselijk blijven en het is allemaal mijn eigen schuld – en ook die van iedereen. Wanneer mijn stemming weer wat is opgeklaard, klinkt het bijna komisch, maar op dat moment geloof ik mijn gedachten. Met zijn accent op vergankelijkheid, helpt het boeddhisme ons op dat soort momenten te bedenken dat de bui weer overgaat, dat we ons niet lang zo zullen voelen en ons over een paar uur zelfs weer redelijk gelukkig kunnen voelen; op het moment zelf kunnen we proberen het gewoon te doorstaan en er niet al te veel betekenis aan hechten.

De leer van vergankelijkheid is ook een geschenk voor onze kinderen, zelfs wanneer ze nog heel jong zijn. We kunnen ons begrip van vergankelijkheid gebruiken om hen te helpen omgaan met een zwaarmoedige bui – we kunnen het er met hen over hebben hoe ze zich voelden, hoe het gevoel een aantal minuten aanhield en toen veranderde in een andere emotie. Hieruit kunnen ze leren dat de duistere plekken waar ze in verzeild kunnen raken hen niet eeuwig in hun greep zullen houden.

Wat we ervan kunnen leren

Mijn boeddhistische vriendin Joanne woont nog niet zo lang in Australië en zit midden in dat moeilijke eerste jaar waar alle migranten doorheen moeten. Toen ze nog in Zuid-Afrika woonde, werkte ze als jurist voor vrouwelijke slachtoffers van geweld. Niet lang geleden sprak ik Joanne weer nadat ze een zwaar weekend had gehad. Ze beklaagde zich erover hoe zwaar haar leven als moeder was, zelfs in vergelijking met het veeleisende leven in Zuid-Afrika:

> *Daar schreef ik boeken, ik verdedigde de onderdrukte bevolking, ik ging naar Tai Chi en pottenbakken. Ik ben net het hele weekend zoet geweest met kinderen naar het ziekenhuis brengen of opgesloten in huis zitten om het zweet van hun voorhoofd te deppen, mezelf afvragend wat er in hemelsnaam van me is geworden. Ondanks het feit dat ik al vijf jaar moeder ben, ben ik nog steeds niet bekomen van de cultuurschok.*

Als troost herinnerde Joanne zichzelf aan die waardevolle uitspraak uit het zenboeddhisme: 'De hele wereld is een medicijn.' In elke situatie kunnen we onszelf de vraag stellen wat we moeten leren of hoe onze hachelijke situatie mogelijk heilzaam voor ons kan zijn. Het boeddhisme helpt Joanne om filosofisch te reageren op alle aanpassingen die het leven haar dwingt aan te brengen. Later schreef ze in een e-mail:

> *Ik krijg lessen in nederigheid voorgeschoteld, daarom bevind ik me nu in deze situatie, veroordeeld tot een huiselijk bestaan, ik lig uit mijn netwerken, ben mijn zorgvuldig opgebouwde 'reputatie' kwijt, ik probeer naarstig erachter te komen wie ik in dit nieuwe land ben. Niemand kent me, ik heb geen eigen inkomen. Nu ik de personificatie ben van alles wat ik nooit heb willen zijn (thuis, fulltime moeder, afhankelijk van een man), ontdek ik dat er vele geschenken verborgen liggen in deze stille ruimte tussen wie ik was en wie ik word.*

Het moederschap dwingt ons na te denken over ons leven, over wat voor ons belangrijk is en hoe we de rest van ons leven willen doorbrengen. Het zorgt er ook voor dat we vraagtekens zetten bij al onze waarden en we ontdekken dat onze eerdere meningen in heel veel gevallen op hun kop zijn komen te staan – vooral als het gaat om de opvoeding. Op de momenten dat het moederschap een kwelling is, kunnen we het tenminste aangrijpen als de grootste leersituatie van de hele wereld, ongeacht of we het wel of niet eens zijn met de boeddhistische overtuiging dat we de lessen die we in deze wereld niet leren in het volgende leven voor onze kiezen zullen krijgen.

Gastvrijheid

Om ons te helpen de vloedgolven van alle emotionele staten waar moeders door worden overspoeld te overleven, nemen we een houding van gastvrijheid aan naar de emoties waardoor we gedurende de dag worden bezocht. Elk van deze emotionele 'bezoekers', leuk of niet, heten we welkom; we gaan ze niet uit de weg en we wijzen ze ook niet de deur. We accepteren ze en besteden er elke keer wat aandacht aan, zonder emotioneel te zeer betrokken te raken bij het 'bezoek' of het te serieus te nemen; we blijven het in perspectief zien. We zeggen niet tegen onszelf: Deze kan ik niet aan, want dat kunnen we wel – in het verleden hebben we dit bezoek al eens overleefd, dus nu zal dat ook wel lukken. Ook dwalen we niet af naar de toekomst met allerlei nachtmerrieachtige scenario's van wat deze bezoeker allemaal niet met ons uit zou kunnen halen, maar we blijven in het hier en nu.

Een van de boeddhistische moeders die ik ken en die deze houding van gastvrijheid behulpzaam vindt, probeert haar emoties bij aankomst of wanneer ze zich bewust wordt van hun aanwezigheid te begroeten. Daarbij gebruikt ze dezelfde soort begroetingen die ze ook bij het bezoek aan de voordeur gebruikt: 'Ah, Woede, ben jij het', of 'Hallo Verveling, ben je daar weer' en 'Hé, Rusteloosheid, het is jouw beurt.' Ze zegt dat dergelijke begroetingen haar helpen een stapje achteruit te doen en wat ruimte te creëren tussen zichzelf en de emotie. Door de emoties als een bezoeker te zien, wordt ze er ook aan herinnerd dat ze niet voor eeuwig zullen blijven hangen.

Wanneer we deze bezoekers negeren of onszelf afleiden van de aanwezigheid van verontrustende emoties, verliezen we het contact met onze gevoelens en onze wijsheid. We kunnen onszelf proberen te verdoven door ons te buiten te gaan aan alcohol, drugs, winkelen, eten of door de schuld buiten onszelf te leggen. Door op deze manier weg te hollen van onze problemen geven we de negatieve emoties meer macht en kunnen ze meer schade aanrichten dan nodig is – en vergooien we onze kans om onszelf te helen met bewustzijn.

Sommige negatieve emoties kunnen ons angst aanjagen. Misschien hebben we pijnlijke herinneringen aan de momenten waarop we ze uit de hand hebben laten lopen of de momenten waarop we onze emoties verwarden met wie we werkelijk waren. We hoeven ons handelen echter niet te baseren op wat we in onze geest aantreffen – onze handelingen zijn waarschijnlijk juist wijzer als ze voortkomen uit bewustzijn in plaats van een ontkenning van onze meer aanstootgevende bezoekers.

De enige manier om gevoelens van haat, eenzaamheid, verwarring, woede, schuld en wrok te transformeren in gezondere emoties, is hun aanwezigheid te accepteren. Dit is het pad naar wijsheid: het accepteren van de onaangename kanten van het leven, zonder te vechten, te vluchten of ze uit je bewustzijn te bannen. Daarbij kunnen we onszelf eraan herinneren dat we door onze eigen emoties volledig te doorvoelen ook beter in staat zijn om andermans pijn en vreugde te begrijpen.

Reageren vanuit gewaar-zijn

Om onze emoties gewaar te kunnen zijn, moeten we een stapje achteruit doen en ze waarnemen zonder onszelf te veroordelen. We kijken zonder te oordelen naar de gedachten die voeding geven aan zowel onze emoties als onze fysieke gewaarwordingen en spanningen. Een moeder die inzichtmeditatie beoefent legt het zo uit:

Als moeder worstel ik met gevoelens van frustratie: er zijn altijd dingen die ik wil doen maar niet kan doen, omdat mijn kinderen zoveel aandacht nodig hebben. Het boeddhisme helpt me om deze frustratie onder controle te houden, niet door haar te onderdrukken, maar door het effect van mijn gevoelens waar te nemen: de manier van praten tegen mezelf, de gespannen schouders, de frons, de oppervlakkige ademhaling. Ik probeer te kijken naar hoe de emotie zich ontwikkelt en naar het gebabbel in mijn hoofd. Dan ga ik dieper ademen, ik glimlach en ontspan mijn spieren.

Net zoals de monnik, die door de Boeddha wordt beschreven, bewust tegen zichzelf zegt dat hij zit, staat, ligt enz., kunnen wij onze innerlijke ervaring labelen door mentale notities te maken als 'voelen... voelen... voelen'. Zowel tijdens meditatie als in het dagelijks leven is dit een manier om waarnemer te blijven, om achter het stuur te blijven zitten in plaats van een bijrijder te worden terwijl de emoties er met je vandoor gaan. Zodra we voelen dat er spanning ontstaat, zeggen we rustig tegen onszelf 'spanning... spanning... spanning' en daarna misschien 'ontspanning... ontspanning... ontspanning' terwijl we de spanning loslaten. We kunnen hetzelfde doen met een emotie die opkomt, door langzaam te herhalen 'woede... woede... woede' of 'schuldgevoel... schuldgevoel... schuldgevoel'. Zonder er een oordeel over te hebben nemen we waar hoe de emotie opkomt, wezen wordt en weer verdwijnt – zoals elke emotie uiteindelijk doet. We hoeven ons door geen enkele emotie te laten overmeesteren.

Als we onze gemoedstoestand zien voor wat die is, kan er een moment van helderheid ontstaan. De boeddhistische leer wordt wel eens samengevat in de uitspraak 'stoppen en realiseren', wat onder andere slaat op het vermogen ons bewust te worden dat de geest zich in een negatieve toestand bevindt en ons op een diep niveau te realiseren dat er een heldere en constructievere toestand mogelijk is. Op het moment dat je begrijpt dat de negatieve toestand je pogingen om een bepaalde situatie te verbeteren alleen maar in de weg zit, kies je onmiddellijk voor een positiever alternatief. Je wordt je bewust van wat dat moment werkelijk van je verlangt. De illusie maakt plaats voor een heldere blik.

Schuldgevoel

Sommige moeders zeggen dat ze er zelden vrij van zijn. Je zorgen maken of je wel voldoende tijd en energie aan je kinderen hebt besteed is voor vele werkende moeders een bron van leed, en hoe jonger de kinderen, hoe groter de zorg. Er zijn echter nog veel meer redenen waarom moeders zich schuldig kunnen voelen. We kunnen ons schuldig voelen omdat we niet de volmaakte moeder zijn, die voortdurend vervuld is van het moederschap. We verwaarlozen onze andere relaties, waar we de tijd niet meer voor lijken te hebben: die met onze partner, familie, vrienden en buurtbewoners. We kwellen onszelf met de gedachte dat wát we op dat moment ook aan het doen zijn, we eigenlijk iets anders aan het doen zouden moeten zijn. Als we bijvoorbeeld met het huishouden bezig zijn, zouden we eigenlijk onze kinderen moeten voorlezen en vice versa.

Schuldgevoel is een verwarrende emotie, die onmiskenbaar ons geluk ondermijnt, maar toch is het makkelijk om onszelf voor te houden dat het een waardevolle emotie is. We kunnen ons schuldgevoel beschouwen als een manier om onszelf in de hand te houden. We gaan zo ver dat we tegen onszelf zeggen: Ik doe dan misschien iets verkeerds, maar ik voel me tenminste schuldig – als ik me niet schuldig voelde, dán zou ik pas een vreselijk mens zijn. Op vergelijkbare wijze gebruiken we ons schuldgevoel als afweer tegen de afkeuring van anderen door hen ervan te overtuigen dat we ons tenminste heel erg slecht voelen over ons onvermogen om volmaakt te zijn.

Schuldgevoel moeten we op dezelfde manier aanpakken als het andere 'emotionele bezoek'. Het vraagt onze aandacht, niet in de vorm van zorgen en handenwringen, maar in de vorm van gewaarzijn. We moeten aanwezig zijn met ons schuldgevoel, voelen wat het effect ervan is op ons lichaam. Bovenal moeten we erachter zien te komen wat de overtuigingen zijn die de schuldbewuste gedachtestroom in gang zetten en in de gaten houden hoeveel tijd we besteden aan een dergelijke gemoedstoestand en hoeveel tijd daarvan zinvol is besteed.

Als je een lastig probleem moet oplossen, zoals je kind wel of niet naar de crèche laten gaan, doe dat dan op papier en, als je er de tijd voor hebt, met een heldere geest door eerst te mediteren. Door het op te schrijven, word je je beter bewust van je gedachten en is er minder kans dat ze met je op de loop gaan en je gaan pijnigen. Formuleer vragen aan de hand waarvan je de complexe gevoelens kunt onderzoeken. Heb je irrationele aannames of verwachtingen die je schuldgevoel aanwakkeren? Probeer je een kritische vriend of vriendin, een familielid of de maatschappij te vriend te houden? Heb je harde bewijzen dat je zorgen terecht zijn? Om een besluit te kunnen nemen, maak je lijstjes met voors en tegens en weeg je het belang van de punten tegen elkaar af. Door er op deze manier een bewust proces van te maken, kun je je verweren tegen de neiging om erover te gaan malen.

Om precies deze reden ben ik altijd al een fervent dagboekschrijver geweest. Het ontrafelen van mijn problemen op papier is een manier om een chaotische geest op te ruimen, mijn gedachten te ordenen en te brainstormen over de mogelijkheden. Hierdoor ben ik in staat mijn problemen op een bewuste manier op te lossen in plaats van te reageren vanuit woede, verveling, schuldgevoel of andere weinig behulpzame emoties. Bij vrijwel elke belangrijke beslissing die ik ooit heb moeten nemen, heb ik een lijst met voors en tegens gemaakt en ik heb honderden bladzijden volgeschreven met het onderzoeken van verontrustende emoties. Hoewel ik ze zelden herlees, is dit voor mij een onmisbaar middel tot gewaar-zijn.

Zo kun je ook meditatie gebruiken om je schuldgevoelens of

een lastig probleem op te lossen. Met onze gebruikelijke mentale aanpak raken we in de knoop, we komen vast te zitten of we raken geobsedeerd; de verstilling van een meditatie daarentegen biedt de mogelijkheid om ruimte en perspectief in ons probleem te brengen. Om te beginnen kun je wat verstilling brengen door je te concentreren op je ademhaling. Vervolgens ga je met een onderzoekende geest naar je probleem en je kijkt objectief naar de feiten. Je laat je niet meeslepen door de dwingende gedachten of emoties die opkomen, maar je neemt al je reacties waar en kijkt hoe ze bijdragen tot het probleem. Door een dergelijke ruimte rond je probleem te creëren wordt het ook mogelijk om creatief met oplossingen om te gaan. Er kunnen zich opeens nieuwe mogelijkheden aandienen in je geest.

Openstaan voor alles – gelijkmoedigheid

'Gelijkmoedigheid' is een woord dat ik alleen met betrekking tot het boeddhisme lijk tegen te komen. Het is zonde dat het niet meer wordt gebruikt, omdat het zo'n inspirerend en voedend begrip is. Gelijkmoedigheid is het vermogen om alle aspecten van ons leven te beschouwen vanuit acceptatie en verdraagzaamheid in plaats van onze gebruikelijke extreme reacties. Het is het vermogen om kalm te blijven, ongeacht wat er gebeurt. Wanneer er iets gebeurt dat je normaal gesproken iets 'slechts' zou noemen, kun je ermee omgaan – het brengt je niet van je stuk. Ook wanneer er iets 'goeds' gebeurt, voel je de vreugde zonder dat je ervan afhankelijk wordt of eraan gehecht raakt.

Thich Nhat Hanh, de alom gerespecteerde Vietnamese monnik noemt in zijn boek *Teaching of Love* de volgende woorden om ons te helpen begrijpen wat gelijkmoedigheid is:

- alomvattendheid
- kalmte
- niet gehecht-zijn

- geen onderscheid maken
- evenwicht
- vrij zijn van uitersten
- loslaten

De Boeddha leert ons dat het grootste geluk ligt in de vrede die niet kan worden verstoord door de veranderende omstandigheden. Daarom omarmt een verlicht wezen alles wat zich in het leven voordoet; niets kan hem of haar schokken of te zeer opwinden. Wat de rest van ons betreft, elke poging om gelijkmoedigheid te ontwikkelen, helpt ons om meer innerlijke rust te verkrijgen. Reageren vanuit gelijkmoedigheid betekent niet dat we onverschillig worden over wat er in ons leven gebeurt. We worden meer als wijze ouders die in staat zijn hun volwassen kinderen los te laten en de grote wereld in te laten trekken. Deze wijze ouders geven nog steeds om hun kinderen, maar kunnen hen laten gaan en hun vrijheid accepteren. Ze hebben niet de neiging hen te controleren, zich te bemoeien met hun pas ontdekte bewegingsvrijheid of zich zorgen te maken. Ze stellen geen eisen. Ze zijn niet behoeftig.

Onvolmaaktheid accepteren

De bevalling van mijn vriendin Joanne was voor haar een belangrijke les: als ze in haar nieuwe leven overeind wilde blijven, moest ze de controle erover opgeven. Ze had zich tot in de puntjes voorbereid – ze had vrijwel elk boek gelezen, ze had vrijwel elk detail gepland – en ze had zich verheugd op een natuurlijke geboorte.

Ik wilde vroedvrouwen, kaarsen, wierook en pijn.

De werkelijkheid was:

Na vierendertig uur dapper alle weeën te hebben doorstaan, accepteerde ik dankbaar het aanbod van een mannelijke arts om me open te snijden en me uit deze hel te bevrijden.

En vanaf dat moment was het afgelopen met mijn roeping in het leven om mijn eigen baas te zijn. Was ik dit – de strijder, de vechtersbaas, in wier aangezicht mannen sidderden van angst – die vloog om dit verschrompelde kleine ET-tje op zijn wenken te bedienen, dat zich niet bewust was van het feit dat hij wel te maken had met een Ontembare Vrouw? Plotseling was alles wat ik ooit had gedacht te zijn door deze nieuwe situatie volkomen veranderd. Mijn hele leven had ik gestreefd naar onafhankelijkheid. Respect. Controle. Nu was ik een lekkende, uitzakkende, geketende zombie.

Gelijkmoedigheid betekent dat we accepteren 'wat is' en niet meer proberen het onafwendbare en het veranderlijke onder controle te houden. Het boeddhisme heeft het over de Acht Wereldlijke Condities: het leven is winst en verlies, genot en pijn, lof en kritiek, roem en schande. Hoe hard we ook ons best doen om het ene te bereiken en het andere te vermijden, we zullen er stuk voor stuk mee te maken krijgen. Ze zullen komen en weer gaan, net zoals ook de andere aspecten van het leven voortdurend veranderen. We weten nooit wat ons te wachten staat en daar kunnen we ons ongemakkelijk door gaan voelen. Het is echter niet realistisch om volledige stabiliteit of controle over de gebeurtenissen te verwachten en het vergroot ons lijden onnodig. Susan Murphy, een zenleraar en moeder van twee kinderen, troost met deze woorden de perfectionisten onder ons:

> *Het is belangrijk om in te zien hoe duivels moeilijk het ouderschap is en geen volmaaktheid te verwachten. Er bestaat geen volmaaktheid in de wereld en we hoeven niet volmaakt te zijn. In plaats daarvan werken we met het leven dat op mysterieuze wijze het onze is en zijn eigen specifieke patroon van liefde en pijn heeft. We zijn bereid om hierbij aanwezig te zijn, het gebodene van moment tot moment te accepteren, om onbegrensde vriendelijkheid te ontwikkelen voor dat wat is en wie we zijn.*

Als moeder vinden we het vaak moeilijk om ons te ontspannen wanneer we met onze kinderen zijn. We weten nooit wat het volgende moment zal brengen: enorme troep? een verzoek? een stemmingswisseling? gevaar? Om kalmer te kunnen zijn, moeten we onze gehechtheid aan stabiliteit, controle en orde enigszins leren loslaten en accepteren dat de omstandigheden voortdurend veranderen. Gelijkmoedigheid betekent dat we ons niet langer een weg door het leven heen vechten, maar het leven gaan nemen zoals het komt, en de klappen zo goed mogelijk opvangen. We ontwikkelen verdraagzaamheid en Susan Murphy beschrijft het als volgt:

> *Omdat de liefde die we voor onze kinderen voelen zo sterk is, zijn we in staat onze tolerantiedrempel van moment tot moment te verleggen. Tolerantie wil niet zeggen dat je je ontspannen en op je gemak voelt. Het wil zeggen dat je het ongemak accepteert en leert ontspannen in het accepteren van dat ongemak.*

Verdraagzaamheid ontwikkelen we door de ruimte in onze geest te ontdekken en ons te wapenen tegen elke tendens van onze geest om schriel, bekrompen of kleingeestig te worden. Als je een lepel gif in een glas water doet, kan een enkele slok al fataal zijn. Als je dezelfde hoeveelheid gif in een groot meer doet, kun je een slok nemen zonder ergens last van te krijgen. Iemand maakt een onattente opmerking. Als we klein van geest zijn, reageren we heel sterk en malen er misschien dagen over door. Met een ruime geest kunnen we het langs ons af laten glijden – het is niet belangrijk.

Al die kleine dingetjes

Denk eens aan al die situaties waarin we door het lint gaan en onze kans verspelen om vrede te kunnen ervaren in het zo belangrijke hier en nu. De incidenten waardoor we ons van streek laten maken, hebben maar zelden een langdurig nadelig effect en door zo tekeer te gaan, vergeten we dat we ook op een andere manier kunnen reageren. Stel je eens voor hoe anders het dagelijks leven eruit zou kunnen zien als we ruimte en gelijkmoedigheid in onze geest konden brengen. Je kind morst melk op het vloerkleed: gelijkmoedigheid. Je zoon is de hele avond aan het jengelen: gelijkmoedigheid. Je dochter doet nukkig. Je partner komt laat thuis van zijn werk. Vervelende geluiden, geuren, taferelen: gelijkmoedigheid. Anders laten we ons door zoveel kleinigheden dwarszitten terwijl dat niet echt nodig is en worden onze ongeduldige reacties algauw een gewoonte.

We vergeten dat we ons niet hoeven laten beheersen door de ontelbare ergernissen om ons heen. We kunnen zelfs langzaam maar zeker gaan leren ze te verwelkomen als mogelijkheid om onze verdraagzaamheid te oefenen. Thich Nhat Hanh, bijvoorbeeld, adviseert ons om te glimlachen bij een rood stoplicht. Hoewel ik het in eerste instantie een bizar advies vond, helpt het me wel om mijn spanning los te laten en beter in vorm op mijn bestemming aan te komen.

Fiona heeft twee zoons, van drie en veertien. Ze beoefent het boeddhisme nu drie jaar en vertelt welk effect het heeft op het gezinsleven:

Ik weet dat ik een wat 'milder' mens ben geworden, ik word niet meer zo snel boos en gezien het feit dat ik een puberzoon heb, ben ik daar best trots op. Wat ik ook heb gemerkt is, dat als er thuis een ongelukje gebeurt, iemand stoot een glas om, of de handdoek valt in het badwater, het allemaal niet zo erg is, je ruimt het op en gaat gewoon weer door.

Bij Fiona heeft haar beoefening er duidelijk toe geleid dat ze gelijkmoediger kon reageren op de kleine irritaties van het dagelijkse leven.

Gelijkmoedigheid heeft echter niet alleen betrekking op de 'negatieve' gebeurtenissen. Wanneer er iets gebeurt dat we 'positief' noemen, dan ontwikkelen we soms een gevoel van gehechtheid eraan dat onze kalmte kan ondermijnen. Als we ons geluk afhankelijk maken van dit soort prettige gebeurtenissen, dan zijn we gehecht. Gelijkmoedigheid betekent dat we blij kunnen zijn met de geweldige resultaten van ons kind bij een spellingstest of op zwemles zonder te willen dat het de volgende keer wéér zo goed gaat. We kunnen onze buurvrouw dankbaar zijn voor het aanbod om te babysitten of te koken, zonder kwaad te worden als het toch niet door kan gaan. We kunnen een paar chocoladekoekjes eten en ervan genieten zonder het hele pak in een keer leeg te hoeven eten.

Gelijkmoedigheid ontwikkelen

Mensen met gelijkmoedigheid weten dat elk moment even belangrijk is. Een luier verwisselen, een neus snuiten, een verhaaltje voorlezen of in de rij staan – het zijn allemaal mogelijkheden om ons gewaar-zijn te oefenen, om te groeien. Elk moment is een stralend nieuw moment. Het duurt niet voort, aangezien het bezig is in iets anders te veranderen – dat maakt het zo kostbaar. Elk moment draagt de waarheid over de werkelijkheid in zich. De truc is om het moment vanuit volledige acceptatie gewaar te zijn, vrij van oordelen, rangordes en eisen – maar om te beginnen moet je er natuurlijk wel aandacht aan besteden.

In de woorden van de Boeddha:

Blijf niet hangen in het verleden
Verlies jezelf niet in de toekomst.
Het verleden is reeds vervlogen.
De toekomst nog niet aangebroken.
Door het leven te zien zoals het is
Volledig in het hier en nu,
Bereikt de beoefenaar
Vrijheid en stabiliteit.

In onze meditatie kunnen we gelijkmoedigheid oefenen door geen oordeel te vellen over alles wat er gebeurt. Onze aandacht dwaalt af: we geven onzelf er niet van langs, maar brengen hem gewoon weer terug naar onze ademhaling. We krijgen jeuk: in plaats van ons er zo snel mogelijk van te verlossen, nemen we de tijd om de sensatie te verkennen. We voelen ons rusteloos of verveeld: opnieuw veroordelen we onszelf niet voor deze gevoelens, maar blijven erbij aanwezig, kijken hoe ze opkomen, er zijn, en uiteindelijk weer verdwijnen.

De Boeddha geeft als aanwijzing:

Wanneer je kijkt, kijk je alleen maar. Wanneer je luistert, luister je alleen maar. Wanneer je iets ruikt, ruik je alleen maar. Wanneer je iets proeft, proef je alleen maar. Wanneer je een zintuiglijke prikkel voelt, voel je alleen maar. Wanneer je een mentale indruk gewaar wordt, word je alleen maar gewaar. Laat de dingen daar stoppen en het inzicht zal automatisch verschijnen.

Door ons gewaar-zijn te oefenen, leren we kalm en vredig te zijn en alles in het juiste perspectief te blijven zien.

Het lijkt misschien alsof gelijkmoedigheid betekent dat we onze emoties moeten beheersen of hun intensiteit onder controle moeten houden. Dit is echter niet het geval. Wanneer onze beoefening zich verdiept en we vorderen op het spirituele pad, ontstaat er vanzelf gelijkmoedigheid – hiervoor hoeven we niet eerst onze emoties te negeren of te ontvluchten. Als emoties zoals woede of irritatie bij ons aankloppen, kijken we hoe ze opkomen, er zijn en weer verdwijnen zonder ze macht te geven. Op deze manier voelen we onze emoties wel, maar reageren we met kalmte door te weigeren ons erdoor te laten strikken.

De humor en absurditeit van de situatie inzien

Als je eenmaal een bepaalde mate van gelijkmoedigheid en ruimte hebt gecreëerd, lach je misschien om de gebeurtenissen waarbij je anders uit je vel zou springen. Een kort poep-en-piesverhaaltje (moeders zijn eraan gewend):

Op een regenachtige zondag was mijn echtgenoot aan het sporten in de sporthal van de universiteit van Sydney. Omdat ik rustig de krant wilde lezen, reed ik met Zac, die toen twee jaar was, rondjes om het universiteitsgebouw in de hoop dat hij in slaap zou vallen. Na een kwartier was hij nog steeds klaarwakker en ik voelde mijn frustratie steeds groter worden. Om mezelf te kalmeren, probeerde ik mijn aandacht op mijn ademhaling en de gewaarwordingen in mijn lichaam te concentreren. Opeens zei Zac dat hij moest poepen.
Ik had geen idee of er ergens een wc was en durfde het risico niet te nemen om er eerst naar op zoek te gaan. Ik parkeerde de auto bij een bord met 'verboden te parkeren', we klauterden uit de auto de regen in en Zac deed zijn behoefte. Terwijl ik zijn broek weer ophees, viel mijn hele sleutelbos in zijn poep. Hij zakte er keurig in. Ik rende naar de auto – om te ontdekken dat ik geen zakdoekjes bij me had – en zag in de verte een politieagent, die langzaam op ons af kwam. Ik had geen andere keuze dan mijn sleutels met natte bladeren af te vegen. Ondertussen vroeg mijn zoon herhaaldelijk: 'Mammie, waarom heb je de sleutels in mijn poep laten vallen?'

Het interessante van deze ramp was dat ik glimlachte terwijl ik de sleutels aan het schoonmaken was. Mijn situatie was zo hopeloos, dat ik erom moest lachen. Mijn echtgenoot vermaakte zichzelf in een warme, droge sporthal, terwijl ik daar in de regen stond, mijn vingers onder de poep, de hoop op rustig de krant te kunnen lezen vervlogen. Als moeder hebben we allemaal wel eens zo'n miniramp meegemaakt, die geen diepe sporen achterlaat, maar als we niet uitkijken ons wel tot het uiterste kan drijven. We kunnen onszelf er volkomen overspannen door laten maken, of erom lachen. Gelijkmoedigheid helpt ons erom te lachen, helpt ons het juiste perspectief te blijven zien zodat we er niet emotioneel in verstrikt raken.

De boeddhistische leraren die ik ben tegengekomen hadden allemaal deze goedlachsheid. Ze kunnen zitten praten over iets wat helemaal niet grappig is en toch om de vijf minuten een zacht gegiechel laten horen. Ik heb me vaak afgevraagd waarom ze moesten lachen en ben tot de conclusie gekomen dat ze het vermogen hebben ontwikkeld om de absurditeit van het dagelijkse leven te zien en er lichtvoetig mee om te gaan. Een van mijn favoriete geluiden in de wereld is de lach van Zijne Heiligheid de Dalai Lama. Er zijn maar weinig mensen die zo'n aanstekelijke lach hebben als hij.

Onze boeddhanatuur

De sleutel tot kalmte en vrede bevindt zich in ons. Een opbeurende boodschap van het boeddhisme is dat iedereen in wezen een boeddha is en over de liefde en wijsheid van een boeddha beschikt – dit is onze ware natuur. We zijn al heel en goed, maar dit gegeven verhullen we met onze angsten en verlangens. Ons levenswerk bestaat uit het realiseren, tot leven wekken van ons ware zelf – onze boeddhanatuur.

In *Buddhism Plain and Simple, The Practice of Being Aware Right Now, Every Day* gaat de zenpriester Steve Hagen op een eenvoudige manier in op onze innerlijke goedheid.

Je bent al verlicht. Het enige wat je hoeft te doen, is ophouden met jezelf te blokkeren en je aandacht werkelijk gaan richten op wat er gebeurt. Alles wat je nodig hebt, heb je al. Je hoeft alleen maar te stoppen met je waarneming te blokkeren of te interpreteren.

Volgens hem biedt elk moment ons de mogelijkheid om ons bewust te worden van de werkelijkheid, die alleen in het nu bestaat. Elk moment helder waarnemen, is hetzelfde als één-zijn met je boeddhanatuur.

Onze boeddhanatuur is er altijd – één willen worden met onze boeddhanatuur is iets anders dan het najagen van iets wat zich buiten ons bevindt; het is het willen onthullen van dat wat er al is. Hagen herinnert ons aan de laatste woorden van de Boeddha:

Zoek je toevlucht bij niemand anders dan jezelf.

Op de momenten dat onze wereld zich vernauwt, dat we ons gevangen of gedeprimeerd voelen, kunnen we onszelf herinneren aan het realiseren van dit hogere doel van onze ware natuur en tijd en energie vrijmaken om te proberen het beste uit onszelf te halen. Voor troost hoeven we onze aandacht alleen maar naar binnen te richten. Door me te richten op mijn boeddhanatuur heb ik meer compassie voor mezelf gekregen – net zoals mijn hogere zelf mijn kinderen kan liefhebben en voeden, kan het mij liefhebben en voeden. Wanneer ik me tijdens mijn meditatie concentreer op de aanwezigheid van een innerlijke boeddha die volmaakte liefde voor mij koestert, voel ik me daarna sterker en onafhankelijker, en daardoor ook kalmer.

We hoeven dus niet de hele wereld af te reizen, indrukwekkende ervaringen te verzamelen of eindeloze mijlpalen te hebben bereikt om ons compleet te voelen. Waarnaar we op zoek zijn, bevindt zich in ons. De oplossing is dat we onze zoektocht ergens anders voortzetten.

Wat je kunt doen

- Heb compassie voor jezelf en je worsteling met het komen en gaan van emoties.
- Herinner jezelf eraan dat hoe intens emoties ook kunnen zijn, ze altijd ook weer verdwijnen. Kijk of je deze wijsheid ook met je kinderen kunt delen.
- Stel jezelf de vraag wat je kunt leren van een moeilijke situatie. Onthoud dat de hele wereld een medicijn is.
- Beschouw elke nieuwe emotie als een bezoeker die jouw gastvrijheid verdient – die je niet uit de weg gaat of onderdrukt, maar accepteert.
- Neem je emoties waar en maak mentale notities, zoals 'voelen... voelen... voelen' of nog specifieker, bijvoorbeeld 'onrust... onrust... onrust'.
- Als je verstrikt raakt in een destructieve emotie, creëer je bewust ruimte om te kunnen 'stoppen en realiseren' of je bewust te worden van een behulpzamer alternatief.
- Als je worstelt met schuldgevoel, gebruik dan pen en papier of ga mediteren om je gevoelens bewust te ontwarren.
- Streef ernaar om onvolmaaktheid en ongemak te kunnen accepteren – ermee in gevecht gaan geeft alleen maar meer spanning.
- Wees zo vaak je maar kunt ruim van geest in je reactie op onbeduidende irritaties.
- Probeer oog te hebben voor de kostbaarheid van ieder moment.
- Realiseer je dat er zich een volmaakte boeddha in je bevindt. Ontleen je kracht en troost aan je boeddhanatuur of hogere zelf.

HOOFDSTUK 4

Omgaan met woede

ONZE PARTNER maakt onattente opmerkingen, komt laat
thuis van zijn werk, steekt geen hand uit, snurkt of eet te
luidruchtig. Onze kinderen gehoorzamen niet, maken ruzie, pesten, zeuren aan ons hoofd of lopen te jengelen. Het gezinsleven
biedt voldoende aanleidingen om een groot deel van de tijd kwaad
rond te lopen. Soms is dat een mildere vorm van kwaadheid, meer
een irritatie of een ergernis, waardoor we onze kinderen afsnau-
wen of kibbelen met onze partner. Op andere momenten worden
we overspoeld door onze woede en koesteren we gewelddadige of
wraakzuchtige gedachten. Ook buiten ons gezin kunnen we wel iemand, zo niet een hele lijst van mensen, bedenken ten opzichte van
wie we ons vijandig voelen. Zelfs op volkomen vreemden kunnen
we kwaad worden: het verkeer in onze steden maakt zelfs de zacht-
aardigsten onder ons tot woeste strijders.

Er is allesbehalve gebrek aan redenen tot kwaadheid voor een
moeder. Een ervan is de hoeveelheid werk die het gezinsleven met
zich meebrengt, dat het nooit ophoudt en dat we daardoor niet de
mogelijkheid hebben om voor onszelf te zorgen. Op de ergste momenten is zelfs een douche een hele traktatie en voor sommige
moeders zijn de werkdagen die je met een klein kind maakt een regelrechte straf. In haar boek *Of Woman Born* geeft Adrienne Rich
aan hoe zij zich voelde toen ze op slinkse wijze aan wat kostbare
tijd was gekomen om te schrijven, en toch weer door haar kind
werd gestoord.

*Op zo'n moment ervoer ik zijn behoeften als bedrog, als weer
een poging om me zelfs die vijftien minuten waarin ik mezelf
kon zijn te ontfutselen. Ik werd dan kwaad; ik voelde de zin-
loosheid van mijn pogingen om mezelf in veiligheid te brengen,*

en ik voelde de ongelijkheid tussen ons: mijn behoeften die
voortdurend werden afgewogen tegen die van een kind, en
altijd aan het kortste eind trokken. Mijn liefde zou zo veel
groter zijn, vertelde ik mezelf, na zelfs maar een kwartiertje
egocentrisme en vrede, een kwartiertje onthechting van mijn
kinderen.

In dezelfde geest schreef de boeddhistische moeder Joanne dit gedicht over het onderdrukken van woede en het opgeven van haar
vroegere leven.

> *... ze vecht tegen de schaamte*
> *Over de woede die haar kinderen (goddank)*
> *Om niets kunnen losmaken*
> *Nooit geweten dat die woede sluimerde*
> *Verlangend te worden ontketend.*
> *Ze verliest zich in herinneringen en dromen*
> *Strijkt haar eigen rimpels glad*
> *Als een keurig gestreken servet*
> *Verhult de vlekken en het vuil*
> *Van haar prachtige zigeunerzelf*
> *Opdat dit leven – dit volmaakt gelukkige leven –*
> *Zonder incidenten kan verlopen*
> *Zonder tragedies.*
> *Zij die dit lied voor zichzelf schrijft*
> *Zingt nu voor de zelven*
> *Die geen plek hebben om te worden toegezongen.*

Beide vrouwen, zoals zovelen van ons, zijn kwaad over alle opofferingen die een moeder zich moet getroosten.

In het boeddhisme wordt woede – en dan met name het uitle-
ven van je woede – als de vijand gezien. Als er op een goede manier
mee wordt omgegaan, kan woede ons de innerlijke middelen bezorgen waarmee we de underdog kunnen beschermen of ons kunnen inzetten voor een rechtvaardige wereld. Als we op onderzoek

gaan en tot de kern ervan doordringen, kan woede tot wijsheid leiden. Desondanks heeft woede, als grootste vijand van liefdevolle vriendelijkheid, vaker een destructieve invloed. Vanwege het ontwrichtende effect ervan op onze gemoedsrust en ons vermogen tot compassie, is het een geduchte bedreiging van ons spirituele leven. De Boeddha heeft hierover gezegd:

Door de woede te doden, verdwijnt het lijden en ontstaan vrede en geluk. Alle wijzen zijn het erover eens dat woede de enige vijand is die moet worden gedood.

Misschien denk je dat je van nature niet veel woede in je hebt. Woede manifesteert zich echter niet alleen in een emotionele uitbarsting of een vijandige confrontatie. Allerlei gedrag valt onder woede, van mokken en je terugtrekken tot kil gedrag en hatelijk commentaar. Het is voor vrouwen in sociaal opzicht minder geaccepteerd om woede te tonen, zodat we vaak worden gedwongen het te onderdrukken. Vaak ontdekken we pas hoeveel woede we in ons hebben wanneer we gaan mediteren – met gewaar-zijn worden we ons meer bewust van de emoties die onder de oppervlakte liggen te broeien. Mensen die mediteren zijn juist vaak verbaasd over hoeveel woede ze in de loop der jaren hebben opgestapeld.

Het probleem met woede

In de eerste weken na de geboorte van Alex maakte ik een gemiddelde van vier uur onderbroken slaap per nacht. Wanneer Alex zich aan mijn tepel vastzoog, voelde dat alsof er een kram in werd geslagen en meerdere keren per dag schreeuwde ik het uit van pijn. Ik was dolgelukkig met mijn nieuwe baby en tegelijkertijd duizelde het me, omdat met zijn komst het hele gezinsleven volledig op z'n kop was gezet. Ik was een emotionele jojo. Op een zaterdag had mijn echtgenoot het lef om het grootste deel van de dag een slecht humeur te hebben. Ik was furieus. Als iemand recht had op een slecht humeur, dan was ik het wel. Het was zijn taak om mij te ondersteunen en aan te moedigen in mijn heroïsche werkzaamheden als 'life support unit'. Ik hield me die dag goed door mijn mond te houden.

Mijn echtgenoot heeft me altijd getypeerd als een geduldig persoon en was dus des te verbaasder toen ik die avond de slaapkamer in stevende, het bedlampje pakte en het naar zijn hoofd slingerde waardoor het brak (het lampje). Dat was niet zo'n slimme zet, want toen weigerde mijn echtgenoot ook nog met me te praten. Ik ging naar de babykamer en vroeg me af wat de volgende stap zou moeten zijn, toen het me daagde dat ik werd verondersteld een geweldloze boeddhist te zijn die zijn woede niet afreageert. Ik ging terug naar de slaapkamer, bood mijn excuses aan en hield een rustige maar bezielende speech (ik voelde me ook bezield) over hoe we tijdens die moeilijke en veeleisende weken onze krachten moesten bundelen en als team moesten samenwerken enzovoorts enzovoorts. We praatten, de spanningen verdwenen en alles was weer in orde. Ik zou graag hebben gezegd dat we vervolgens tot diep in de nacht gepassioneerd de liefde bedreven, maar als ouders van een pasgeboren baby waren we te moe om er zelfs maar aan te denken.

Moeders beschouwen woede vaak als een verdediging tegen uitgebuit worden – mensen zouden over hen heen kunnen lopen als ze niet kwaad werden. Het is echter ook mogelijk om onze kinderen stevig aan te pakken en ons assertief te gedragen tegenover anderen zonder dat we ons laten meeslepen door onze woede. Woede plaveit in feite het pad naar een toekomst vol problemen. Om te beginnen is het niet goed voor ons karma: elke keer dat we kwaad reageren, vergroten we de kans dat we de volgende keer opnieuw kwaad reageren; en zo leren we onszelf een agressieve houding aan.

Als we onze woede tot uiting brengen, kan dat een gevoel van opluchting geven, een glorieus moment waarin we overtuigd zijn van ons eigen gelijk en tegen onszelf zeggen: Zo, die heb ik even de waarheid gezegd! De ironie is echter dat we met onze woede meer schade aanrichten bij onszelf dan bij het onderwerp van onze woede, ongeacht of dat nu een gezinslid, een vriend of vriendin, een kennis of een vreemde is. Misschien beschouwen we woede als een onvermijdelijke reactie en geven we onze vrijheid om op zoek te gaan naar een gezondere manier van reageren hiervoor op. Als we onze woede de vrije hand geven, verbruikt hij onze energie, bedreigt hij onze gezondheid en ondermijnt hij ons vermogen om verstandige keuzes te maken. Het koesteren van wrok vergiftigt onze gemoedsrust en de rechtvaardiging van ons handelen dat hieruit voortvloeit ondermijnt ons vermogen tot zelfbewustzijn.

Woede ligt dicht tegen haat aan en kan het begin zijn van een neerwaartse spiraal van geweld en destructie, zoals we in vele landen en religieuze groeperingen zien gebeuren: elke gruweldaad doet de woede hoger oplaaien, zodat het geweld tot in het oneindige doorgaat. De Boeddha zegt hierover:

Haat kan niet worden gestopt met haat. Haat kan alleen worden gestopt met liefde. Dit is een eeuwige wet.

In onze relaties met mensen kunnen we zien dat een kwaaie actie van de ene partij over het algemeen een kwaaie, of op z'n minst defensieve, reactie van de andere partij oproept. De enige manier om deze cirkel te doorbreken, is meer liefdevolle dingen te gaan doen. Deze moeder heeft dat aan den lijve ondervonden:

Enkele jaren geleden kwamen mijn man en ik vast te zitten in een patroon van woede. We hadden regelmatig confrontaties waar we geen van beiden baat bij hadden. Wanneer ik hem aanviel, ging hij onmiddellijk in de verdediging zonder zich af te vragen of ik ergens ook gelijk had en natuurlijk deed ik hetzelfde wanneer hij mij aanviel. Uiteindelijk realiseerden we ons dat onze aanpak alleen maar polariserend werkte en ertoe leidde dat we ons verschansten in ons eigen gelijk. Het hoeft

geen betoog dat de sfeer in huis allesbehalve prettig was. We
wisten dat we een andere manier moesten vinden om onze
geschillen op te lossen, met name in het belang van de kinde-
ren. We gingen ons concentreren op het opruimen van ons van
woede doortrokken huishouden. We gingen onze onvrede op
een rustiger en zorgvuldiger manier bespreken en als de emoties
te hoog oplaaiden, gingen we zelfs even de kamer uit.

Het temmen van woede

Om goed te leren omgaan met onze woede, kunnen we gebruik-
maken van de boeddhistische waarheid omtrent de vergankelijkheid en het lijden. Eerst moeten we ons realiseren dat ondanks het
feit dat we op het moment zelf door woede verteerd kunnen worden, het nog steeds een tijdelijke emotie, een vergankelijke toestand is. Als we gaan *handelen* naar deze tijdelijke toestand, richten
we schade aan en dus gebruiken we onze zelfbeheersing; we lassen
een pauze in. We herinneren onszelf ook aan de eerste Edele Waarheid dat lijden, onvolmaaktheid en ontevredenheid onvermijdelijk
deel uitmaken van het leven. Kwaad worden verandert hier niets
aan, dus waarom zouden we onze emotionele energie verspillen?

Wat kunnen we dan wel doen als we door woede worden over-
mand? Het helpt niet om onszelf ervan langs te geven – kwaad
worden op onszelf omdat we kwaad zijn, gooit alleen maar olie op
het vuur. In plaats daarvan moeten we onze woede vastberaden
recht in de ogen kijken, ermee aanwezig zijn totdat hij van vorm
verandert of verdwijnt. We waken ervoor erin mee te gaan of erdoor te worden geabsorbeerd. We beschouwen onze woede gewoon als een van de bezoekers zonder dat we ons er emotioneel
door heen en weer laten slingeren. Yvonne Rand, een zenpriester
en moeder, die door Vicki Mackenzie voor haar boek *Why Buddhism?* werd geïnterviewd, legt de boeddhistische leer inzake vergankelijkheid en het gewaar-zijn van onze woede zo uit:

... toen mijn kinderen nog jong waren, reageerde ik mijn angst af in de vorm van woede en daarna voelde ik me altijd vreselijk. Een van de belangrijkste effecten van meditatie was voor mij dat ik leerde met die sterke negatieve emotie om te gaan – haar niet te onderdrukken maar ook niet te uiten. Ik zag dat er een derde mogelijkheid was en dat was ermee aanwezig te zijn; de woede niet te ontkennen, weg te stoppen of eruit te gooien. Wanneer je kwaad wordt en emotioneel raakt, kun je je aandacht richten op wat je in je lichaam voelt, in je maag, de druk op je keel, of je borst gespannen voelt – je kunt zelfs onderkennen dat er een hoop woede opkomt. Het beschrijven en het onderkennen is nog iets anders dan het afreageren. Ik realiseerde me al snel dat alle emoties die opkwamen, ook weer heel snel verdwenen. Met mijn kinderen was dat uitermate bruikbaar.

In een van zijn vele boeken – *Transform Your Life* – schrijft de Tibetaanse leraar Geshe Kelsang Gyatso dat woede uit drie delen bestaat:

1 We nemen iets waar *dat we onaangenaam vinden.*
2 We *overdrijven* het waargenomen kwaad.
3 We ontwikkelen het *verlangen* om *kwaad te doen.*

Niet lang geleden ging ik met mijn twee zoons voor een aantal dagen naar een 'gezinsretraite'. De deelnemers was dringend verzocht om 's nachts stil te zijn op de slaapzalen. Het was ongeveer halftien in de avond en mijn zoon Zac was heel moe na een dag vol avontuur. Zonder dat er een echte aanleiding was, begon hij pal naast de slaapzaal luidkeels te jammeren – zoals een uitgeput driejarig kind kan doen. Ik raakte in paniek en probeerde hem tevergeefs zijn krijsende mond te snoeren; ik zag al voor me hoe alle kinderen wakker zouden worden en alle ouders zouden gaan schelden. Een van de deelnemers schoot me te hulp en nam de kleine Alex van me over, terwijl ik Zac bij zijn kladden greep en hem woedend meesleepte naar onze kamer.

Ik was ontzettende kwaad dat Zac maar bleef brullen en de andere deelnemers liet weten dat ik hem pijn deed. Er waren overal slaapzalen om ons heen zodat ik niet eens tegen hem kon schreeuwen. Ik hield zijn arm net iets te hard vast en kon hem alleen maar met opeengeklemde kaken dreigend toefluisteren dat dit het einde zou betekenen van ons uitje. De andere deelneemster keek naar me en ik schaamde me voor mezelf; daar ging het beeld van mezelf als kalme, liefdevolle, boeddhistische moeder. Ze legde Zac in bed terwijl ik Alex, die ook was gaan huilen, de borst gaf. Zac viel bijna onmiddellijk in slaap nadat ze de kamer uit was gegaan en ik slaakte een zucht van ergernis. De volgende ochtend liep ik de ontbijtzaal in. Vijftien gezichten keken me aan en ik wist zeker dat ze allemaal getuige waren geweest van mijn kleine gezinscrisis. Ik had het bij het verkeerde eind – de meeste kinderen waren diep in slaap geweest en de ouders hadden in de groepsruimte zitten mediteren.

In dit voorbeeld zijn alle drie de onderdelen terug te vinden. De waarneming van iets *dat we onaangenaam vinden*: Zac, die stond te schreeuwen en mensen zou kunnen wakker maken. Het *overdrijven* van het waargenomen kwaad: iedereen zou wakker worden en ze zouden allemaal boos op me zijn, over me praten en me bij het ontbijt veelbetekenend aanstaren. Ik had het *verlangen* om mijn zoon *kwaad te doen*: ik wilde hem angst aanjagen met het idee dat dit het einde van het uitje zou betekenen; ik wilde tegen hem schreeuwen en hem bang maken en hem laten gehoorzamen. En misschien wilde een duisterder deel van me hem smoren – eventjes… ik kan het me nu niet meer herinneren.

Woede leidt tot boosaardigheid en als we spirituele groei willen, moeten we er vanaf. Dit proces kent twee stadia: ten eerste moeten we de negatieve kracht van de woede onderkennen en de woede als de vijand zien; vervolgens kijken we naar binnen en proberen de oorzaak ervan te begrijpen en deze weg te nemen. Woede zorgt er over het algemeen voor dat we onze aandacht op de uiterlijke omstandigheden richten, waardoor het moeilijk wordt om naar onszelf te kijken en op zoek te gaan naar de oorzaak van het probleem. Daarom bestaat onze natuurlijke reactie meestal uit beschuldigingen en verwoede pogingen om onszelf te rechtvaardigen. Wanneer we onze aandacht echter naar binnen richten, ontdekken we onze aannames van wat 'goed' en 'slecht' is – we ontdekken gehechtheid en aversie.

Toen ik na het incident op de retraite bij mezelf te rade ging, ontdekte ik de doodsangst die ik altijd voel als ik denk dat anderen kwaad op me gaan worden, ook als dat onterecht is. Ik ervaar dan onmiddellijk een sterke en overdreven aversie om anderen teleur te stellen of iets te doen wat hun niet bevalt. Blijkbaar probeer ik van iedereen een smetteloos rapport te krijgen. Gedreven door deze aversie verwacht ik van mijn driejarige kind dat hij zich als een engeltje gedraagt, zich stil houdt en rekening houdt met anderen, terwijl hij nog in de leeftijd is dat hij alleen maar aan zichzelf kan denken. Als ik nog dieper kijk, kom ik in contact met mijn innerlijke criticus die me vertelt dat als ik anderen stoor ik een minderwaardig persoon ben. Alleen als ik iedereen de hele tijd te vriend houd, ben ik geen mislukkeling. Hoe lachwekkend en irrationeel dit soort overtuigingen ook kunnen lijken wanneer we ze onder woorden brengen, toch laten we er ons hele leven door bepalen. Achteraf bezien realiseer ik me dat ik beter de humor van de situatie had kunnen inzien, in plaats van Zacs uitbarsting nog eens aan te wakkeren. Ik had in ieder geval niet zo overdreven hoeven reageren.

Geshe Kelsang Gyatso adviseert ons om meditatie te gebruiken als middel om vastberaden onze boosaardige houding op te geven. We herhalen tegen onszelf: 'Ik ga niet mee in mijn kwaadheid' of 'Ik laat mijn kwaadheid los'. Met dergelijke preventieve maatregelen bereiden we onszelf mentaal voor – programmeren we onszelf, als je wilt – op gebeurtenissen die kwaadheid bij ons kunnen oproepen. We doen ons best om een houding van verdraagzaamheid en acceptatie te ontwikkelen van waaruit we ophouden te willen dat het leven anders is dan het is.

Het leven zal altijd pijn en irritaties kennen. Pas als we deze verdraagzaamheid hebben ontwikkeld en alles wat er gebeurt kunnen accepteren, ontstaat de mogelijkheid van blijvend geluk. Zolang ons geluk afhankelijk is van de uiterlijke omstandigheden zullen we geen vrede kennen. Naarmate we vorderen op het spirituele pad worden onze verdraagzaamheid en acceptatie ten opzichte van alles wat er gebeurt groter. Dit betekent niet dat we passief of ongeïnteresseerd worden, maar dat onze daden worden geïnspireerd door een kalme wijsheid in plaats van emotionele uitschieters.

Omgaan met de nasleep

En wat doe je dan met de keren dat het te laat is: je bent al uitgeschoten en hebt je woede er al uit gegooid? Betsy is al meer dan twaalf jaar praktiserend boeddhist en geeft les in boeddhisme op scholen. Ze is moeder van een zevenjarige zoon, Sam, en gelooft er heilig in om haar beoefening inzichtelijk te maken voor haar zoon. Sinds zijn derde jaar heeft ze hem allerlei dingen over haar beoefening verteld. Ze moet lachen wanneer ze toegeeft dat hij haar vaak van advies dient – hij heeft het nu feilloos door dat wanneer ze kwaad wordt het meestal niets met hem te maken heeft, maar wordt veroorzaakt door iets in haar eigen psychologische wereld.

Zoals Betsy ook vertelt, willen we van onze kinderen dat ze zich verontschuldigen wanneer ze in de fout zijn gegaan en dus zullen we zelf het goede voorbeeld moeten geven. Wanneer zij kwaad is geworden, probeert ze haar verantwoordelijkheid te nemen en toe te geven dat ze verkeerd zat. Betsy en Sam hebben het er dan samen over en zijn het erover eens dat a) haar reactie niet erg behulpzaam was en b) een andere aanpak nodig is. Vervolgens zoeken ze samen naar andere manieren om met dergelijke voorvallen om te gaan. Daarbij leggen ze de nadruk op de leer van karma, dat elke actie een bepaald gevolg heeft – toen jij dit zei, voelde ik dat en toen jij dit deed, gebeurde er dat.

Betsy heeft zelf een lijst met 'grove taal' opgesteld als hulpmiddel voor haar en Sam om hun verantwoordelijkheid te nemen. Als een van hen grove taal bezigt en het er na enige discussie mee eens is dat dit inderdaad het geval was, komt er een kruisje achter de naam van de overtreder te staan. Aan het eind van de week wordt degene met de minste kruisjes getrakteerd. Betsy geeft toe dat zij nooit degene is die wordt getrakteerd, maar dat de lijst wel aanleiding heeft gegeven tot een aantal constructieve discussies, bijvoorbeeld over het verschil tussen krachtig en assertief taalgebruik en ongepast en agressief taalgebruik.

Een groot aantal boeddhistische moeders met wie ik heb gesproken vindt het belangrijk om hun verontschuldigingen aan te bieden wanneer ze kwaad zijn geworden op hun kinderen. Je verontschuldigen, zeggen zij, is een effectieve manier om je woede 'los te laten', om jezelf tot nederigheid te dwingen. Een moeder zei:

Het is alsof je een deel van je macht aan je kinderen geeft, in plaats van het allemaal voor jezelf te houden. Vooral als je hun vraagt om het je te vergeven. Veel ouders denken dat ze volmaakt moeten zijn in de ogen van hun kinderen, maar ik denk zelf dat je je kinderen een grotere dienst bewijst door hen te leren omgaan met onvolmaakt-zijn – en dat zijn we allemaal. Als je af en toe tegen hen kunt zeggen: 'Ik heb een fout gemaakt', zijn ze op een gegeven moment misschien ook bereid hetzelfde tegen jou te zeggen. Op dat moment hebben ze geleerd verantwoordelijkheid te nemen voor hun eigen gedrag. Ik denk ook dat we onze kinderen moeten waarschuwen als we in een slecht humeur zijn of moeite hebben om ergens goed mee om te gaan. Door onze stemming met hen te delen, hoeven ze ons gedrag niet persoonlijk op te vatten. Het is voor kinderen belangrijk om te weten dat onze slechte buien niet noodzakelijkerwijs hun schuld zijn.

Wat betreft agressieve automobilisten, chagrijnige bazen en andere gestreste individuen die onze toorn opwekken, kunnen we ons laten inspireren door de Tibetanen. De Dalai Lama en ook anderen hebben het over de manier waarop vele Tibetanen hun martelingen hebben overleefd, zonder de gebruikelijke psychologische

schade die slachtoffers van traumatische ervaringen hier doorgaans aan overhouden. De meer gevorderden op spiritueel gebied
voelden zelfs compassie voor hun beulen, omdat ze wisten dat hun
gedrag alleen maar kon voortvloeien uit een intens vertroebelde
geest. Vanuit het besef van de wet van karma, wisten ze dat de beulen zwaar zouden lijden onder een dergelijke onzuivere en mislei-
de geest. Als westerlingen kunnen we een dergelijke reactie maar
moeilijk begrijpen, maar het is ontegenzeggelijk een inspirerende
les die we op onze eigen problemen kunnen toepassen. We kunnen
onszelf vertellen dat het niet altijd aan ons is om agressief gedrag te
straffen, aangezien de wet van karma hier wel zorg voor
draagt – we kunnen zelfs proberen of het ons lukt om compassie
op te brengen voor degenen die slecht karma voor zichzelf creëren.

De volgende woorden van de Boeddha zijn bedoeld als aanmoediging om onze kwaadaardigheid en al onze acties uit kwaadheid op te geven:

Iemand die een ander aanvalt
na te zijn aangevallen door die ander
schaadt zichzelf en schaadt de ander.
Wanneer je je gekwetst voelt
maar de ander niet kwetst,
ben je de ware overwinnaar.
Je beoefening en je overwinning varen hier beide wel bij.
Als je de wortels van de woede kent in jezelf en in de
*   ander,*
zal je geest werkelijke vrede, vreugde en lichtheid
*   genieten.*
Je wordt de arts die zowel zichzelf als de ander geneest.
Als je dit niet begrijpt,
zul je denken dat niet kwaad worden de daad van een
dwaas is.

Vergevensgezindheid

Het kan gebeuren dat we in een bepaalde relatie op een gegeven moment een stadium bereiken dat de enige manier waarop we ons leven kunnen voortzetten, vereist dat we een algehele amnestie verkondigen, dat we vergeven. Als we wrok blijven koesteren, onze dagen blijven vullen met de woede over alle kwetsingen in het verleden, dan is er geen ruimte meer voor enig plezier in het leven. Als het gaat om hardvochtig gedrag, dan kan vergeving een onlogische reactie lijken. Als we echter eenmaal kunnen vergeven, bevrijden we onszelf van de pijnlijke gevoelens en herinneringen die de oorzaak zijn van ons lijden. Het is een daad van compassie waar we trots op kunnen zijn, een kans om de vruchten te plukken van onze spirituele vorderingen. In sommige gevallen is het de ultieme daad van liefde en compassie.

Toegegeven, het is vaak niet realistisch om de intense woede over een pijnlijke gebeurtenis te snel te willen vervangen door vergeving. We kunnen niet vergeven omdat we dat nu eenmaal 'horen' te doen; het is niet iets wat we kunnen forceren. We kunnen pas vergeven wanneer we er klaar voor zijn – en daar moeten we misschien iets voor doen. Dat iets kan de vorm aannemen van communiceren met behulp van verstandig woordgebruik en een goede luistervaardigheid (zie hoofdstuk 7); of van mediteren op liefdevolle vriendelijkheid, waarmee we het zaad zaaien van onze intentie om uiteindelijk te kunnen vergeven (zie hoofdstuk 9).

Soms is vergeving een doel dat alleen op lange termijn en door jarenlange inzet kan worden bereikt. We moeten misschien wachten totdat het zover is en terwijl we wachten merken we dat onze emoties over de gebeurtenis in het verleden langzaam maar zeker veranderen. De woede maakt misschien plaats voor een mildere, minder ondermijnende gelatenheid. Misschien moeten we op de weg naar vergeving ondraaglijke pijnen doorstaan, maar de opluchting om onszelf te kunnen bevrijden van de last van de wrok is zeker de moeite waard.

Vergeving kan een verstandige erkenning zijn van het feit dat we allemaal worstelen met onze illusie, verwarring en onvolmaakt-heid. Het kan helpen om ons de momenten te herinneren waarop we zelf iemand kwaad berokkenden, egoïstisch waren en vergeving behoefden. Of we komen tot de ontdekking dat we zelf onze ver-antwoordelijkheid in een conflict moeten nemen – waren onze be-doelingen, daden en uitspraken alleen maar heilzaam?

Let op het effect van niet willen vergeven op je lichaam. Waar sla je de spanning op? Wat is het effect op je gemoedstoestand? Ga zien welk effect wrok op jou en je karma heeft. Stel je voor hoe het je leven zou beïnvloeden als je van deze wrok bevrijd zou zijn.

Het temmen van onheilzame gedachten

Wanneer we onszelf in een toestand van woede observeren, mer-ken we dat het onze gedachten zijn die het vuur aanwakkeren: 'Ik had dit niet moeten pikken!', 'Dit is niet uit te houden!', 'Hij heeft absoluut geen respect voor me!', 'Waar haalt ze het lef vandaan om zo over me heen te lopen!' Veel van onze problemen beginnen met onze gedachten. Bij de bespreking van karma heb ik de woorden van de Boeddha geciteerd over hoe ons karakter wordt gevormd door onze gedachten en dat we daarom zorgvuldig met onze ge-dachten moeten omgaan en moeten zorgen dat we liefdevolle ge-dachten koesteren (zie bladzijde 53).

Als we enig succes willen hebben met het temmen van onze ge-neigdheid tot woede, zullen we met onze gedachten moeten wer-ken. Het eerste deel van deze opgave bestaat eruit dat we ons be-wust worden van onze gedachten in plaats van ons erdoor te laten meeslepen. Ze kunnen zo krachtig en overtuigend zijn en ons zo-zeer uit het moment zelf weghalen, dat het daadwerkelijk nodig is om te 'stoppen en realiseren' of om 'eraan te denken eraan te den-ken' dat we er aandacht aan moeten besteden. Vervolgens moeten we op zoek naar de gedachten die niet heilzaam en niet behulp-zaam zijn en die ons geluk en onze kalmte in de weg zitten.

In de lezing van de Boeddha over de gedaanten van de gedachten heeft hij ons vijf mogelijkheden gegeven om met storende gedachten om te gaan. In het kort is dit zijn advies:

1 Concentreer je op het positieve.
2 Let op de gevolgen van je gedachten.
3 Leid jezelf af.
4 Ga op zoek naar alternatieven.
5 Gebruik je wilskracht.

Dit zijn geen van alle baanbrekende adviezen. Dit soort adviezen horen we voortdurend, omdat dit de dingen zijn die door de eeuwen heen hebben gewerkt. Wat ik echter wel behulpzaam vind, is dat de Boeddha zijn advies presenteert als vijf opties waar we uit kunnen kiezen. Hij zegt bijvoorbeeld niet dat je je bij storende gedachten altijd op het positieve moet concentreren. Evenmin zegt hij dat je storende gedachten uit de weg moet gaan door zuiver wilskracht te gebruiken. Zoals we weten, is geen van deze opties in alle voorkomende gevallen de beste. We kunnen hier zelf een inschatting maken en naargelang de situatie waarin we ons op dat moment bevinden de meest bruikbare optie of combinatie van opties kiezen.

Concentreer je op het positieve

De eerste mogelijkheid die de Boeddha oppert is:

Als er onheilzame gedachten ontstaan die te maken hebben met verlangen, aversie of verwarring en de geest verstoren, moet je je aandacht niet daarop richten, maar op een ander aspect dat te maken heeft met dat wat wel heilzaam is... Net als een vaardig timmerman die een grote houten pin er met een kleine uit kan kloppen.

Als moeder kun je, door slaapgebrek, energiegebrek of beide, op een gegeven moment rondlopen met een hele lijst mensen op wie je kwaad bent: je eigen kinderen, andermans kinderen en vele Ouders Die Beter Zouden Moeten Weten. Bij ieder van hen kunnen we onszelf herinneren aan hun positieve kwaliteiten en aan de aardige dingen die ze hebben gedaan – net zoals we hopen dat anderen dat bij ons doen wanneer we hun toorn hebben opgewekt. Zelf probeer ik in gedachten vast te leggen wanneer ik een vriend of kennis iets edelmoedigs of aardigs zie doen. Als ik merk dat ik de neiging krijg die persoon in een kwaad daglicht te stellen, dan kan ik mezelf daaraan herinneren. Deze moeder doet hetzelfde met haar partner:

Er zijn dagen waarop ik verteerd word door woede en mezelf dramatisch bezweer dat mijn huwelijk voorbij is en dat we onmogelijk samen de eindstreep kunnen halen. Op het moment dat ik mezelf kan bevrijden uit de maalstroom van gedachten waarin ik word meegesleept, kan ik mezelf weer herinneren aan de talloze positieve kwaliteiten van mijn man en de keren dat ik hem dankbaar was voor zijn generositeit en attentheid.

We kunnen ook oefenen om mensen het voordeel van de twijfel te geven en zo de negatieve gedachtestroom afkappen nog voordat hij op gang is gekomen, door ons bijvoorbeeld te realiseren dat een bepaalde opmerking niet noodzakelijkerwijs tegen ons was gericht; dat het voortdurend te laat komen niets met ons te maken heeft, maar met een timemanagementprobleem; dat het onuitstaanbare gedrag van ons kind niet persoonlijk is bedoeld, maar een reactie is op een verandering in de dagelijkse routine.

Let op de gevolgen van je gedachten.

De tweede mogelijkheid die de Boeddha oppert:

Bekijk kritisch het gevaar van deze onheilzame gedachten door te denken: dit zijn onheilzame gedachten, dit zijn gedachten die onjuistheden bevatten, dit zijn inderdaad gedachten die een pijnlijk effect zullen veroorzaken.

Herinner jezelf aan de grote ironie van woede – je doet jezelf er veel meer kwaad mee dan de daders. Denk aan je eigen karma. Elke keer dat je kiest voor woede als reactie, conditioneer je jezelf om de volgende keer ook zo te reageren. Hoe kunnen we ooit gemoedsrust vinden als we onszelf conditioneren tot een boosaardig persoon?

Persoonlijk heb ik erg veel spijt van de keren dat ik moeilijkheden te lijf ben gegaan met woede. Doordat ik de spanning vele jaren had laten opbouwen alvorens te exploderen, zette ik niet alleen mezelf voor gek, maar heb ik ook mijn vriendschappen onherstelbare schade toegebracht. Ik heb geleerd hoe belangrijk het is om zorgvuldig en terughoudend om te gaan met spanning, om te vermijden dat ik mijn woede uitleef en anderen schade berokken.

We moeten onszelf dus de vraag stellen: waarheen leiden deze gedachten me? Kom ik als een vulkaan tot uitbarsting als ik op deze manier blijf denken? Toen Alex, mijn tweede kind was geboren en mijn werklast als moeder was toegenomen, merkte ik dat ik met mijn oudste veel ongeduldiger was. Ik werd gealarmeerd door dit nieuwe vermogen om uit mijn vel te springen en me gewelddadig te voelen. In plaats van mijn driejarige zoontje de schuld te geven van de minder aangename huiselijke scènes, moest ik onder ogen zien welke schade ik zelf met mijn woede aanrichtte. Wat voor soort moeder wilde ik worden? Wat voor soort relatie wilde ik met mijn kinderen opbouwen? Wilde ik mijn kinderen nog meer leed bezorgen? Ook in mijn eigen belang moest ik mijn pas ontdekte uitbarstingen onder controle brengen om te voorkomen dat mijn geestelijke gezondheid eronder zou lijden.

Leid jezelf af

De derde mogelijkheid die de Boeddha oppert:

Ontwikkel vergeetachtigheid en onachtzaamheid ten aanzien van dat soort gedachten... net als een man die de fysieke vormen van hetgeen in zijn gezichtsveld verschijnt niet wil zien, zijn ogen sluit of de andere kant uit kijkt.

In de boeddhistische leer wordt vaak gesproken over onze neiging om 'misplaatste aandacht' te besteden aan onbelangrijke gebeurtenissen en onszelf zodoende in een toestand van woede te brengen. Op bepaalde momenten gaan onze gedachten weer uit naar gebeurtenissen in het verleden waarover we dan weer gaan malen; ons denken wordt dan obsessief en dwangmatig. We moeten hierop bedacht zijn, onszelf erop betrappen wanneer we misplaatste aandacht aan iets besteden en weigeren hiermee door te gaan. Vaak is het zo dat als we onze misplaatste aandacht kunnen loslaten, we ook onze woede kunnen loslaten. Dit vraagt om een verandering van focus. Het verleggen van de aandacht naar onze ademhaling helpt ons te ontspannen en de stroom van misplaatste aandacht te stoppen. In gespannen situaties kunnen we onszelf kalmeren en weer in het hier en nu brengen door diep adem te halen.

Toen we nog geen kinderen hadden, was afleiding vaak het volmaakte tegengif tegen destructieve gedachten. Over het algemeen konden we wel een gaatje vinden om in een boek te duiken of een filmpje te pikken. Tegenwoordig ligt dat anders: de noden van onze kinderen zijn te dwingend en we kunnen er niet van weglopen. Toch is het mogelijk om wanneer onze gedachten contraproductief, obsessief of weinig behulpzaam zijn onszelf af te leiden en een ander denkspoor in te slaan.

In een bepaalde periode was het plannen van een etentje voor mij een goede remedie tegen een verstoorde geest. Ik gaf er een boeddhistisch tintje aan door te proberen het te doen vanuit liefde en een oprecht verlangen om er voor mijn gasten een geweldig feest van te maken. Mijn geest werd dan de hele week in beslag genomen door het plannen van de gerechten en de hele aankleding. De avonden zelf zijn nu een heel prettige herinnering. Soms kan het een goede afleiding zijn om het hele gezin mee naar buiten te nemen. Of je kunt een vriend of vriendin bellen of op zoek gaan naar wat volwassen gezelschap. Doe een kruiswoordpuzzel. Lees een stukje in een tijdschrift. Schrijf een gedicht. Ga op zoek naar een inspirerend recept. Ga je foto's uitzoeken.

Net als met de andere opties is deze optie om jezelf af te leiden niet in alle situaties de beste remedie. Het is bijvoorbeeld niet de juiste remedie wanneer we naar onze gevoelens moeten kijken en er iets mee moeten doen.

Ga op zoek naar alternatieven

De vierde mogelijkheid die de Boeddha opperde is:

Zoals een man die snel loopt zichzelf kan afvragen: Waarom loop ik snel? Stel dat ik langzaam zou gaan lopen. Maar zich wanneer hij langzaam loopt ook kan afvragen: Waarom loop ik langzaam? Stel dat ik zou gaan liggen... Deze man, die de meest inspannende houding heeft losgelaten, kan besluiten de meest ontspannen houding aan te nemen.

Wees oprecht nieuwsgierig en zet vraagtekens bij je manier van denken: waarom denk ik op deze manier? Waardoor ben ik zo gaan denken? En vervolgens: is er een makkelijker manier van denken? Een manier waardoor mijn leven soepeler verloopt? We hoeven ons niet te laten vastleggen op een bepaalde verstikkende versie van onze werkelijkheid. Gedachten komen en gaan en hebben vaak weinig te maken met wat *is*. We hoeven ze niet meer macht te geven door ze te gaan geloven. Dit is een van de meest voorkomende ontdekkingen die mensen doen wanneer ze gaan mediteren en leren gewaar te zijn: mijn gedachten zijn alleen gedachten, ze zijn niet mij en ze zijn ook niet de werkelijkheid.

De Boeddha herinnert ons er voortdurend aan dat onze geest onze werkelijkheid creëert: wat we onszelf vertellen heeft meer impact dan de situatie zelf. Het is aan ons om te bepalen hoe belangrijk we een storende gebeurtenis maken. Wanneer we geïrriteerd of kwaad worden, moeten we toegeven dat we ervoor hebben gekozen om naar de verstoring te kijken en er een negatief oordeel over uit te spreken. Is er een andere interpretatie van de situatie mogelijk? Is het nodig om het zo persoonlijk op te vatten? Is deze situatie werkelijk zo'n emotionele investering waard? Is woede de onvermijdelijke reactie? Door onszelf deze vragen te stellen, kan ons perspectief heilzamer proporties aannemen.

Een van de moeders beschrijft hoe ze in een fractie van een seconde besluit tot een niet-automatische reactie op haar peuter:

Ik voel me kregel en zou voor de twintigste keer tegen mijn dochter kunnen uitvallen. Maar in plaats van 'niet aankomen!' hoor ik mezelf zeggen: 'Zal ik jou eens even kietelen?' en we rollen samen over de vloer in een volkomen andere sfeer dan die er anders zou hebben kunnen ontstaan. Het was niet wat ik in gedachten had om te zeggen, maar mijn gevoel volgde al snel de woorden die ik had uitgesproken.

Gebruik je wilskracht

De vijfde mogelijkheid die de Boeddha opperde is:

Onderwerp, bedwing en beheers de geest met je geest...
net zoals een sterke man, die een zwakkere man bij zijn
hoofd en schouders vast heeft, de zwakkere kan onder-
werpen, bedwingen en beheersen.

Als we werkelijk vastbesloten zijn om onze geest door middel van oefening gezonder te maken en we dit oprecht tot een belangrijk doel maken, dan kunnen we erin slagen om onheilzame gedachten met onze wilskracht te bestrijden. Het kan genoeg zijn om onszelf stevig, maar toch zachtaardig aan te pakken en te zeggen: 'Loslaten' of 'Genoeg'. Geshe Kelsang Gyatso noemt meditaties als mogelijkheid om de wilskracht te ontwikkelen waarmee we ons kunnen ontdoen van onze woede. Het kan een kwestie zijn van onszelf de vraag stellen: Hoe belangrijk vind ik het om gezonde relaties te hebben? Maar ook: Hoe belangrijk vind ik mijn eigen persoonlijke groei?

Wat je kunt doen

- Onthoud dat boosaardige gedachten en woorden slecht zijn voor je karma.
- Onthoud dat woede een toestand van voorbijgaande aard is en geef het dus niet meer macht.
- Erken je woede en blijf erbij aanwezig zonder je erdoor te laten meeslepen – wees je bewust van het effect ervan op je lichaam, hoe het van vorm verandert en uiteindelijk weer verdwijnt.
- Richt je aandacht naar binnen en ga op zoek naar de oorzaken van je woede, zodat je die kunt wegnemen.
- Gebruik meditatie om de wilskracht te ontwikkelen waarmee je je kunt ontdoen van je woede.
- Vertel je kinderen over een aantal van je worstelingen, zodat ook zij van je fouten kunnen leren – je hoeft hun niet probe-

ren wijs te maken dat je volmaakt bent.

- Verontschuldig je tegenover je kinderen voor je fouten.
- Laat je kinderen weten dat je een slecht humeur hebt, zodat ze het niet persoonlijk hoeven op te vatten.
- Overweeg de mogelijkheid om degenen op wie je kwaad bent vergiffenis te schenken – misschien alleen al omwille van jezelf.
- Overweeg de vijf manieren van omgaan met onheilzame gedachten die de Boeddha ooit heeft genoemd:
  1 Concentreer je op het positieve
  2 Let op de gevolgen van je gedachten
  3 Leid jezelf af.
  4 Ga op zoek naar alternatieven
  5 Gebruik je wilskracht.

HOOFDSTUK 5

De angst en zorg
om onze kinderen

IJN GROOTMOEDER was een zorgelijke vrouw. Ze was ook een hoop andere dingen, zoals de opofferingsgezinde pijler van ons gezin. Ze had een belangrijke plaats in mijn jeugd; ze was er altijd om op mijn zusjes en mij te passen, ons verhaaltjes te vertellen, te klappen voor onze 'optredens', te luisteren naar ons eindeloze kindergebabbel. Op de momenten dat ons niet met haar aandacht overstelpte was ze bezig alle hoekjes van het huis die maar een spoortje vuil vertoonden te poetsen. Ze leefde om ons te dienen en meed elk contact met mensen die geen 'familie' waren. Een telefoontje naar oma duurde nooit korter dan een halfuur en in onze hele familiegeschiedenis is zij nooit degene geweest die het eerst heeft opgehangen.

Minder positieve familieleden zouden zeggen dat oma, die zichzelf had benoemd tot tobber van het gezin, pas gelukkig was als ze zich ernstig zorgen om iets kon maken. Ze had het tobben tot zo'n kunst verheven, dat we het er allemaal over eens waren dat we haar niets moesten vertellen wat haar verbeelding zou kunnen prikkelen – hetgeen de conversatie drastisch beperkte. Haar twee kinderen, mijn moeder en mijn oom, verzwegen het voor haar wanneer ze naar het buitenland op reis gingen, naar het ziekenhuis moesten of zelfs maar met de geringste tegenslag te kampen hadden. Oma was een nobel en liefdevol mens, maar vanwege haar dwangmatige zorgelijkheid liep ze grote delen van ons leven mis. Nooit was ze de vertrouweling, de raadgever of het luisterend oor wanneer een van haar dierbaren in nood verkeerde.

Het is een bekend verhaal: dochters en zoons die hun problemen voor zich houden, omdat ze 'niet willen dat hun moeder zich zorgen gaat maken'. Maar hoe kunnen we als moeder onze kinderen helpen als ze ons hun zorgen niet toevertrouwen? Hoe kunnen

we er dan voor hen zijn wanneer ze te maken krijgen met problemen als gepest worden, drugs, depressie of zelfs zelfmoordgedach-
ten? Om onze kinderen te kunnen helpen bij dit soort problemen
moeten we, in hun ogen, sterk, vindingrijk en wijs zijn. En we
moeten heldhaftig zijn en onze al te grote angsten om hun welzijn
voor hen verbergen.

Mijn eigen moeder was een bekwaam vertrouwenspersoon.
Mijn zussen en ik hebben nooit getwijfeld om onze zorgen met
haar te delen en het is als kind nooit bij ons opgekomen dat het
voor haar een te grote belasting zou kunnen zijn. Een van de aan-
grijpendste herinneringen voor mij is toen ik als twintiger door een
moeilijke fase ging en me bedrogen en wanhopig voelde. Ik had het
er met mijn moeder over gehad en stapte in de auto om naar huis
te gaan. Ik had echter iets vergeten en ging nog even terug en zag
aan het gezicht van mijn moeder dat ze had gehuild. Ze ontkende
dat er iets aan de hand was. Toen ik weer naar huis reed, voelde ik
een diepe dankbaarheid. Ik realiseerde me dat mijn moeder zich
altijd sterk had voorgedaan wanneer wij met onze problemen bij
haar aankwamen, maar dat ze misschien meer op oma leek dan wij
dachten: het deed haar pijn om haar kinderen te zien lijden.

Tot op zekere hoogte kan het zinvol zijn om je zorgen te maken: het dwingt ons een beleid uit te stippelen, de mogelijkheden te
verkennen of actie te ondernemen. Vaak maken we ons echter veel
meer zorgen dan zinvol is, hoewel we weten dat het ons niet helpt.
Als we hieraan toegeven, kunnen we ons de rest van ons leven zorgen blijven maken en we zullen nooit vrede bereiken. Er lijkt sprake te zijn van twee soorten zorgen: de eerste soort is onnodig of gebaseerd op een denkbeeldig scenario. In de woorden van Mark
Twain: 'Mijn leven is gevuld met vreselijke ongelukken... die in de
meeste gevallen nooit hebben plaatsgevonden.' Daarnaast zijn er
de zorgen die gegrond of gerechtvaardigd zijn, zoals wanneer je
kinderen daadwerkelijk lijden.

De prijs van piekeren

De tol die we betalen voor onze bezorgdheid is zowel fysiek als mentaal. De medische wetenschap vertelt ons dat door aanhoudende bezorgdheid het bloed door vochtverlies 'dikker' wordt, de lichaamsfuncties verzwakken, de bloeddruk stijgt en er hartklachten, maagzweren en ademhalingsproblemen kunnen ontstaan. En we hebben geen arts nodig om te weten dat onze zorgen de hoop op een gezonde slaap, voldoende energie en gemoedsrust de grond in boren. Als we iemand zijn die zich snel zorgen maakt, gaan we misschien bepaalde situaties uit de weg, waarmee we onze mogelijkheden en kansen beperken, evenals die van onze kinderen.

Onze zorgen vertroebelen de geest en ondermijnen het functioneren: we kunnen niet meer helder denken, verliezen het juiste perspectief uit het oog, evenals de mogelijkheid om rustig en beheerst te reageren. Zoals Adrienne Howley, een boeddhistische non en moeder van twee zoons, in *The Naked Buddha* schrijft: 'Als we ons mentaal vastklampen aan en verlangen naar en bezorgd zijn over wat we veiligheid noemen, zal onze manier van reageren niet adequaat zijn en de uitkomst niet die waarop we hadden gehoopt.' Zij zegt dat we gebruik moeten maken van zelfonderzoek en analyse om de dingen te kunnen zien zoals ze werkelijk zijn en een oplossing te vinden voor onze problemen.

En zoals ook bij mijn oma is gebeurd, hoe meer je jezelf aanwent je onnodig zorgen te maken, hoe moeilijker het is ermee te stoppen. Het werd haar karma, haar karakter, haar lot om zich zorgen te maken. Elke keer dat ze zich zorgen maakte, bekrachtigde ze de gewoonte, totdat het een natuurlijke, onvermijdelijke gemoedstoestand was geworden. Je zorgen maken is uitermate verslavend gedrag, dat onze geest veroordeelt tot een imaginaire en vreugdeloze toekomstige wereld. Het laat ons geen ruimte om het hier en nu gewaar te zijn.

Sue is een boeddhistische moeder die het zwaar te verduren heeft gehad, vanwege de hoge prijs die zorgelijkheid haar kostte. Met een groeiend gevoel van pijn in haar maag was ze er getuige van hoe haar dochter dezelfde onvolmaakte gelaatskenmerken ontwikkelde als zijzelf en die haar als kind een hoop ellende hadden bezorgd. Sue had haar gezicht altijd beschouwd als een samenstelsel van te kleine en te grote onderdelen en jammer genoeg hadden de wredere types op het schoolplein er net zo over gedacht.

Het is niet te geloven dat ik vanwege mijn arme dochter een aantal van die afschuwelijke herinneringen opnieuw moet beleven. Mijn hart breekt als ik er aan denk dat ze zelfs maar een fractie van mijn intense verdriet zou moeten doormaken. Af en toe word ik er volkomen depressief van. Ik heb het zelden openlijk over mijn angsten, omdat ik vind dat ik haar dan op de een of andere manier zou verraden. Mensen zouden erom kunnen lachen, het kunnen doorvertellen of medelijden met haar krijgen. Het is dus iets waar ik in mijn eentje uit moet zien te komen. Soms zit ik naar haar te kijken en ondanks het feit dat ik haar zó mooi vind, voel ik ook zó veel verdriet – mijn gedachten kunnen me dan volledig gedeprimeerd maken en mijn hele dag verpesten. En dan zijn er ook nog de dagen waarop ik andere kinderen iets over haar uiterlijk hoor zeggen en dat voelt als een harde stomp in mijn maag. Ze neemt het allemaal redelijk goed op, maar in de toekomst zal ik haar niet meer kunnen beschermen.

Sue realiseerde zich dat haar zorgen zodanig konden escaleren dat er een enorme last ontstond die haar elke kans op gemoedsrust ontnam. Ze zag haar lot als gekwelde ziel al voor zich en probeerde haar karma te veranderen.

Ik wist dat ik iets moest doen met mijn gedachten, die volkomen uit de hand begonnen te lopen. Op een dag ging ik mediteren en bleef zitten totdat ik kalmer was geworden. Vervolgens stond ik op, ging aan mijn bureau zitten en begon te schrijven, eindeloos. Ik schreef alle emoties op die mijn eigen gevoel van onaantrekkelijkheid tijdens mijn jeugd hadden veroorzaakt:

eenzaamheid, vernedering, het gevoel er niet bij te horen, niet te worden gerespecteerd. Het hielp om deze verwarde gevoelens onder woorden te brengen: nu had ik er enige greep op.

Daarna ontwarde ik al mijn angsten rond het uiterlijk van mijn dochter, en ging op zoek naar enkele positieve gedachten en tegenargumenten. Misschien is mijn dochter minder gevoelig en minder verlegen dan ik – lijdt ze minder of op een andere manier. Ik was indertijd een behoorlijk zwaarmoedig kind geweest en had de neiging lang over mijn problemen te piekeren. Trouwens, haar ervaringen zullen toch heel anders zijn dan de mijne of de scenario's die ik kan verzinnen. Het is allemaal een mysterie, dus waarom zou ik mijn tijd verdoen met gissen naar de verschrikkingen die haar ten deel zouden kunnen vallen.

Misschien beschikt ze over krachtige compenserende eigenschappen, zoals een geweldig gevoel voor humor dat haar helpt om met haar fysieke gebreken om te gaan en een van die aangename mensen te worden die zichzelf niet zo serieus nemen. Ik kan haar helpen om zich meer te concentreren op andere kwaliteiten en mogelijkheden waaraan ze haar zelfvertrouwen kan ontlenen. Ik kan ervoor zorgen dat het haar thuis en in haar omgeving niet ontbreekt aan liefde, waardoor de klappen enigszins kunnen worden opgevangen. Een goed thuis is trouwens toch de belangrijkste factor voor het geluk van een kind. Ik kan mezelf eraan herinneren dat er ook mensen met vergelijkbare fysieke onvolmaaktheden zijn die een relatief gelukkig en succesvol leven leiden. Ik kan zelfs op zoek gaan naar die mensen, zodat ze als rolmodel kunnen fungeren en haar kunnen inspireren. Die mensen hebben net als ik andere kanten van hun karakter ontwikkeld dan hun uiterlijk en hebben vaak een zekere emotionele diepgang.

Het leed waarmee ze waarschijnlijk te maken krijgt, kan haar helpen om op te groeien tot een volwassen, sterk ontwikkeld persoon. Misschien leert ze belangrijke lessen, zoals compassie hebben met anderen. Misschien is er wel een reden waarom we

deze fysieke eigenschappen hebben en moeten we er beiden iets
van leren. En mijn eigen ervaring, mits ik er goed mee omga,
kan een voordeel voor haar betekenen. Het kan ons ook nader
tot elkaar brengen.

Hoe dan ook, het helpt me om deze lijst te bekijken wanneer
mijn zorgen weer beginnen te knagen. Ik kan niet zeggen dat ik
mijn angsten al heb overwonnen, maar deze lijst met tegenar-
gumenten helpt me meer helderheid te krijgen. Ik word niet
meer zo in beslag genomen door mijn sombere toekomstvisie, ik
raak niet meer zo gevangen in mijn eigen aversie. Dat is
belangrijk, omdat ik weet dat ik haar alleen maar kan helpen
als ik zelf kalm met beide benen op de grond sta.

Waarschijnlijk hebben velen van ons net zoveel baat bij een diep-
gaand onderzoek van de zorgen die ons kwellen. Dat kan op papier
zijn of in een officiële zitmeditatie. We beschikken allemaal over de
mogelijkheid onze zorgen het hoofd te bieden en zelfs om ze – in
mindere of meerdere mate – op te lossen.

Het accepteren van leed

Dankzij de technologische vooruitgang leven we in een tijdperk
van snelle antwoorden, kant-en-klare oplossingen en werkbespa-
rende apparatuur. Met behulp van miljoenen reclames worden we
in slaap gesust met de valse voorstelling dat ongemak en 'negativiteit' nergens voor nodig zijn; en dus verzetten we ons tegen elk ongemak en we weigeren het in ons leven toe te laten. We vergeten de
eerste Edele Waarheid dat er lijden bestaat, dat het leven inherent
onbevredigend is.

Door de eeuwen heen hebben de meeste vrouwen zich afge-
sloofd voor hun gezin. Hun kinderen werden vaak ernstig ziek of
stierven, hun echtgenoot beschouwde hen als bezit en een echt-
scheiding kon betekenen dat ze dienstbode werden of in de prosti-
tutie terechtkwamen. Vrouwen genoten over het algemeen geen

maatschappelijk aanzien en er was weinig begrip voor hun zware omstandigheden. Voor deze vrouwen maakten het lijden en de ontevredenheid zo'n integraal onderdeel van hun leven uit dat zij er geen vraagtekens bij zouden zetten – en een groot deel van de vrouwen op de wereld leeft nog steeds in dit soort omstandigheden. Vergeleken met deze vrouwen zijn wij verwend, met onze 1,8 kinderen, onze moderne gemakken en onze relatieve vrijheid.

Desondanks kan onze hogere levensstandaard ons niet behoeden voor lijden en onvolmaaktheid, ongeacht de beloften van de moderne technologie en de reclame. Moderne vrouwen krijgen alleen maar te maken met nieuwe vormen van lijden, net zoals moderne mannen, aangezien dit de aard van het bestaan is. Wat het tegenwoordige lijden extra pijnlijk maakt, is onze overtuiging dat we niet hoeven te lijden, dat we niet bestand zijn tegen enig ongemak en het tegen elke prijs moeten zien uit te roeien. We eisen dat het leven anders is dan het is, hechten ons aan onze mening over hoe het zou moeten zijn en raken hevig gefrustreerd wanneer onze verwachtingen de grond in worden geboord.

Onze angsten en zorgen gaan echter niet zozeer over een situatie als wel de emoties die deze bij ons oproept. We maken ons druk over hoe we ons zullen voelen door een gevreesde gebeurtenis of over de vele zorgen die er misschien nog voor ons in het verschiet liggen. Het is niet zozeer het lijden, de ontevredenheid, die ons zo'n pijn doet als wel onze aversie ertegen, het emotionele verzet tegen het lijden. In plaats van de uiterlijke omstandigheden te willen controleren, kan het de moeite waard zijn om meer energie te steken in het onderzoeken van onze emotionele reacties. Dit zou wel eens een veel effectievere manier kunnen zijn om ons lijden te beperken. In de woorden van Adrienne Howley: 'Een geest die vrij is van zorgen… weet dat niet hetgeen ons overkomt het belangrijkste is, maar de manier waarop wij erop reageren.' Als we de dingen die ons angst aanjagen niet uit ons leven kunnen bannen, dan is het beter om te leren geduld, acceptatie en gelijkmoedigheid op te brengen in plaats van ons zorgen te maken. Blijven vechten tegen het onvermijdelijke vergroot alleen maar ons lijden en ongeluk.

Leren omgaan met zorgen

In tegenstelling tot waar we meestal van uitgaan, belagen onze zorgen ons niet van 'buitenaf', maar bestaan ze in onze geest. Door enige controle te krijgen over onze geest, kunnen we ook de kwaliteit van onze ervaringen bijsturen. De Boeddha heeft dit op vele manieren gezegd, bijvoorbeeld:

We zijn wat we denken. Alles wat we zijn, ontstaat door middel van onze gedachten. Met onze gedachten maken we de wereld.

Zelfs je ergste vijand kan je niet zo'n pijn doen als je eigen – onbewaakte – geest. Maar zodra je hem de baas bent, is er geen grotere hulp denkbaar.

De geest is de voorbode van alle toestanden. De geest is de baas; daar ligt hun oorsprong.

De persoon die het meeste lijdt in de wereld is de persoon die vele verkeerde voorstellingen koestert... En vele van onze voorstellingen zijn onjuist.

Door te mediteren en bewust te leven, ontwikkelen we het vermogen om onze gedachten waar te nemen en de angstaanjagende verhalen die we verzinnen te volgen. We zijn ons bewust van de escalatie, waarbij elke nieuwe gedachte net weer iets beangstigender is dan de vorige. We krijgen oog voor het vervormen en het overdrijven van de werkelijkheid, zozeer dat het op de scène uit de film *Parenthood* gaat lijken waarin Steven Martin, gekweld door de problemen van het ouderschap, wegdroomt in een fantasie waarin zijn zoon een massaslachting aanricht op het speelplein.

Zoals we bij woede hebben gezien, kunnen zorgen het product zijn van misplaatste aandacht – we kiezen ervoor alleen een heel klein stukje van de werkelijkheid te zien, overdrijven het en blijven erover doormalen, een effectieve manier om te zorgen dat we gevangen komen te zitten in onze eigen voorstellingen. Thich Nhat Hanh, de bekende Vietnamese monnik, gaat in *Teachings on Love* in op de noodzaak om krachtig op te treden wanneer je jezelf erop betrapt dat je je zorgen zit te maken: 'Als we bewust leven, zullen we onze misplaatste aandacht opgeven, en tegen onszelf zeggen: "Ik ben me ervan bewust dat ikzelf of degenen om wie ik geef geen baat zullen hebben bij deze misplaatste aandacht."'

Waar houd je je aan vast?

Alle irrationele aannames die tot zorgen leiden moeten aan het licht worden gebracht. Alle dingen waarover we ons zorgen maken, komen voort uit een soort kortsluiting tussen onze overtuigingen en onze ervaringen. We denken dat de dingen op een bepaalde manier horen te gaan en dat doen ze niet. Het is dus zinvol om de aannames die aanleiding geven tot onze zorgen stelselmatig te ontwarren. Deze moeder is gaan inzien welke prijs ze betaalt voor een te stellige overtuiging:

Vanuit mijn religieuze opvoeding ben ik de wereld gaan zien in termen van niet erg behulpzame dualiteiten: goed en slecht, hemel en hel, geluk en verdriet, veiligheid en gevaar. Wat ik nu moet doen, is dit dualistische denken overstijgen. Mijn beeld van de wereld als het een of het ander, zwart of wit, bezorgde me alleen maar spanning en angst. Ik moet mijn stellige overtuigingen over wat goed en wat slecht is loslaten. Nu concentreer ik me op het ontwikkelen van gelijkmoedigheid en stabiliteit.

Misschien ben je van mening dat het vreselijk is wanneer je kinderen zouden lijden, dat ze altijd gelukkig moeten zijn. Als je merkt dat je er zo over denkt, stel je jezelf de vraag hoe rationeel dat is en je concludeert dat het helemaal niet zo rationeel is. Kinderen moeten leren van teleurstellingen en leed, net als wij. Je kunt tot de slotsom komen dat je wat het lijden van je kinderen betreft wat meer beschouwelijkheid of acceptatie aan den dag zou kunnen leggen. Volgens psychologen kunnen moeilijkheden in de jeugd een uitstekende voorbereiding zijn op het volwassen leven en kan het ontbreken hiervan tot gevolg hebben dat iemand als volwassene gebrekkig functioneert. Als kinderen worden afgeschermd voor de klappen van het leven zullen ze nooit wijs, medelevend en gevoelig leren zijn.

In de documentaire *Myths of Childhood* bracht professor Martin Seligman, een zeer invloedrijke psycholoog in de Verenigde Staten, een belangrijk argument naar voren:

> *Ik denk dat de pogingen van ouders en vanuit het onderwijs om onze kinderen zich voortdurend goed te laten voelen eenvoudig een verzwakkend effect hebben. Ze ontnemen onze kinderen de kans om te leren omgaan met de onvermijdelijke mislukkingen en afwijzingen in het leven. Stromingen waarin wordt beweerd dat onze kinderen zich voortdurend goed moeten voelen, hebben ze de mogelijkheid ontnomen om te leren omgaan met zwaarmoedigheid. Het negatieve effect op hun gevoelsleven als volwassene is net zo onmiskenbaar als wanneer we hun lijfstraffen zouden hebben gegeven en bij elke stap in hun ontwikkeling hebben gekrenkt.*

De vader van de Boeddha heeft op hardhandige wijze moeten leren dat hij ondanks zijn rijkdom en positie als koning zijn zoon Siddhartha niet kon beschermen tegen de wereld. Hij probeerde een volmaakte jeugd voor hem te creëren zodat het zijn zoon aan niets zou ontbreken, maar desondanks stond zijn zoon op zijn vrijheid om de wereld te zien zoals die was. Onze kinderen moeten lijden, net als Siddhartha en ieder ander mens. Hoe heviger we ons hiertegen verzetten en willen dat het anders is, hoe meer pijn we lijden.

Ondanks het feit dat we innig van onze kinderen houden en ons best doen hun te leren omgaan met hun leed, moeten we ook onszelf beschermen tegen de verwoestingen van het ons eindeloos, doelloos zorgen maken.

Wanneer we onze zorgen kunnen waarnemen, kunnen we ontdekken wat de eisen zijn die we aan het leven stellen, of in boeddhistische termen, wat onze gehechtheden zijn die het lijden en de angst veroorzaken. Hoe meer eisen we stellen, hoe groter ons potentieel aan zorgen. Is het mogelijk onze hardnekkige eisen om te zetten in iets milders, bijvoorbeeld in 'voorkeuren'? Misschien kunnen we omschakelen van: 'Mijn kind *moet* intellectueel uitblinken' naar: 'Het zou leuk zijn als mijn kind intellectueel zou uitblinken, maar als dat niet zo is, gaan we er ook niet aan dood.' Het is duidelijk dat de tweede houding veel bevorderlijker is voor de gemoedsrust van alle gezinsleden.

Ik heb een wijze vriendin, Anna. Ze heeft een zoon van negen, die als peuter in zijn spraakontwikkeling trager was dan de andere kinderen. Ze zegt dat hij niet erg intellectueel is en nogal onhandig met sporten. Tegelijkertijd is hij dol op dingen repareren, prutsen en iets met zijn handen maken en is hij ongelofelijk vindingrijk. Anna verbaast zich erover dat bepaalde familieleden zich zorgen maakten dat haar zoon geen 'allrounder' was, maar Anna verwacht niet van haar kind dat hij volmaakt is of gelijke tred houdt met zijn klasgenootjes. Ze doet er natuurlijk alles aan om hem te helpen en zorgt dat hij bijles krijgt, maar ze accepteert hem en houdt van hem zoals hij is en weigert zich zorgen te maken over dingen waar ze niets aan kan veranderen. Ze is betrokken, maar niet bezorgd. Ze laat hem zien dat ze het zich aantrekt, maar wordt niet ongeduldig, wat anders kwetsend zou kunnen zijn voor haar zoon, een opgewekte knul die duidelijk van zijn leven geniet.

In sommige gevallen getuigen de verwachtingen die we ten aanzien van onze kinderen koesteren niet van liefde, maar van gehechtheid. Als we verlangen dat onze kinderen ons een gevoel van trots bezorgen of op de een of andere manier onze eigenwaarde opkrikken, dan is er sprake van gehechtheid. Natuurlijk mogen we louter uit het oogpunt van het geluk van onze kinderen eisen aan hen stellen, maar van hen verlangen dat ze vermogens beheersen waar ze nog niet aan toe zijn, is gehechtheid en leidt onvermijdelijk tot zorgen. Onze kinderen moeten een onvoorwaardelijke zelfacceptatie kunnen ontwikkelen, die niet afhankelijk is van hun prestaties in de wereld. In de huidige competitieve schoolomgeving is dit een hele opgave, maar we kunnen hen helpen door dat 'wat is' te accepteren en onze waardering te uiten voor de inspanningen die onze kinderen zich getroosten.

Mediteren

Net als bij woede is mediteren ook een tegengif tegen je zorgen maken; op z'n minst geven we onze geest een moment van rust. Zoals we een computer die kuren begint te vertonen opnieuw kunnen opstarten, kunnen we door te mediteren met een opgeschoond mentaal beeld ons leven op een kalmere manier weer oppakken. Wanneer we ons zorgen maken, moeten we proberen onze geest in het heden te houden, aangezien het heden het enige is waarover we enige controle kunnen uitoefenen – het gewaar-zijn van onze ademhaling is de beste manier om te oefenen met onze aandacht in het hier en nu te houden. Onze zorgen maken onze wereld heel klein en meditatie is een manier om ruimte te creëren, om contact te maken met een wereld die zoveel groter is dan de beperkte wereld die we zelf hebben gecreëerd. We realiseren ons dat het leven veel meer is dan dit probleem van voorbijgaande aard.

Het is heel makkelijk om vast te komen zitten in een vernauwde kijk op ons probleem. We zijn er zozeer aan gewend om op een intellectueel niveau over onze problemen na te denken, onszelf volkomen te verliezen in ontelbare verschillende fantasieën en gedachtestromen dat we vergeten vraagtekens te zetten bij ons eigen standpunt ten aanzien van een probleem en onze benadering ervan. Vaak benaderen we de situatie met een overstelpende hoeveelheid emotionele bagage en kunnen we de naakte feiten niet meer zien. Dit kunnen we voorkomen door te mediteren; het geeft ons de ruimte om ons probleem grondig te onderzoeken vanuit een houding van verstilling en concentratie. Onderdeel van dit 'grondige onderzoek' zijn de vraagtekens die we zetten bij al onze overtuigingen en aannames over het probleem waardoor we ze niet meer als vaststaande feiten beschouwen. Door onszelf vragen te stellen als: 'Wat is het effect van mijn huidige benadering van het probleem?' en 'Hoe vast zit ik eigenlijk?' kunnen we op zoek gaan naar creatieve oplossingen. Telkens wanneer onze geest afdwaalt, brengen we hem weer terug naar onze ademhaling, zodat hij tot rust kan komen en er weer ruimte ontstaat van waaruit we ons zelfonderzoek kunnen hervatten.

Wanneer onze zorgen ons een gevoel van verdriet, paniek of machteloosheid geven, wanneer het aanvoelt als een ondoordring-baar geheel, een 'ding' dat al onze energie en goede gevoel opzuigt, helpt het om onszelf met onze ademhaling te kalmeren. Subhana Barzaghi is moeder van drie jongens, een zenleraar en psychothe-rapeut. Zij raadt aan om wat tijd te nemen om met je ademhaling bij je zorgen te zijn: ga op zoek waar de spanning van je zorgen zich in je lichaam ophoopt; richt je aandacht op dat gebied en laat de spanning los op je uitademing. Bij elke uitademing visualiseer je dat je de spanning en negativiteit die de oorzaak is van je leed steeds een beetje meer loslaat. Volgens Subhana kun je op deze manier 'de scherpste kantjes wegnemen' wanneer de emoties te he-vig dreigen te worden.

Glimlach

Het helpt ook enorm om zo vaak mogelijk te glimlachen, vooral wanneer je jezelf erop betrapt dat je je zorgen maakt. Er zijn men-sen die onder het mediteren net zoals de Boeddha proberen te glimlachen. Anderen proberen de hele dag door te glimlachen. Kijk of je nú kunt glimlachen en let op het subtiele effect op je geest of de spanning in je lichaam. Probeer vaker te glimlachen tijdens je gesprekken en merk hoeveel gelukkiger je je erdoor gaat voelen.

Wanneer je grootste angst werkelijkheid wordt

Hoe kan het boeddhisme ons helpen als onze angsten en zorgen gegrond zijn? Soms gaat het er niet meer om dat we onze gedachten moeten onderzoeken om te ontdekken in hoeverre we zelf de oorzaak van ons lijden zijn: het lijden ís er – onmiskenbaar en bijna onverdraaglijk. Het kan zijn dat je kind ernstig ziek is, problemen heeft op school of het zwaar te verduren krijgt op het speelplein. In *Sydney's Child*, een populair opvoedingstijdschrift, stond in maart 2001 een spraakmakend artikel met de titel *When They Were Bad – My Daughter is Exiled and We Suffer a Season in Hell*. In het artikel beschrijft de moeder hoe haar dochter in de eerste klas van de middelbare school werd gepest en ze met het hele gezin in een hel terechtkwamen. 'Van een lid van de "incrowd" veranderde ze in een banneling. Er werd over haar geroddeld, ze werd gehaat, geminacht, niet uitgenodigd, voor gek gezet – maar voornamelijk bikkelhard genegeerd.'

Het verhaal van de moeder beschrijft de stroom hatelijke e-mailberichten, een schoolvakantie zonder vrienden of vriendinnen, een dochter die 's ochtends 'ziek' wakker wordt en niet naar school wil. Hoe kun je als moeder hierdoor niet radeloos worden van angst en zorg? De moeder schrijft: 'Langzaam maar zeker raakte ik de weg kwijt. Ik vermeed mijn vrienden, ging niet meer naar feestjes en leed samen met mijn dochter. Hoe lang zou dit nog doorgaan? Hoe lang zouden wij er nog mee door kunnen gaan?'

Het ging het hele jaar door en eindigde pas toen de dochter naar een andere school ging, waarmee de problemen over waren. Wat had de moeder geleerd van deze nachtmerrie? In haar eigen woorden: 'Je kunt jezelf niet immuniseren tegen pijn. Er bestaat geen bescherming tegen wreedheid. Ik kan van alles voor mijn dochter doen, maar ik kan haar niet de hardvochtige grillen van het leven besparen. Het leven zit vol harde lessen.'

Op dit soort momenten erkennen we de eerste Edele Waarheid:

er is lijden en ontevredenheid. Het heeft geen zin onszelf op te beuren of af te leiden van de pijn. We hebben geen ander keuze dan de onprettigste van alle emoties onder ogen te zien. Het is een cliché, maar wel een wijze: als je er niet omheen kunt, zul je er doorheen moeten. Het boeddhisme biedt ons één troost door te benadrukken dat het ervaren van dergelijk leed ons vermogen om compassie te hebben met andermans lijden verdiept. In het verhaal uit het artikel betekende dit dat de dochter al gauw een zeer invoelende vertrouweling werd voor het volgende slachtoffer op haar vroegere school. En de moeder, die in haar schooljaren ook was gepest, kon hierdoor haar dochter in deze moeilijke periode beter steunen.

De andere troost die het boeddhisme ons op dergelijke momenten kan bieden, is het onderricht van de vergankelijkheid. Zoals verwoord in de boeddhistische geschriften in de liederen van Milarepa:

Vrees je het leed niet
Dat je in het verleden hebt gekend?
Is de pijn niet groot
Wanneer het ongeluk je treft?
De smarten van het leven volgen elkaar op
Als de eindeloze golven van de zee –
De een is nog niet voorbij of
De volgende zwelt alweer aan.

Alles wat we ervaren gaat weer voorbij. En dat niet alleen; het verandert ook van vorm en intensiteit. Voor de dochter betekende dit dat het pesten na de eerste golf minder werd – nog niet voldoende om op school te willen blijven – maar zoals met al het leed het geval is, veranderde het voortdurend van karakter alvorens uiteindelijk helemaal te verdwijnen.

Lyn is een boeddhistische moeder met drie zoons. Ze merkte dat ze met haar eerste zoon bij elk probleem dat zich voordeed in paniek raakte, of dat nu ging om het voeden, de overgang naar een volgende ontwikkelingsfase of problemen op school. Vaak was ze aangenaam verrast dat de problemen zich vanzelf oplosten en uiteindelijk gewoon verdwenen. Bij haar tweede zoon kon ze veel ontspannener met de problemen omgaan en ze zegt lachend dat ze bij haar derde zoon nog maar zelden de neiging had zich zorgen te maken. Terugkijkend verbaast het haar dat ze zich over bepaalde zaken überhaupt zorgen heeft gemaakt.

Myla Kabat-Zinn heeft drie kinderen opgevoed en ook uit haar woorden kunnen we moed putten. Samen met haar boeddhistische echtgenoot schreef ze *Everyday Blessings, The Inner Work of Mindful Parenting*, waarin ze benadrukken hoeveel we voor onze kinderen kunnen betekenen door hen gewoon te accepteren voor wie ze zijn. Dat betekent dat we ook eigenschappen moeten accepteren die we moeilijk vinden, waarover Myla schrijft: 'Als ze kunnen terugkeren naar de bron van onvoorwaardelijke liefde zijn kinderen in staat allerlei problemen en moeilijkheden het hoofd te bieden. Immers, door onze erkenning van hun oorspronkelijke zelf is hun innerlijke groei en heelwording mogelijk.'

Luisteren naar onze kinderen

Toen ik in verwachting was van mijn eerste kind, was ik zo naïef een cursus te volgen bij een telefonische hulpdienst om daar als vrijwilliger te gaan werken. Ik was naïef, omdat ik mijn kind borstvoeding ging geven en nooit de vereiste vieruursdiensten zou kunnen draaien, nog afgezien van het feit dat het gezinsleven een moeder nooit zoveel vrije tijd laat. Voordat Zac werd geboren had ik de cursus afgerond en ongeveer tien diensten gedraaid, waardoor ik in de gelegenheid was enkele principes van effectief luisteren te leren. Later vond ik precies dezelfde principes weer terug in opvoedingsboeken en ze kwamen stuk voor stuk overeen met de boeddhistische leer.

Luisteren kan een vorm van meditatie zijn; het vereist concentratie, zelfbeheersing en een bepaalde mate van stilte. We gebruiken dan de methode van de 'aandacht zonder commentaar' die we ook bij officiële meditatie gebruiken: we houden onze gedachten en meningen zoveel mogelijk buiten beschouwing, zodat we ons kunnen concentreren op de versie van de werkelijkheid van degene die aan het woord is. Wanneer kinderen emoties uiten als verdriet of woede, bieden ze jou de mogelijkheid een vertrouweling te worden, de mogelijkheid om hun te leren dat emoties heel gewoon zijn en dat je op een constructieve manier kunt omgaan met negatieve gevoelens. Op het moment dat ze in hun puberteit zwaarder op de proef worden gesteld, heb jij bewezen hun bondgenoot te zijn. Een van de moeders, met twee kinderen, beweert dat aandachtig luisteren naar haar kinderen het belangrijkste onderdeel van haar boeddhistische beoefening is geweest.

Als we aandachtig naar onze kinderen willen luisteren, zullen we daar ook de tijd voor moeten maken. We zullen zelf open en geduldig moeten zijn, maar ook iets moeten doen met de geluiden om ons heen en de aanwezigheid van andere kinderen die onze aandacht willen hebben. Het kost inderdaad moeite om met al deze aspecten rekening te houden, maar op de lange termijn loont het. Wanneer ouders hun kinderen de ruimte geven het hele scala aan emoties te ervaren, hoeven de onprettige emoties niet te worden onderdrukt. Kinderen hoeven zich dan niet emotioneel af te sluiten en kunnen zich normaal ontwikkelen.

Luisteren zonder te oordelen

Soms zijn de problemen die een kind van slag brengen in de ogen van een volwassene belachelijk. Maar of het nu gaat om een monster in de kast of het buurjongetje dat pennen pikt, voor het kind is het een serieus probleem. We zullen ons volwassen perspectief moeten opschorten en het probleem vanuit het kind bekijken, we zullen de wereld van het kind moeten betreden en ons best doen om te begrijpen waarom het zo erg is. We moeten geen dingen zeggen als: 'Doe niet zo mal' of 'Wees toch niet zo gevoelig'. Door hun zorgen weg te wuiven, geven we hun het gevoel dat hun versie van de werkelijkheid er niet toe doet of niet belangrijk is.

Laat hen het hele verhaal vertellen

Wanneer je kind van streek is, geef je hem of haar de tijd om zonder te worden onderbroken te vertellen wat er is. Zeg zelf weinig en moedig je kind aan – 'Ga door', 'Hm, hm' – of wees gewoon stil. Het is misschien moeilijk de verleiding te weerstaan om het verhaal te onderbreken of met een kant-en-klare oplossing te komen, maar je kind moet het gevoel hebben dat hij of zij wordt gehoord. Wacht met het geven van je eigen mening of ervaringen – 'Dat doet me denken aan de keer dat ik...' en concentreer je op het probleem van je kind: te vaak nemen kinderen hun ouders niet meer in vertrouwen, omdat die hun praattijd beperken.

Geef hun het gevoel dat ze worden begrepen

Overval je kind niet met een hele reeks vragen, maar parafraseer wat hij of zij heeft gezegd – herhaal de kern van wat je kind heeft gezegd in je eigen woorden, zonder je eigen commentaar eraan toe te voegen. Bijvoorbeeld:

Kind: Het was mijn cricketbat, maar ik mocht het niet van ze gebruiken. Alle andere kinderen gebruikten mijn bat, maar ik heb er niet één keer mee mogen slaan.
Ouder: Ze lieten jou dus niet aan de beurt komen.

Dit kind voelt zich begrepen en vrij om verder te vertellen over wat hij nog meer kwijt wil in plaats van dat hij zich moet beperken tot het antwoord op een vraag.

Concentreer je op de gevoelens

Kinderen hebben recht op hun gevoelens, ongeacht hoe hevig of sociaal ongeaccepteerd die ook zijn. We moeten duidelijk zien te maken dat er geen verkeerde gevoelens bestaan, maar alleen maar verkeerd gedrag. Hoe uitgebreider hun woordenschat op het gebied van gevoel, hoe beter ze in staat zijn hun negatieve emoties kenbaar te maken en hun eigen problemen te diagnosticeren. Om onze kinderen te helpen zich begrepen te voelen, kunnen we hun gevoelens voor hen verwoorden. We kunnen onderstaande lijst met synoniemen gebruiken voor de vier belangrijkste emotionele toestanden om onze kinderen te helpen de juiste woorden te vinden om te vertellen hoe ze zich voelen – 'Het klinkt alsof je je... voelt'.

Woede	Verdriet	Spanning	Verwarring
Gefrustreerd	Afgewezen	Paniekerig	Gedesoriënteerd
Van streek	Radeloos	Bedreigd	Niet helder
Kwaad	Hopeloos	Zenuwachtig	In de war
Razend	Gekwetst	Geschokt	Bezorgd
Geïrriteerd	Neerslachtig	Verbijsterd	Verloren
Verstoord	Mat	Geagiteerd	Gevangen
Geërgerd	Ellendig	Gespannen	Aarzelend
Ziedend	Gemangeld	Prikkelbaar	Onzeker
Gedwarsboomd	Ongelukkig	Angstig	Onveilig
Chagrijnig	Huilerig	Ongemakkelijk	Overweldigd
Verwaarloosd	Leeg	Machteloos	Besluiteloos
Onbegrepen		Negatief	Blanco

Laat ze hun eigen problemen oplossen

Laat je kind zelf bepalen hoe hij of zij een probleem gaat oplossen, ook al is het vaak makkelijker om gewoon zelf te zeggen wat je kind moet doen. Hoewel jij er bent om hulp te bieden en suggesties te doen, geef je je kind toch zoveel mogelijk zeggenschap over het proces. Hierdoor raakt hij of zij bedreven in het oplossen van problemen, ook op de momenten dat jij er niet bij bent. Vraag je kind:

- Wat denk je dat je moet doen?
- Wat ga je doen als dat niet werkt?
- Wat heb je al eerder geprobeerd?

Weeg de mogelijkheden af tegen de waarden die je in jullie gezin wilt hooghouden. Is de oplossing rechtvaardig? Eerlijk? Wordt er rekening gehouden met anderen? Wordt er niemand gekwetst? Onthoud echter dat probleemoplossing pas plaatsvindt nadat je naar je kind hebt geluisterd en de gevoelens van je kind aan bod zijn geweest. Het is frustrerend als iemand ons probleem probeert op te lossen voordat we de tijd hebben gekregen om het helemaal uit te leggen.

Oefen je gewaar-zijn. Houd je eigen gevoelens en reacties in de gaten en stel jezelf de vraag: 'Wat wordt er op dit moment van me verlangd?' Stel jezelf met name de vraag: 'Moet ik iets zeggen of juist mijn mond houden?' We moeten waakzaam blijven naar onszelf en leren van onze fouten; daarbij helpt het als we het gesprek achteraf nog eens doorlopen en onszelf de vraag stellen: 'Heb ik mijn kind in de rede gevallen?' 'Heb ik te veel gepraat en mijn kind niet eerst het hele verhaal laten vertellen?' 'Heb ik het overgenomen en het probleem opgelost alvorens mijn kind de kans te geven het zelf te doen?'

Lijden maakt ons sterker

Een spiritueel leven lijkt misschien makkelijk zolang ons leven van een leien dakje gaat. Op de dagen dat er weinig problemen zijn en het leven ons toelacht, zijn we in vorm en gaat ook onze spirituele beoefening ons makkelijker af. Een periode van lijden kan dan aan het licht brengen of en hoezeer we werkelijk zijn gevorderd op het spirituele pad. De mogelijkheid om onszelf te leren kennen en ons bewustzijn te ontwikkelen is het grootst in dit soort zware tijden. En er zijn geen zwaardere tijden dan wanneer onze kinderen lijden.

In *A Path with Heart* schrijft Jack Kornfield deze bemoedigende woorden voor ouders die het zwaar te verduren hebben:

Het spirituele leven wordt werkelijker wanneer de dingen moeilijker worden. Onze kinderen krijgen onvermijdelijk te maken met ongelukken en ziekte. Er vinden tragedies plaats. Dergelijke situaties vragen onze aanhoudende liefde en wijsheid. Ze brengen ons bij de kern van onze beoefening en de mogelijkheid onze werkelijke spirituele kracht te ontdekken.

We kunnen ons beklagen omdat we door alle verplichtingen die het gezinsleven met zich meebrengt zo weinig tijd hebben voor onze spirituele beoefening. Laten we echter niet vergeten dat het gezinsleven, mits we er goed gebruik van maken, een van de waardevolste vormen van spirituele beoefening is.

Wat je kunt doen

- Realiseer je dat je je zorgelijke geest in de hand moet houden, zodat je je kinderen er niet mee belast.
- Onthoud dat hoe vaker je je zorgen maakt, des te meer zorgen je je zult maken. Iedere gedachte heeft een karmisch effect.
- Kijk of je door ze op te schrijven je zorgen bewust kunt onderzoeken en onder controle krijgen.
- Maak een lijst met positieve gedachten waarmee je de gedachten die je zorgen aanwakkeren kunt pareren.
- Accepteer een bepaalde mate van lijden als een natuurlijk onderdeel van het leven en realiseer je dat de aversie of het vechten tegen het lijden meer pijn kan veroorzaken dan het lijden zelf.
- Neem je gedachten waar en houd in de gaten wanneer ze met je aan de haal gaan of wanneer er kronkels ontstaan.
- Wees je bewust van je 'misplaatste aandacht' en gebruik je wilskracht om die te stoppen.
- Ga op zoek naar eventuele onbehulpzame overtuigingen, zoals 'mijn kind mag niet lijden'.
- Word je bewust van je (onbewuste) eisen en probeer ze om te zetten in wat mildere voorkeuren.

- Gebruik meditatie om ruimte te creëren en de scherpe kantjes van je spanning af te halen.
- Onderzoek je zorgen door middel van gewaar-zijn, door alles wat er opkomt te observeren en open te staan voor nieuwe wegen.
- Glimlach. Zo vaak als je er maar aan denkt.
- Elke ervaring die je hebt zal na verloop van tijd van vorm veranderen, van intensiteit veranderen en uiteindelijk verdwijnen.
- Luister naar je kinderen zonder te oordelen – geef hun de mogelijkheid over de dingen te praten; geef hun het gevoel dat ze worden begrepen; concentreer je op het gevoel; en geef hun de kans hun problemen zelf op te lossen.
- Onthoud dat lijden je spirituele leven kan verrijken.

HOOFDSTUK 6

Liefdevolle relaties creëren

N IETS IS BLIJVEND. Alles is vergankelijk of bevindt zich in een veranderingsproces. Dit wordt met name duidelijk als we nagaan hoe onze relaties met vrienden en familie veranderen wanneer we eenmaal kinderen hebben. Contacten die in de loop der jaren een vast patroon hadden gekregen, kunnen nu te maken krijgen met ingrijpende veranderingen en verschuivingen. De relatie met onze schoonouders kan allerlei nieuwe vormen aannemen. We kunnen hen veel vaker gaan zien of, in sommige gevallen, juist minder. Hun reactie op onze kinderen en onze nieuwe rol als ouder kan ons met een gevoel van dankbaarheid vervullen, of met wrevel. We kunnen te maken krijgen met het bekende syndroom dat 'grootouders en kleinkinderen samenspannen tegen de gemeenschappelijke vijand' – tegen ons.

Onze vriendschappen met kinderloze vrienden lijden vaak onder onze verantwoordelijkheden als ouder. Kinderen beroven ons van de tijd die we anders voor onze vrienden hadden, onderbreken onze gesprekken en laten ons zelden rustig telefoneren. Het kan zijn dat deze vriendschappen drastisch veranderen – hoeveel belangstelling kun je van je kinderloze vrienden verwachten voor jouw verhalen over het moederschap? Een vriendschap moet behoorlijk sterk zijn om bestand te zijn tegen kinderen. Sommige oude vriendschappen zijn opeens voorbij, andere verdwijnen langzaam maar zeker uit je leven. Beide situaties kunnen pijnlijk zijn voor ons – en onze oude vrienden.

Onze relaties met andere ouders kunnen zich verdiepen doordat we onze interesse voor het ouderschap met elkaar kunnen delen. Er ontwikkelt zich een speciale band als onze kinderen het leuk vinden om met elkaar te spelen en we elkaar ondersteuning en gezelschap kunnen bieden. Het kan echter ook een nieuwe aanleiding zijn tot competitie, kritiek en jaloezie ten opzichte van andere ouders. We maken tenslotte allemaal onze eigen keuzes met betrekking tot ons werk, het belang van contacten buiten het gezin en de manier waarop we onze kinderen opvoeden. Vaak is het moeilijk om respect en verdraagzaamheid op te brengen voor de keuzes en de afwijkende waarden en normen van andere moeders.

Een zeer belangrijke relatie is die met onze directe gezinsleden. De relatie met onze partner verdient een hoofdstuk apart (hoofdstuk 7) en we weten al hoe belangrijk onze kinderen zijn. Zeggen dat ze onze spirituele leraren zijn, is nog te zwak uitgedrukt. Het zijn meer inwonende zenmeesters, die ons voortdurend terugwerpen in het hier en nu, ons opzadelen met problemen die moeten worden opgelost en ons dwingen vraagtekens te zetten bij onze aannames. Het is alsof ze zijn gestuurd om al onze verwachtingen, meningen en karaktereigenschappen te tarten. Ze zijn de best denkbare leraren als het erom gaat om ons te laten inzien dat niets blijvend is: zodra we het gevoel hebben dat we onze relatie met hen onder de knie hebben, komen ze op de proppen met nieuwe moeilijkheden of hebben ze hun volgende ontwikkelingsfase bereikt.

Relaties zijn het volmaakte oefenterrein voor boeddhistische lessen. We kunnen onszelf wel voorhouden dat we met de jaren steeds wijzer worden, maar alleen in een relatie kunnen we toetsen of ons vermoeden ook juist is. Onze relaties onthullen hoe effectief onze beoefening is. De mensen in ons leven zijn stuk voor stuk spirituele leraren. Als we goed kijken naar de manier waarop we hen behandelen, wat we tegen hen zeggen en hoe we over hen denken, dan worden ze de wandelende cijferlijsten waarop we kunnen aflezen of onze gedachten inderdaad zo geduldig, vriendelijk en eerlijk zijn als we zouden willen geloven en of onze gedachten inderdaad vrij zijn van hebzucht, haat en illusie.

Gehechtheid aan onze opvattingen en denkbeelden

Eenmaal in het ouderschap beland, ontdekken we dat vele van onze aannames over het leven in een stroomversnelling terechtkomen, van onze denkbeelden over wie we zijn en wat we kunnen, tot en met onze opvattingen over opvoeden en een heel scala aan andere onderwerpen. Zoals mijn vriendin Joanne het verwoordt: 'Ik heb een nederigheid ontdekt die me eraan herinnert dat ik, ongeacht wat ik dacht te weten, over het geheel genomen eigenlijk niet zoveel weet, behalve dat Tinky-Winky, Dipsy, La-la en Po heel veel van elkaar houden.' Vanuit boeddhistisch oogpunt is dit proces van oude ideeën herzien of afleggen zinvol, aangezien vasthouden aan onze meningen en oordelen evenveel lijden veroorzaakt als elke andere gehechtheid. Het wil niet zeggen dat we geen meningen meer mogen hebben, maar dat we lijden als we er op een inhalige, behoeftige manier mee omgaan.

Zoals voor elke fase in ons leven geldt, kent het ouderschap situaties die onze geest kan aangrijpen om kleingeestiger en gemener te worden. Wanneer we ons moe en uitgewoond voelen, zoals bij moeders vaak het geval is, zijn we minder geneigd het beste in de ander te zien en dan is het makkelijker onszelf in een toestand van woede of misleiding te manoeuvreren. Op die manier kunnen we andere moeders gaan bekritiseren: 'Ze werkt te veel – geen wonder dat haar kinderen zich zo slecht gedragen'; 'Ze werkt niet – zij heeft het makkelijk'; 'Ze is veel te streng – daarom zien haar kinderen er nooit gelukkig uit'; of 'Ze is niet streng genoeg – daarom maken haar kinderen er altijd zo'n puinhoop van'.

Als we een moment de tijd nemen om ons voor te stellen dat iemand dergelijke opmerkingen over ons maakt, dan zouden we allerlei logische verklaringen kunnen geven en ons makkelijk kunnen verdedigen, net als alle andere moeders die dit soort kritiek te verduren zouden krijgen. Onze situatie is zo gecompliceerd dat een buitenstaander zelden een juist oordeel kan vellen. Een buitenstaander kan niet weten wat voor 'n dag deze moeder heeft, of ze er alleen voor staat of wat de achterliggende bedoeling van haar gedrag is. Evenmin is een buitenstaander op de hoogte van de gezinssituatie en de invloed ervan op het gedrag van deze moeder, de hoeveelheid slaap die ze tekortkomt of de emotionele toestand waarin ze verkeert.

Het komt vaak voor dat langdurige vriendschappen sneuvelen door een verschil in opvoedingsstijl. Dit komt met name voor wanneer moeders gehecht zijn aan hun eigen opvattingen en denkbeelden. Volgens het boeddhisme is er niets mis met er bepaalde opvattingen op na te houden, maar als we ons er te sterk mee identificeren, als we onze opvattingen laten bepalen wie we zijn, als we ze gebruiken om anderen niet liefdevol te behandelen, dan lijden we aan gehechtheid. En zoals de tweede Edele Waarheid zegt, maakt gehechtheid ons ongelukkig.

In eerste instantie was ik verbaasd dat de boeddhistische leer inhield dat gehechtheid aan onze denkbeelden een hachelijke zaak kon zijn. Onze westerse cultuur moedigt ons aan om te discussiëren, een eigen standpunt in te nemen en te verdedigen – hierdoor geven we de indruk een sterk persoon met een goede algemene ontwikkeling te zijn. Als we geen eigen standpunt of krachtige overtuigingen hebben, kunnen we het gevoel krijgen dat we niemand zijn – een bepaald standpunt hebben geeft ons een gevoel van identiteit. Interessant genoeg is het ook een comfortabele manier om onze negatieve gevoelens jegens anderen te rechtvaardigen en het creëert een gevoel van afstand ten opzichte van hen. Een wijze vriendin van me zei ooit als reactie op deze wijdverbreide neiging van ouders om elkaar te bekritiseren: 'Wat zouden we in een volmaakte wereld leven als alle kinderen door hun buren werden opgevoed.'

Door het boeddhisme ben ik me gaan realiseren dat de conflicten waar ik in de loop der jaren met mijn vrienden tegenaan ben gelopen grotendeels zijn veroorzaakt door het hardnekkig vasthouden aan mijn eigen denkbeelden. In situaties waarin terughoudendheid de beste optie zou zijn geweest, voelde ik me genoodzaakt mijn mening te geven en walste daarbij vaak over de gevoelens van mijn vrienden heen. Omdat ik een gekoesterde overtuiging niet wilde opgeven, heb ik niet met een open oor naar anderen geluisterd of ik heb haastig een mening verkondigd zonder oog te hebben voor de complexiteit van de situatie.

Nu we zelf kinderen hebben, geven we onszelf het recht er een heel nieuw scala aan sterke overtuigingen op na te houden. Ik betrap mezelf erop dat ik loop te vitten op ouders die hun kinderen buitensporige hoeveelheden junkfood laten consumeren. Maar als ik een ouder van wie de kinderen zich zo te buiten gaan bekritiseer, kan het zijn dat ik geen rekening houd met het feit dat de moeder aan slaapgebrek lijdt, griep heeft of een zware week heeft. Trouwens, junkfood is niet *altijd* en *alleen maar* 'slecht', dus waarom zou ik aan mijn standpunt vasthouden alsof het een heilige wet is? (Om nog maar te zwijgen van het feit dat tijdens de wat zwaardere weken mijn eigen toevlucht tot 'traktaties' ook kan escaleren en nog maar te zwijgen van mijn eigen neiging om me dagelijks te buiten te gaan aan chocola.) Door andere ouders te bekritiseren geniet ik een dankbaar moment van het overtuigd zijn van mijn eigen goedheid, maar ik ben ver verwijderd geraakt van mijn doel om verdraagzaam, geduldig en begripvol te zijn.

Ik kan mijn mening over bijvoorbeeld junkfood wel handhaven, maar als ik me eraan vastklamp en mijn identiteit eraan ontleen en er afstand tot anderen mee creëer, doet ze me meer kwaad dan goed. Het boeddhisme moedigt ons aan om elke nieuwe situatie onbevooroordeeld tegemoet te treden, met de onschuld van een kind in plaats van de vooringenomenheid van een volwassene. We moeten open blijven staan voor de veelheid aan vragen in het leven, voor de mysteries in plaats van de 'feiten'. In meditatie en bewust leven oefenen we deze vaardigheid van weigeren te oordelen en in hokjes te denken, van weigeren die oude, afgezaagde overtuiging, die automatische reactie weer uit de kast te halen.

In plaats van andere ouders te wegen en te licht te bevinden, zouden we vanuit compassie kunnen reageren en hun het voordeel van de twijfel kunnen geven, zoals we ook vurig hopen dat ze dat bij ons doen wanneer we zelf niet helemaal volmaakt zijn. Zoals ervaren moeders vaak beweren, kan het ene kind twee keer zoveel moeilijkheden veroorzaken als het andere en is ieder kind weer anders; we leven dus niet in een wereld waarin alle moeders hun kinderen op dezelfde manier zouden moeten opvoeden.

De boeddhistische leer spoort ons aan om onze eigen ervaring te gebruiken om te leren en te groeien. Wanneer we onszelf betrappen op bekritiserende gedachten, moeten we een onderzoekende houding aannemen en een laag dieper kijken. We moeten genadeloos eerlijk zijn terwijl we onszelf de grote vragen stellen. Waarom laat ik toe dat mijn hart en geest bij deze persoon verkrampen? Brengt ze dingen bij me omhoog waar ik zelf mee worstel of die ik liever niet onder ogen zie? Ga ik een concurrentiestrijd aan? Welke les heb ik te leren van deze vriendschap? Hoe kan ik mijn negatieve gevoelens transformeren in compassie?

Gehechtheid aan onze vrienden en dierbaren

De Boeddha onderwees dat gehechtheid de oorzaak van ons lijden en ongeluk is. Dit geldt met name voor onze relaties. Gehechtheid maakt al onze goede bedoelingen jegens anderen voorwaardelijk: wanneer iemand niet voldoet aan onze vastomlijnde verwachtingen dan drogen onze vriendschappelijke gevoelens op. We houden er onuitgesproken eisen op na, verwachten dat de ander ze op de een of andere manier doorheeft en zijn dan zwaar teleurgesteld wanneer die ons in de steek laat. Gehechtheid kent geen liefde of zorg voor de ander en is ook niet bevorderlijk voor onze wens dat anderen gelukkig zijn. Gehechtheid maakt ons juist aanhankelijk en behoeftig.

Echte liefde wordt gedreven door het verlangen dat anderen gelukkig zijn en hun lijden te boven kunnen komen. Echte liefde is onvoorwaardelijk: de manier waarop iemand je behandelt, doet niets af aan jouw compassie voor die persoon. Als dit onlogisch klinkt, hoeven we alleen maar aan onze kinderen te denken, die zich de hele dag afschuwelijk kunnen misdragen en ons zelfs kunnen haten, maar desondanks voelen we een diepe liefde voor hen.

In het slechtste geval worden we bezitterig door onze gehechtheid en hebben we het gevoel dat iemand ons bezit is: ze is 'van mij' en ik moet deze relatie beschermen tegen alle mogelijke bedreigingen. Het kan zijn dat we willen dat de ander hetzelfde is als wij, dat ze er dezelfde denkbeelden op nahoudt, dezelfde interesses en smaak. Misschien proberen we de ander onder controle te houden en binnen de kortste keren zullen we ervan staan te kijken hoe negatief onze gevoelens zijn jegens iets wat daarvóór een bron van vreugde was. Echte liefde, daarentegen, geeft onze vrienden en familieleden de ruimte en de vrijheid om zichzelf te zijn.

Wanneer we ons gehecht voelen, zien we onze vrienden als de bron van ons eigen geluk in plaats van als op zichzelf staande personen, maar hoe eerlijk of redelijk is het om een ander verantwoordelijk te maken voor ons geluk? Relaties worden, net als al het andere, gekenmerkt door vergankelijkheid. Ze veranderen voortdurend, net zoals de mensen binnen een bepaalde relatie geen constante, vaststaande entiteiten zijn. Een voor ons geluk te grote afhankelijkheid van anderen leidt tot ongeluk. We moeten op een niet-eisende, onafhankelijke manier met anderen zien om te gaan. Als we ons niet meer zouden vastklampen aan onze relatie, kan onze geest vrediger worden en bevrijden we onszelf van een hoop angsten en zorgen.

Vooral voor ons moeders is het belangrijk dat we onze liefde voor onze kinderen controleren op gehechtheid. Dit betekent dat we hen aanmoedigen om zichzelf te zijn en van hen houden om wie ze zijn, en niet om wie ze in onze gretige verwachtingen zouden kunnen worden. We proberen onze kinderen te zien vanuit een houding van aanvaarding en niet door de sluier van onze eigen angsten, verwachtingen en behoeften. We waken ervoor onze eigenwaarde op te hangen aan hun prestaties en we letten erop dat we onze waardering voor hen niet afhankelijk maken van hun talenten, voorkeuren en karaktereigenschappen.

Sommige ouders verwachten dat hun kinderen de dromen vervullen die ze zelf nooit hebben kunnen waarmaken – bij sportevenementen van kinderen zie je deze neiging soms bizarre vormen aannemen. We moeten onze kinderen echter niet zozeer als 'onder onze controle' maar als 'onder onze hoede' zien en dat ook nog eens voor een korte tijd. Een moeder van een driejarig zoontje verwoordt het zo:

> *Met betrekking tot de opvoeding van mijn zoon heb ik altijd een soort territoriumdrift gehad. Ik vond het vreselijk als vrienden of familie hem vertelden wat hij moest doen. Ik voelde me beledigd als iemand zei dat hij 'alstublieft' moest zeggen, dat hij niet zo wild moest doen, zachter moest praten – dat was mijn taak, afblijven! Ik ben gescheiden en het heeft me heel veel moeite gekost om te accepteren dat mijn ex zich ook met de opvoeding van onze zoon zal bemoeien. Het zal niet helemaal op mijn manier, volgens mijn regels, kunnen gaan.*
> *In de loop der tijd ben ik gaan begrijpen dat mijn zoon niet 'van mij' is. Hij is niet mijn bezit. In werkelijkheid maakt hij deel uit van een gemeenschap van mensen die van hem houden en het beste met hem voor hebben. Mensen die evenveel recht hebben als ik om hem dingen te leren over rekening houden met elkaar en wat gepast gedrag is.*
> *Het is me gelukt om het een beetje los te laten en toe te staan dat hij wordt opgevoed door alle mensen die om hem geven.*

Het belang van liefde

Het enige punt waar alle religies het over eens zijn is de noodzaak van liefde en vriendelijkheid jegens onze medemens. Jezus heeft gezegd: 'Heb elkander lief zoals ik u liefheb.' In de koran staat: 'Niet een van jullie gelooft waarachtig zolang hij niet voor zijn broeder hetzelfde wenst als voor zichzelf.' De Boeddha heeft gezegd: 'Met een onbegrensd hart heeft men dus alle levende wezens lief.' In het boeddhisme wordt liefde gedefinieerd als de oprechte wens dat anderen gelukkig en vrij van lijden en zorgen zijn. Liefde is een energie die we kunnen gebruiken om onze intenties mee te voeden.

De Boeddha heeft elf specifieke voordelen geformuleerd die het gevolg zijn wanneer je geest een staat van liefdevolle vriendelijkheid heeft bereikt (in Appendix 4 staat meer informatie over wat de Boeddha heeft gezegd over liefdevolle vriendelijkheid):

1 *Je slaapt makkelijker*

2 *Je wordt makkelijker wakker*

3 *Je hebt prettige dromen*

4 *De mensen houden van je*

5 *Hemelse wezens en dieren houden van je*

6 *Hemelse wezens beschermen je*

7 *Gevaren van buitenaf vormen geen bedreiging*

8 *Je gezicht straalt*

9 *Je geest is helder*

10 *Je sterft niet in verwarring*

11 *Je wordt wedergeboren in gelukkige sferen*

In een notendop leidt een liefdevolle geest tot beter slapen, bescherming en sereniteit en je krijgt er ook liefde voor terug. Als een liefdevol leven zoveel oplevert, zou je kunnen zeggen dat leven vanuit compassie in feite een egocentrisch leven is en allesbehalve een leven van zelfopoffering. Na verloop van tijd gaan we inzien hoeveel vreugde een liefdevolle geest ons schenkt.

Liefde creëert een positieve atmosfeer en zorgt ervoor dat we ons vreedzamer en gelukkiger voelen. De mensen in onze directe omgeving waarderen ons meer. De mensen die ons eerst niet mochten, beginnen in ons gezelschap te ontdooien. Doordat mensen ons vertrouwen en zich bij ons op hun gemak voelen, lijken we meer vrienden te maken. Vanwege onze compassie voor het lijden van anderen voelen we ons meer verbonden met iedereen. En er doen zich meer gelegenheden voor om vreugde te ervaren, aangezien ons vermogen om mee te leven met het goede nieuws van anderen en hun vreugde groter wordt.

Liefdevol leven maakt ons leven simpeler, doordat het onze geest zuivert en ons bevrijdt van een groot deel van het schuldgevoel, de woede en de stress van onze relaties. We hoeven minder tijd te besteden aan denken over onszelf en voelen ons daardoor geestelijk stabiel. Onze eigen problemen worden minder belangrijk en we bereiken een geestelijke helderheid en een groter concentratievermogen. We worden minder kleingeestig, kritisch en beschuldigend en raken meer geïnteresseerd in het welzijn van anderen. Volgens de boeddhistische leer leidt dit tot meer zelfrespect en vertrouwen, van waaruit we ook makkelijker meer moed, doorzettingsvermogen en vastberadenheid in onszelf kunnen aanboren, zoals deze moeder uit ervaring weet:

Mensen liefdevol en met compassie bejegenen gaat me niet gemakkelijk af. Ik ben gewend op mensen te vitten en dat zit me niet lekker. Wanneer ik met intimi zit te praten, merk ik dat een groot deel van mijn inbreng uit kritiek op anderen bestaat, bekrompen kritiek zelfs. Wanneer ik mezelf erop betrap dat ik in beslag wordt genomen door negatieve gedachten over anderen, dan voel ik me kleinzielig, slecht en dan ben ik niet erg trots op mezelf.

Door liefdevolle vriendelijkheid te beoefenen in mijn meditaties en mijn dagelijkse leven lukt het me om mijn vitterige geest te transformeren in een geest met meer ruimte, acceptatie en liefde. Met deze positievere geest kan ik niet anders dan meer van mezelf houden en daardoor voel ik me zekerder bij alles wat ik doe.

Met een liefdevolle geest vorderen we gestaag op ons spirituele pad en wordt het leven een volkomen andere belevenis. Volgens het boeddhisme ontstaat geluk uit onze liefde voor anderen. Robert

Thurman, vader van vijf kinderen en de eerste westerling die werd ingewijd in de Tibetaanse traditie en auteur van *Inner Revolution* zegt: 'Ik word een steeds gelukkiger mens naarmate ik me minder bekommer om mezelf.' Dus, hoe meer mensen om wie we geven, hoe meer geluk we kunnen ervaren. Vervuld van liefde is er minder ruimte voor gevoelens van leegte, verlatenheid of doelloosheid.

De vier goddelijke hemelrijken

Hoe kunnen we nagaan of onze liefde voor anderen zuiver is en vrij van gehechtheid? Wat zijn de kenmerken van deze zuiverder vorm van liefde? De Boeddha beweerde dat werkelijke liefde vier kwaliteiten bezit: *liefdevolle vriendelijkheid, compassie, empathische vreugde* en *gelijkmoedigheid*. Deze vier verheven gemoedstoestanden die elk mens in zich draagt, zijn onderling afhankelijk en overlappen elkaar. Samen zijn ze een soort controlesysteem waarmee we kunnen nagaan of onze liefde voor anderen oprecht is.

Liefdevolle vriendelijkheid

De woorden 'liefdevolle vriendelijkheid' zijn ontleend aan het begrip 'metta' uit het Pali dat vaak wordt vertaald als 'onbeteugelde vriendelijkheid'. Liefdevolle vriendelijkheid is een energie die zich in ons bevindt en die we zodanig kunnen ontwikkelen dat ons vermogen om lief te hebben zich vermenigvuldigt (om die reden doen boeddhisten een speciale op liefdevolle vriendelijkheid gerichte meditatie, de mettameditatie, die in hoofdstuk 9 wordt uitgelegd). Om vorderingen te maken op ons pad uit het ongeluk naar wijsheid moeten we een geest ontwikkelen die wenst: 'Mogen alle wezens gelukkig en vrij van lijden zijn.' De Boeddha spoorde ons aan om niet alleen het geluk van onze gezinsleden en vrienden te wensen, maar van alle mensen die we kennen, de mensen die we niet kennen en zelfs de mensen met wie we moeite hebben.

Deze moeder heeft zich erop toegelegd om haar liefdevolle

vriendelijkheid niet alleen in praktijk te brengen bij haar eigen kinderen, maar bij alle kinderen die ze tegenkomt:

> *Het is heel makkelijk om in die val te trappen en alleen nog maar je eigen kinderen te zien en zelfs geen oog meer te hebben voor de behoeften van andere kinderen. Ik denk dat moeders zich echt dankbaar voelen wanneer ik mijn liefde en zorg voor hun kinderen laat zien. Een beetje met hen kletsen, hen leren kennen, zorgen dat ze zich bij me op hun gemak voelen – dat is mijn manier om liefdevolle vriendelijkheid te beoefenen. We willen allemaal dat onze kinderen opgroeien in een ondersteunende omgeving met zoveel mogelijk liefdevolle volwassenen om hen heen. Het raakt ons wanneer onze vrienden interesse en waardering tonen voor onze kinderen en het kost zo weinig moeite.*

Als ik aan mijn eigen jeugd terugdenk, voel ik me enorm dankbaar naar het handjevol volwassenen die verder niets met me te maken hadden, maar toch hun best ervoor deden om hun belangstelling te tonen en me het gevoel te geven dat ik speciaal was. Hun vriendelijkheid heeft mijn zelfvertrouwen werkelijk een duwtje in de goede richting gegeven.

Wanneer we handelen vanuit liefdevolle vriendelijkheid is het belangrijk dat we er niets voor terug verwachten en nogmaals, dankzij ons moederschap hebben wij de kunst leren verstaan van geven zonder een beloning te verwachten. Wanneer we liefdevolle vriendelijkheid beoefenen, is de reactie van de ander niet van belang, aangezien de vreugde die het geeft om liefdevol te zijn de enige beloning is die we nodig hebben. In de tijden dat we het zelf moeilijk hebben, gaan we in onszelf op zoek naar de benodigde moed, in plaats van iets terug te verwachten van de mensen tegen wie we vriendelijk zijn geweest, zoals het inspirerende gedicht van Adam Lindsay Gordon verwoordt:

Als schuim zo vluchtig is het leven
Twee dingen echter staan rotsvast
Wie lijdt uw vriendelijkheid te geven
Moed bij het dragen van de eigen last

Al met al handelen we vanuit vriendelijkheid, omdat vriendelijkheid, samen met moed de belangrijkste kwaliteit is.

Deze schat van een moeder vertelt welke rol liefdevolle vriendelijkheid inneemt in haar leven:

Ik ga met veel mensen om, enerzijds omdat ik het gezelschap van andere volwassenen op prijs stel en anderzijds omdat ik als moeder ook graag het huis uit ga. Doordat ik zoveel met andere moeders omga, heb ik tal van mogelijkheden om mijn liefdevolle vriendelijkheid in de praktijk te brengen en ik heb ontdekt dat je op een heleboel manieren kunt helpen. Bijvoorbeeld door de ene keer op een kind te letten, de andere keer een kind wat te eten te geven of mijn hand op te steken als er mensen worden gevraagd om te helpen bij buitenschoolse activiteiten of in een peutergroep. Ik organiseer vaak bijeenkomsten in het park of in een café in de hoop dat de moeders die ik ken zich onderdeel gaan voelen van een ondersteunend netwerk. Het is interessant om mijn motieven voor dit soort activiteiten te onderzoeken. Ik heb een beter gevoel over mezelf als ik anderen help vanuit een gevoel van liefdevolle vriendelijkheid in plaats van berekening, zoals 'als ik voor haar babysit, kan zij een andere keer míj weer helpen'. Het klinkt pathetisch en het is gênant om te moeten toegeven, maar het is wel zo dat mijn motieven om anderen te helpen soms werden ingegeven door 'als ik haar help, krijgt ze een goede indruk van me en vindt ze me aardiger'. En ik denk ook dat ik mensen hielp om mezelf ervan te overtuigen dat ik een 'goed mens' was. Nu mijn doel bij liefdevolle vriendelijkheid ligt, gaat het helpen veel meer over die ander dan over mij en ironisch genoeg maakt dit mij veel gelukkiger. Maar toch is er ook een egocentrische kant, die

*weet dat ik door rekening te houden met de behoeften van
anderen mijn eigen karma begunstig.*

Zoals ik al zei, wordt liefdevolle vriendelijkheid soms vertaald als
'onbegrensde vriendelijkheid'. We weten allemaal *hoe* we vriendelijk kunnen zijn en er is dus niet zoveel dat we nog moeten leren.
We weten allemaal hoeveel een glimlach kan doen, een aanraking,
een positief woord. De moeilijkheid ligt eerder in het onszelf eraan
herinneren vriendelijk te zijn en ons te openen voor de mogelijkheid om vriendelijk te zijn die elk moment biedt. We moeten onszelf dikwijls de vraag stellen: 'Is er iets wat ik kan doen om te zorgen dat deze persoon zich gelukkiger voelt? Om het leed van deze
persoon iets te verlichten?'

Als we kijken naar de rol die liefdevolle vriendelijkheid binnen
onze relaties speelt, dan wordt duidelijk hoe belangrijk luisteren is.
Om iemand te helpen, moeten we ons een heel goed beeld van hun
leven kunnen vormen. Hiertoe moeten we een levendige belangstelling ontwikkelen voor het leven van anderen, in plaats van alleen ons eigen leven, en vaker nadenken over hoe zij denken en
zich voelen. Als we ons niet bewust zijn van wat de ander nodig
heeft, kan het zijn dat onze inspanningen om te helpen meer
kwaad dan goed doen. Door een diep inzicht te ontwikkelen in het
leven van de mensen om ons heen, kunnen we voorkomen dat we
met onze pogingen om te helpen niet meer dan een opdringerige
lastpost zijn.

Nog krimp ik ineen wanneer ik terugdenk aan die keer dat mijn
aanbod om te helpen door een aantal moeders werd afgewezen. Ik
was op zoek naar gezelschap voor mijn zoon en in de hoop een
daad van liefdevolle vriendschap te verrichten en een aantal moeders wat tijd voor zichzelf te gunnen, bood ik hun aan op hun kinderen te passen. In werkelijkheid was het niet erg doordacht van
mij. De moeders hadden me nog maar een paar keer ontmoet en
hadden nog niet kennisgemaakt met mijn echtgenoot en ze voelden zich waarschijnlijk zeer ongemakkelijk door mijn aanbod.
Nog belangrijker was dat de kinderen me ook niet echt goed ken-

den – hoe zouden zij het vinden om in een vreemd huis bij een betrekkelijk onbekend persoon te worden achtergelaten? Het boeddhisme geeft aan dat we als we de ander willen helpen gevoelig en doordacht te werk moeten gaan.

Het is de moeite waard om ons van tijd tot tijd af te vragen hoeveel liefde we de wereld in sturen. Geabsorbeerd als we zijn door onze eigen gedachten, vergeten we dat elke dag opnieuw talloze mogelijkheden biedt om vriendelijk te zijn. We vergeten aandacht te schenken aan de mensen om ons heen, we zien de kleine woorden en gebaren over het hoofd waarmee we de ander het gevoel kunnen geven erbij te horen of zelfs speciaal te zijn. We beschikken allemaal over het vermogen om de waardigheid van andere levende wezens te bevestigen en honoreren. In de wijze en vaak geciteerde woorden van moeder Teresa: 'Er bestaan geen grote daden, maar alleen kleine daden van grote liefde.'

Compassie

Compassie is de impuls om het leed van de ander te verlichten. Leven met compassie voor anderen betekent de eerste Edele Waarheid begrijpen en het lijden en het ongeluk erkennen die ieder levend wezen moet doormaken. Een van de boeddhistische moeders verwoordt het zo:

> *Het belang leren inzien van compassie heeft wonderen verricht voor al mijn relaties. Het maakt niet uit wat voor problemen ik heb met een bepaalde relatie, als ik me kan herinneren dat deze persoon lijdt en ik er enige tijd met mijn aandacht bij kan blijven om te voelen hoe dat lijden voor die persoon moet zijn, dan is compassie de enig mogelijke reactie.*

Tegelijkertijd heeft compassie niets te maken met medelijden hebben met iemand, en dan op een bevoogdende manier. Het is juist de erkenning dat we allemaal in hetzelfde schuitje zitten, dat we allemaal op zoek zijn naar geluk en bevrijding van het lijden.

De Boeddha heeft onderwezen dat het afzonderlijke zelf een illusie is en dat we allemaal één zijn, ondanks onze afzonderlijke fysieke lichamen; als we dat konden inzien, zou het onze natuurlijke reactie zijn om elkaar te helpen het leed te overwinnen. Als moeder ervaren we deze eenheid met onze kinderen: wanneer we onze kinderen zien lijden, kunnen we niet anders dan hun leed voelen en hen te hulp snellen alsof het ons eigen leed is. Tegenover onze kinderen voelt dit niet meer dan natuurlijk; deze reactie vanuit compassie kunnen we ook proberen uit te breiden naar andere relaties.

Als we contact kunnen maken met onze eigen pijn, en boeddhisten moedigen ons aan dat te doen, kunnen we ook gevoelsmatiger reageren op de pijn van anderen. Als we zelf op de momenten dat we pijn ervaren driftig op zoek gaan naar afleiding, zullen we de pijn van anderen waarschijnlijk op dezelfde manier benaderen en hen aansporen op magische wijze 'op te vrolijken' zonder dat we hun gevoelens erkennen. Toen ik moeder werd, was ik opeens zeer dankbaar voor alle zware tijden die ik op school had moeten doorstaan. Als een moeder uit eigen ervaring weet hoe het is om te worden gepest, buitengesloten of slechte cijfers te halen, dan kan ze het leed van haar kind in dergelijke situaties beter begrijpen.

Om compassie te kunnen hebben, moeten we geestelijk betrokken raken bij het leven van anderen en hun zorgen nooit zomaar aan de kant schuiven. Als we iemands leed afdoen als aanstellerij of als niet echt belangrijk (of interessant) sluiten we de deur naar compassie. Het is zo makkelijk om andermans zorgen als triviaal te beschouwen en geringschattend te reageren: 'Maak je daar toch geen zorgen over', 'Kop op, joh'. Een dergelijke reactie is echter zelden behulpzaam als iemand zich ellendig voelt. We willen allemaal het gevoel hebben dat ons verhaal wordt gehoord en onze gevoelens worden begrepen. Andermans leed afwijzen verraadt een onwil om de eerste Edele Waarheid te erkennen, namelijk dat er lijden bestaat, dat het leven vol onvolmaaktheid is.

Een boeddhistische moeder beaamt dit punt:

Ik beschuldigde mijn kinderen er altijd van dat ze zonder reden huilden. Ik ontkende hun pijn en reageerde meestal met iets als: 'Doe niet zo raar' of 'Kom op, dat deed geen pijn'. Natuurlijk zijn er ook momenten waarop dat soort opmerkingen op hun plaats zijn, maar ik weet zeker dat ik ze te vaak gebruikte als een manier om hun lijden niet te hoeven voelen. Tegenwoordig probeer ik mezelf ertoe te zetten beter naar hun pijn te kijken en gevoelsmatiger te reageren.

In die lastige periode van het moederschap dat we te maken krijgen me driftaanvallen, kunnen we onszelf eraan herinneren met compassie te reageren. Volgens deskundigen ontstaan de driftaanvallen van kleine kinderen door hun frustratie dat ze zichzelf niet tot uitdrukking kunnen brengen – ze zijn de taal nog niet machtig en zoeken dus hun toevlucht in tranen en geschreeuw. Ze voelen zich machteloos en beschikken niet over de levenservaring om met zulke onaangename gevoelens om te gaan. Ze weten nog niet wat ze kunnen doen wanneer ze oververmoeid zijn. Ze begrijpen nog niet waarom ze niet altijd hun zin kunnen krijgen. Het enige wat ze weten, is dat het afschuwelijk voelt, onverdraaglijk zelfs.

Wanneer we als moeder te maken krijgen met dergelijke uitbarstingen, kunnen we ons kwaad, gefrustreerd, neerslachtig of – wanneer de driftaanval in het openbaar gebeurt – vernederd voelen, maar compassie voor het kind dat lijdt kan onze reactie wat milder maken. En, wie zou willen ontkennen dat compassie in elk ontwikkelingsstadium van een kind op zijn plaats is? Ik houd erg van de woorden die Myla Kabat-Zinn in *Everyday Blessings* heeft geschreven:

> *Als een kind – van willekeurig welke leeftijd – onze aanvaarding voelt, als hij onze liefde voelt, en dan niet alleen maar voor zijn o, zo makkelijke, lieve, aantrekkelijke zelf, maar ook voor zijn moeilijke, weerzinwekkende, onuitstaanbare zelf, dan voedt dat hem en het geeft hem de vrijheid om een evenwichtiger en heel mens te worden.*

Op een ochtend trakteerde Zac me op een aantal uren van zijn 'moeilijke, weerzinwekkende, onuitstaanbare zelf' door me bij alle pogingen hem klaar te maken voor de crèche dwars te zitten. Later op die dag werd er gebeld door de crèche om te zeggen dat hij waterpokken had en ik wenste vurig dat ik 's ochtends wat geduldiger met hem was geweest. Niet zelden is het wangedrag van onze kinderen volkomen begrijpelijk, als we ons er maar toe zetten om er vanuit hun gezichtspunt naar te kijken of hun het voordeel van de twijfel te gunnen. Misschien hebben ze last van een verandering in de dagelijkse routine, een gebrek aan aandacht, verwarring over hun grenzen. Misschien zijn ze gewoon moe of voelen ze zich niet lekker. Myla Kabat-Zinn bedoelt niet dat we hun onacceptabele gedrag gewoon over ons heen moeten laten komen; we moeten alleen maar oog hebben voor wat er vanuit het gezichtspunt van ons kind aan de hand kan zijn en hierop met compassie reageren, in plaats van automatisch en ondoordacht te reageren.

Afgezien van onze gezinsleden, vrienden en kinderen is compassie naar onszelf de basis voor compassie naar anderen. Als we onszelf uitputten door alleen maar voor anderen te zorgen, hebben we minder te geven. We moeten ook voor onze eigen gezondheid zorgen door voldoende rust en stilte in te lassen. Het is een daad van compassie om onszelf vriendelijk toe te spreken en op te letten of onze innerlijke stemmen ondersteunend en vriendelijk zijn of bekritiserend en eisend. We oefenen geduld wanneer we weifelen, want het ouderschap maakt ons allemaal tot amateurs die voortdurend met nieuwe ontwikkelingsstadia te maken krijgen. Het helpt om bewustzijn te ontwikkelen, en geen schuldgevoel.

Empathische vreugde

Stel je eens voor hoeveel gelukkiger we zouden kunnen zijn als we de vreugde van alle levende wezens konden delen. Of, zoals de Dalai Lama het heeft verwoord, onze kans op vervoering zou zes miljard keer zo groot worden. Moeders zijn werkelijk meesters op het gebied van empathische vreugde als het om hun kinderen gaat.

Niets smaakt zo zoet als het succes en het geluk van je kind. Denk maar eens terug aan hoe blij je was bij elke nieuwe stap in de ontwikkeling van je kind, toen hij leerde lopen, praten en steeds meer op de omgeving reageerde. Of realiseer je hoe warm je hart wordt waneer je je kind ziet genieten in het zwembad, op een partijtje of op de trampoline. Hun vreugde kan ons in vervoering brengen.

Ook hier kunnen we van onze liefde voor onze kinderen leren hoe we meer van anderen kunnen houden. Hoe vaak verheugen we ons bijvoorbeeld over de overwinningen van andere kinderen? En, hoe vaak genieten we van het geluk van andere volwassenen? Hoe voelen we ons wanneer we hun goede nieuws horen? Juichend? Of jaloers en gedwongen om vooral niet achter te blijven? Kunnen we onszelf ertoe brengen om ons te verheugen over hun gevoel van opluchting, opwinding of vervulling?

Denk eens aan hoe dankbaar we ons voelen wanneer een vriend op een welgemeende manier blij is over onze voorspoed. De vriendschap verdiept zich onmiddellijk, want het is een teken en een inspiratiebron van ultiem vertrouwen als we weten dat onze vrienden willen dat we gelukkig zijn. Als we kunnen meegenieten met iemands goede nieuws herstellen we ons gevoel van verbondenheid met anderen. Hoe zouden we ons afgesloten kunnen voelen als we zozeer emotioneel betrokken zijn bij andermans leven?

Als onze vrienden niet delen in onze vreugden kunnen we onszelf afvragen: 'Wat is deze vriendschap waard als de ander niet eens het beste met me voor heeft, als de ander niet begrijpt wat voor mij belangrijk is?' Als we het moeilijk vinden om blij te zijn voor een gelukkige vriend betekent dat alleen maar dat we dieper moeten kijken naar de pijn in hun leven, om hun lijden te begrijpen. Deze moeder heeft precies dat geleerd.

Ik heb echt lopen worstelen met een van mijn vriendschappen. Een goede vriendin heeft een dochter van dezelfde leeftijd als mijn dochter. We zijn altijd heel goede vriendinnen geweest, maar sinds we alletwee moeder zijn geworden, heeft ze die wedijver ontwikkeld, die naar mijn gevoel onze relatie heeft vergiftigd. Voortdurend vergelijkt ze onze dochters en toevallig komt haar dochter altijd beter uit de bus dan de mijne. Ze kon eerder lopen, eerder praten en nu ze op school zit, blijkt ze ook nog eens de beste van de klas te zijn. Mijn vriendin heeft het voortdurend over de ongelofelijke prestaties van haar dochter en ik vind het nogal bot – met name als het gaat over die gebieden waarop ik me wat zorgen maak over de ontwikkeling van mijn dochter. Het is onvoorstelbaar hoeveel woede haar ongevoeligheid bij me oproept en ik merk dat ik zelfs rancuneus ben naar haar dochter en heimelijk hoop dat ze onderuitgaat.

Door te contempleren op de vier verheven gemoedstoestanden wist ik dat ik tekortschoot op het gebied van empathische vreugde. Ik heb een volmaakte kans om me te verheugen over het geluk van mijn vriendin dat ze zo'n slim kind heeft, maar ik kies ervoor om jaloers en kwaad te zijn. In plaats van me schuldig en waardeloos te voelen, probeer ik mijn probleem op te lossen door compassie te ontwikkelen. Bijvoorbeeld, mijn vriendin heeft haar indrukwekkende carrière opgegeven om moeder te worden. Ze maakt zich vaak zorgen of ze haar carrière weer zal kunnen oppakken en ik weet dat deze zelfopoffering een bron van leed voor haar is. Wie kan het haar kwalijk nemen dat ze een geweldige moeder wil zijn als compensatie voor de carrière die ze heeft moeten opgeven. Misschien is haar ogenschijnlijke opschepperij wel wat ongevoelig, maar wanneer ik het bekijk in het licht van al haar andere problemen als moeder en echtgenote, dan voel ik compassie – en daardoor kan ik meer meevoelen met haar vreugde over haar dochter.

De vier verheven gemoedstoestanden zijn onderling afhankelijk, zodat het niet mogelijk is dat een van de vier ontbreekt en je nog steeds zuivere liefde beoefent. Om werkelijke empathische vreugde te ervaren, moeten we in staat zijn tot compassie. Om te kunnen delen in de vreugde van onze vrienden, moeten we ook delen in hun pijn, anders zijn we 'mooi weer'-vrienden. Wanneer we het lijden in het leven van de ander begrijpen, is het niet meer dan natuurlijk om vreugde te voelen wanneer geluk hen ten deel valt.

Net zoals bij compassie moeten we eerst aandachtig luisteren en oprecht geïnteresseerd zijn in de ander alvorens we empathische vreugde kunnen ervaren. Pas dan kunnen we hen werkelijk begrijpen en weten wat hen gelukkig maakt. We moeten meer te weten zien te komen over de mensen in ons leven en ons van tijd tot tijd afvragen hoe het leven er voor hen uitziet. Dan zullen we er klaar voor zijn ons onder te dompelen in hun geluk en het in al zijn heerlijkheid met hen kunnen delen. Dit is waarachtige vriendschap.

Gelijkmoedigheid

In hoofdstuk 3 hebben we gelijkmoedigheid al enigszins belicht. Door deze kwaliteit te beoefenen – het vermogen om alle aspecten van ons leven met aanvaarding en geduld waar te nemen – voorkomen we dat we op onze gebruikelijke uitgesproken manier reageren. Gelijkmoedigheid als het resultaat van een kalme en onverstoorbare geest maakt het mogelijk te weigeren overdreven te reageren op dat wat prettig of onaangenaam is.

Nogmaals, de vier verheven gemoedstoestanden zijn onderling afhankelijk en als we deze vierde niet in praktijk brengen, is onze liefde niet compleet. Zonder gelijkmoedigheid praktiseren we misschien alleen liefdevolle vriendelijkheid wanneer we weten dat het ons waardering oplevert of we er iets voor terugkrijgen. Zonder gelijkmoedigheid hebben we misschien alleen maar compassie als we zeker weten dat we niet worden overweldigd door andermans pijn. Zonder gelijkmoedigheid geeft empathische vreugde misschien aanleiding tot gevoelens van jaloezie of rivaliteit.

Met betrekking tot deze vier verheven gemoedstoestanden duidt het begrip gelijkmoedigheid op de notie dat alle levende wezens als even kostbaar worden beschouwd. Binnen het gezin is het bijvoorbeeld zowel voor de moeder als de vader vaak makkelijker om liefdevolle vriendelijkheid, compassie en vreugde te tonen jegens de kinderen dan de partner. Aan de ontbijttafel wees mijn echtgenoot me er een keer (spottend) op dat ik mijn zoons als een uitgelaten jonge hond had begroet en hem nauwelijks een blik waardig had gegund. En zoals we allemaal weten, wanneer een partner niet meer wordt gewaardeerd om wie hij of zij is, maar alleen nog maar om zijn of haar verdienste als ouder, betekent dat vaak het eind van een huwelijk of een relatie.

We zijn één

Liefdevolle vriendelijkheid, compassie, empathische vreugde, gelijkmoedigheid; als we in contact zouden zijn met onze onderlinge verbondenheid met anderen, als we begrepen dat we één zijn met alle andere levende wezens, zouden het allemaal natuurlijke gegevens van ons leven zijn. Onze generositeit, ontvankelijkheid en dienstbaarheid kunnen vrijelijk stromen als we de mensen om ons heen beschouwen als deel van onszelf. Als moeder zijn we dienstbaar naar onze kinderen alsof ze deel zijn van onszelf: hun welzijn is ons welzijn. Het gaat er nu om of we in staat zijn deze liefde en compassie zodanig uit te breiden naar onze andere relaties dat we niemand meer buitensluiten. Een citaat van de Vietnamese monnik Thich Nhat Hanh:

> *Jij en het object van je liefde kunnen geen twee zijn. Ga door (met mediteren) totdat je jezelf herkent in de wreedste persoon op Aarde, in het kind dat de hongerdood sterft... in iedereen in de supermarkt, op de hoek van de straat, in een concentratiekamp.*

Wanneer je eenmaal deze 'non-separatie' begrijpt, kun je je verheugen in het geluk van anderen en delen in hun lijden – en ondertussen de vreugde ervaren van je een-zijn, van onze onderlinge verbondenheid. Ons concept van een afzonderlijk zelf, gescheiden van anderen, is een illusie, maar we kunnen ons pas bevrijden van deze misvatting wanneer we uit onze onbewustheid ontwaken. Wanneer we de ware aard van ons bestaan realiseren, worden we niet langer geplaagd door ons gevoel van verlatenheid, afgescheidenheid en eenzaamheid.

Het is interessant dat de wetenschappelijke wereld, met name die van de natuurwetenschappen, vaak tot dezelfde conclusies komt als de Boeddha 2500 jaar geleden. Albert Einstein, bijvoorbeeld, belichtte al de illusie van het zelf en de waarheid van het een-zijn.

Een mens is deel van het geheel dat wij 'het universum' noemen, een deel dat wordt begrensd door tijd en ruimte. Zelf ervaart hij zijn gedachten en gevoelens als dingen die gescheiden zijn van de rest – een soort optische illusie van zijn bewustzijn. Deze illusie is een soort gevangenis waarin we ons bevinden en die ons beperkt tot onze persoonlijke verlangens en liefde voor de paar personen die ons het meest na zijn. We moeten onszelf tot taak stellen ons te bevrijden uit deze gevangenis door onze kring van begrip en compassie zodanig uit te breiden dat hij alle levende wezens en de hele natuur in al zijn schoonheid omvat.

Susan Murphy, zenleraar en moeder van twee kinderen, stelt dat we niet altijd verstrikt hebben gezeten in deze illusie van ons afzonderlijke bestaan: als baby wisten we wel beter.

Baby's worden geboren met een gewaar-zijn van het een-zijn van de hele schepping. In hun ogen zijn de sterren en de onmetelijkheid nog steeds langzaam in beweging. Kijk maar in de spiegel van je eigen oorspronkelijke aard (je kunt je er toch niet tegen verzetten) – en daar is het! Naakt gewaar-zijn.
Door middel van een proces van 'ontleren' ontwikkelen ze een blik die de wereld opbreekt in stukjes, de 'blik van heelheid' wordt een 'blik van gedeeldheid'. We moeten de wereld wel gaan waarnemen in al haar verschillende onderdelen om de

begrippen en de taal te kunnen leren, om met anderen te kunnen communiceren. Vervolgens is het wel de opdracht om terug te keren naar een opvatting van de wereld en onszelf als één onderling verbonden geheel.

Ervaren beoefenaren van meditatie hebben het er wel over hoe ze op een hoger concentratieniveau een glimp kunnen opvangen van dit een-zijn met alle levens wezens en zelfs ons een-zijn met alle verschijnselen. Robert Thurman zegt over deze glimp van een-zijn die we tijdens meditatie kunnen opvangen en die van grote invloed kan zijn op ons leven:

We verliezen alle gevoel van grenzen, alle spanningen van onze worstelingen en ervaren... een echtheid die... verbonden lijkt te zijn met alle andere wezens en dingen. Dit is het echte zelf, een onuitputtelijke bron van vrede en geluk, die alles omvat, alle verlangens vervult, alle anderen in zich sluit zonder voorbij te gaan aan onszelf. Dit is de essentie van wat de Boeddha zag tijdens zijn eigen meditatie.

Sommige moeders merken dat het moederschap hen dichter bij het inzicht van het een-zijn brengt. Zoals deze moeder het verwoordt:

Toen ik in het gezicht van mijn baby keek, zag ik eerst een glimp van mijn moeder en vervolgens mijn tante en daarna een hele reeks andere verwanten. Ik ervoer onze onderlinge verbondenheid en voelde de stroom die door de generaties heen liep en ons met elkaar verbond. En door deze baby ging ik me in de loop van de tijd ook meer verbonden voelen met mijn echtgenoot en zijn hele familie, alsof we een manier hadden gevonden om in één wezen te versmelten en nader tot elkaar te komen door onze verbintenis met elkaar te verstevigen.

Als dit inzicht in het een-zijn er nog niet is, kunnen we wel al onderkennen dat alle levende wezens hetzelfde verlangen koesteren naar *geluk en bevrijding van het lijden*. De boeddhistische leer benadrukt dit punt voortdurend. We zitten allemaal in hetzelfde bootje, op zoek naar hetzelfde, en deze natuurlijke kameraadschap kan ons helpen ons een-zijn op z'n minst intellectueel te begrijpen, alvorens een dieper inzicht te verwerven dat zich in de loop van onze spirituele ontwikkeling ontvouwt.

Onze relaties ontdoen van gehechtheid

Als we eenmaal begrijpen wat het effect is van gehechtheid, hoe onze verwachtingen, eisen en behoeftigheid erdoor worden aangewakkerd, zijn we verbaasd hoezeer deze gehechtheid onze relatie kan vergiftigen. Als we er een zuiverder vorm van liefde voor in de plaats willen, vraagt dat om een gewaar-zijn van onze bedoelingen, gedachten en verlangens met betrekking tot anderen. We moeten genadeloos eerlijk zijn tegenover onszelf over de motieven achter onze daden. In wezen draait het allemaal om de vraag: 'Doe/zeg/denk ik dit uit liefde of uit eigenbelang?'

Als we ontdekken dat onze bedoelingen en gevoelens niet honderd procent liefdevol zijn, kunnen we in ieder geval liefdevol gaan handelen. Wanneer we liefdevol handelen, merken we hoe prettig dit is en dit stimuleert ons om op een liefdevollere manier te gaan denken en voelen. De kans is groot dat de manier waarop mensen reageren op onze liefde ons inspireert om meer vanuit ons hart te gaan handelen. Wanneer we liefdevol handelen, gaan we de voordelen zien die het op verschillende vlakken biedt – praktisch, emotioneel, spiritueel en fysiek – en al snel lijkt het onlogisch om op een andere manier te handelen. Het is ironisch dat liefdevol handelen blijkbaar heel goed ons eigenbelang kan dienen.

Na verloop van tijd voegen we aan onze liefdevolle handelingen ook liefdevolle bedoelingen en gedachten toe door actief een liefdevolle houding te cultiveren. Door te mediteren op liefdevolle vriendelijkheid oefenen we het koesteren van liefdevolle gevoelens voor anderen en zodoende transformeren we onze innerlijke houding. We gaan ons realiseren dat we met liefde tot zoveel meer in staat zijn dan we ooit voor mogelijk hadden gehouden en dat het leven er totaal anders kan gaan uitzien. En als moeder hebben we vertrouwen in de kracht van liefde, omdat we vanwege de liefde voor onze kinderen al een geestelijke revolutie hebben doorgemaakt.

Wat je kunt doen

- 🐚 Houd in gedachten dat iedereen in je leven een spirituele leraar is, met name je kinderen. Leer van al je relaties.
- 🐚 Overweeg wat minder strak aan je eigen mening vast te houden, om zo je eigen lijden te beperken en je meer verbonden te voelen met anderen.
- 🐚 Wanneer je merkt dat je anderen veroordeelt of bekritiseert, onderzoek je je gedachten nauwkeurig. We leren vaak het meest van onze problematische relaties.
- 🐚 Onderzoek al je relaties op tekenen van gehechtheid. Verwacht je dat mensen voldoen aan je onuitgesproken verwachtingen of het met je eens zijn?
- 🐚 Aanvaard wie je kinderen zijn zonder je eigen behoeften of onzekerheden op hen te projecteren – onze kinderen zijn niet ons bezit, ze genieten onze bescherming.
- 🐚 Realiseer je hoe belangrijk het is om van anderen te houden en onthoud dat dit je helpt om zelf gelukkiger en duidelijker te worden.
- 🐚 Weet dat liefde uit vier delen bestaat: liefdevolle vriendelijkheid, compassie, empathische vreugde en gelijkmoedigheid.
- 🐚 Werk aan het besef dat we allemaal één zijn. Dit bevordert het onbelemmerd kunnen laten stromen van de vier verheven gemoedstoestanden.
- 🐚 Begin met liefdevol handelen en na verloop van tijd zullen de juiste bedoelingen vanzelf volgen.

HOOFDSTUK 7

Leven met een partner

VOLGENS DE WETENSCHAP zijn de krachtige chemische stoffen die worden geactiveerd wanneer we verliefd worden na anderhalf tot tweeëneenhalf jaar uitgewerkt. Onder invloed van die eerste passie lijkt de relatie moeiteloos en zijn we vrijwel blind voor de gebreken van onze partner – net zoals onze partner dat is voor die van ons. Na echter een aantal jaren te hebben samengeleefd en kinderen te hebben gekregen, maken de meeste relaties roerige tijden door. Sommige stellen komen sterker uit de strijd, andere overleven het ternauwernood en weer andere stellen gaan uit elkaar.

Zoals altijd ontkomen we ook hier niet aan de waarheid omtrent het niet-blijvende karakter der dingen, oftewel de onvermijdelijkheid van verandering. Zelfs de moeders die ogenschijnlijk met hun zielsverwant samenleven, geven toe dat de periodes waarin ze 'geen genoeg kunnen krijgen' van hun partner, worden gevolgd door periodes waarin het hen 'koud laat'. Elke relatie kent zijn goede en zijn slechte tijden. In de hitte van de strijd of tijdens een zware periode is het makkelijk om alles op een hoop te gooien en te generaliseren: 'Ik ben nooit echt gelukkig met hem geweest', 'Hij is altijd slecht gehumeurd', 'We hebben het samen nooit meer leuk'.

Het is echter niet alleen de kwaliteit van de relatie die voortdurend verandert. We moeten er ook voor openstaan hoe onze partner als persoon zich voortdurend ontwikkelt, net zoals wij zelf. Het is niet eerlijk om vast te blijven houden aan een verouderd beeld van wie onze partner is; net zoals wij geen 'zelf' hebben dat zich volmaakt consistent gedraagt, heeft onze partner dat ook niet. (In hoofdstuk 8 gaan we nader in op hoe we door vast te houden aan een bepaald zelfbeeld gevangen komen te zitten in onze verwachtingen.) Op dezelfde manier kunnen we, doordat we ons afsluiten voor de mogelijke veranderingen en de inconsistenties van onze partner, niet meer aandachtig naar onze partner luisteren, wat ten koste gaat van de relatie.

We kunnen nagaan of onze gevoelens voor onze partner werkelijk liefdevol zijn door onze liefde te onderzoeken op tekenen van gehechtheid en vervolgens de vier verheven gemoedstoestanden door te lopen. Ook binnen relaties is het van cruciaal belang om onze persoonlijke verantwoordelijkheid te nemen: zijn we ons beiden bewust van de beweegredenen van onze handelingen en van het effect van ons gedrag op elkaar? Ook een goede communicatie, zowel praten als aandachtig luisteren, is cruciaal voor een goede relatie.

Als je partner volgens jou liefdevoller zou kunnen zijn, kan het een kwestie van initiatief zijn: een van de twee moet het verbeterproces in gang zetten. We kunnen een eeuwigheid blijven wachten totdat onze partner zich anders gaat gedragen, of we kunnen besluiten om zelf met liefdevoller gedrag te beginnen. Nogmaals, moeders hebben vaak al het gevoel dat het niet eerlijk is verdeeld in hun partnerrelatie – dat het lijkt alsof zij meer verantwoordelijkheid dragen voor de liefde en de zorg in de relatie. Zij kunnen eveneens profiteren van de boeddhistische leer, maar moeten daarnaast misschien ook op zoek naar manieren om deze wijsheid met hun partner te delen.

Het gezin is een eenheid waarbinnen de onevenwichtigheid van de ene relatie haar invloed doet gelden op de andere relaties binnen het geheel: wanneer onze verhouding met onze partner liefdevol is, is het hele gezin gelukkiger. Onze kinderen kijken naar de relatie tussen hun ouders en leren ervan – de manier waarop we met spanningen omgaan, hoe we met elkaar praten en hoe we met conflicten omgaan. Wanneer we ons bewust zijn van de manier waarop we met onze partner omgaan en niet op de automatische piloot staan, komt dat dus ten goede aan het hele gezin.

Het verwoestende effect van kinderen op ons liefdesleven

De positieve kant van het verhaal is dat kinderen een gezamenlijke interesse zijn van de partners die er samen van kunnen genieten. Kinderen kunnen het symbool zijn van een stevige verbintenis en een gezamenlijke toekomst. Als stel vinden we elkaar in het genot dat we ervaren wanneer ons kind weer een mijlpaal in zijn ontwikkeling heeft bereikt. We lachen samen om alle wilde fratsen, de spitsvondige uitspraken. Samen naar het gezichtje kijken van deze langverwachte nieuwkomer, brabbelen met onze enthousiaste peuter, ons verbazen over het vermogen van ons kind om van eenvoudige geneugten te genieten – dat zijn de momenten die de verhouding met onze partner voeden. Door al dit soort dingen voelen we ons dichter bij elkaar – dit zijn de goede momenten.

De onrust die kinderen met zich meebrengen kan echter ook wrevel of zelfs vijandigheid veroorzaken bij een van beide partners. De belasting die kinderen voor onze relatie betekenen is immens: minder tijd voor elkaar, ze beroven ons van onze slaap en energie, ze hebben voortdurend aandacht en hulp nodig, ze onderbreken onze gesprekken – ze zijn er altijd! Veel stellen vragen zich verwonderd af waar de bevredigende gesprekken zijn gebleven, de gezamenlijke interesses, de uitjes als stel, de romantiek en de seks.

Als er eenmaal kinderen zijn, krijgen stellen met tal van nieuwe problemen te maken. Voordat Joanne kinderen kreeg, was ze een juriste met een sterke feministische achtergrond. Zij vertelt:

De moeilijkheid in het eerlijk verdelen van de ouderlijke verantwoordelijkheid was dat wanneer de baby huilde, hij mijn borst wilde, en niet die van mijn niet-seksistische en zeer bereidwillige partner. Alle gelijkheid die ik had uitonderhandeld in mijn partnerrelatie verdween als sneeuw voor de zon; mijn partner en ik voegden ons schaamteloos in onze rol: het moederschap beschimpte de feministe in me. En voor het eerst in mijn leven stond de feministe met een mond vol tanden.

Kinderen zorgen voor een veelvoud aan huishoudelijk werk, waarvan de eerlijke verdeling een bron van conflict vormt. Partners kunnen verhitte discussies voeren over de beste opvoeding van hun kind, vooral als hun achtergrond nogal verschilt. Geld, of het gebrek aan geld, kan problemen veroorzaken, niet alleen door de stijgende onkosten, maar ook door het dalende gezinsinkomen, omdat een van de twee minder werkt. Werkgevers zijn traag in het invoeren van gezinsvriendelijke maatregelen en voegen ook nog eens overuren en andere vormen van inflexibiliteit aan onze problemen toe.

In vele huishoudens komen de verschillende werelden van de ouder die voor de kinderen zorgt en de ouder die buitenshuis werkt erg ver uiteen te liggen; we hebben het gevoel dat we nog maar weinig gemeen hebben en wedijveren over wie het 't moeilijkst heeft: 'Vind je dat jij een zware dag hebt gehad?! Ik heb er voor moeten zorgen dat...' In het ergste geval komen we vast te zitten in een pijnlijke sleur. We kunnen niet anders meer dan op elkaar vitten, kibbelen en ons verongelijkt voelen – en berusten vaak in deze manier van met elkaar omgaan.

De boeddhistische instructie 'stoppen en realiseren' is zeer waardevol als er problemen in de relatie bestaan. We moeten stoppen en ons realiseren hoe we met elkaar omgaan en onder ogen zien dat er een gezondere manier mogelijk is. Onze partnerrelatie is uitstekend oefenterrein voor het ontwikkelen van spirituele deugden. Kwetsende manieren van met elkaar omgaan kunnen we afleggen – de keuze is aan ons. Een partnerrelatie is, net als het opvoeden van kinderen, ook een vorm van spirituele beoefening en hoe meer we onze relatie in die termen kunnen zien, hoe groter onze motivatie om eraan te werken.

Een partnerrelatie die bestand is gebleken tegen kinderen, heeft de zwaarste test doorstaan en is van grote waarde. Hoe kan het boeddhisme ons helpen om dit kleine wonder te bewerkstelligen?

Het zuiveren van je liefde voor je partner

Als we het boeddhisme in praktijk willen brengen, moeten we liefdevolle relaties opbouwen met alle levende wezens, inclusief onze partner. Om beter in staat te zijn zuivere liefde voor onze partner te koesteren, moeten we onze relatie onderzoeken op gehechtheid evenals de illusie afzonderlijke wezens te zijn. Ook moeten we ons verzekeren van de aanwezigheid van de vier verheven gemoedstoestanden: liefdevolle vriendelijkheid, compassie, empathische vreugde en gelijkmoedigheid. Als onverlichte wezens kan het nauwelijks anders dan dat we ontdekken op een aantal punten tekort te schieten en het leven met onze partner kan er dus alleen maar op vooruitgaan.

Liefde of gehechtheid?

Als we merken dat we voornamelijk bezig zijn met onze eigen behoeften en verwachtingen en of onze partner ze wel vervult, en naar verhouding weinig tijd en aandacht besteden aan hoe het leven er vanuit het gezichtspunt van onze partner uitziet, dan weten we dat er in onze relatie sprake is van ongezonde gehechtheid. We verwachten van onze partner dat hij onze gedachten leest, er uit zichzelf achter komt wat we willen en ons gelukkig maakt. Misschien denken we: als hij werkelijk van me houdt, zou hij wel zus of zo of dit of dat doen.

Tevredenheid moet van binnenuit komen en we kunnen dus niet van onze partner verwachten dat hij een voortdurende bron van geluk is. Soms worden relatieproblemen deels veroorzaakt door het veronachtzamen van ons eigen innerlijke leven – een bekende valkuil in een druk huishouden.

Het is goed om jezelf de volgende vragen te stellen:

- Heb ik of heeft mijn partner de neiging zich vast te klampen, voelt een van ons zich behoeftig of emotioneel afhankelijk ten opzichte van de ander?

- Staat onze liefde bol van de verwachtingen en de eisen? Zijn onze gevoelens voor elkaar voorwaardelijk en afhankelijk van de vervulling ervan?
- Geven we elkaar voldoende ruimte om onszelf te ontwikkelen, te veranderen en te groeien?

Begrijpen we dat we één zijn?

Zoals in het vorige hoofdstuk is aangegeven, ploeteren we voort in de illusie dat we een afzonderlijk 'zelf' zijn wiens interessen moeten wedijveren met die van de 'anderen'. We zien onze essentiële verbondenheid over het hoofd. Zelfs als we de waarheid van ons eenzijn met alle levende wezens niet volledig begrijpen, dan kunnen we op z'n minst erkennen dat we hetzelfde verlangen naar geluk koesteren en bevrijding van het lijden. Mensen die in de verste verte niet op elkaar lijken, krijgen hiermee toch een belangrijk gemeenschappelijk kenmerk.

Om te onderzoeken in hoeverre we ons één voelen met onze partner kunnen we onszelf de volgende vragen stellen:

- Wordt je relatie verstoord door een illusoir gevoel van afgescheidenheid, van niet met elkaar in verbinding staan, van 'ik' tegenover 'jij'?
- Kun je zien dat zorg dragen voor elkaar een manier is om zorg te dragen voor jezelf?

Wil er liefde zijn, dan moeten alle vier de verheven gemoedstoestanden aanwezig zijn. Als we ons concentreren op de vier verheven gemoedstoestanden, kunnen we onszelf de volgende vragen stellen.

Is er liefdevolle vriendelijkheid?

- Willen we alletwee oprecht dat onze partner gelukkig is en vrij van lijden en ongemak?

- Gaan we bewust op zoek naar manieren om aardig te zijn tegen elkaar, om elkaar een moment van geluk te bezorgen?
- Uiten we onze waardering voor elkaar? Hoe verhoudt de hoeveelheid waardering zich tot de hoeveelheid kritiek?
- Luisteren we aandachtig naar elkaar zodat we de wereld en de behoefte van onze partner begrijpen?

Is er compassie?

- Hoe vaak bezinnen we ons op de moeilijkheden van de situatie waarin onze partner zich bevindt?
- Weten we van elkaar wat de ander doet lijden?
- Luisteren we naar elkaars grieven en koesteren we het verlangen de pijn van de ander te verlichten?
- Tonen we regelmatig onze interesse in de moeilijkheden van de ander of vragen we ernaar?
- Kunnen we elkaar fouten vergeven die in het verleden zijn gemaakt?

Is er empathische vreugde?

- Zijn we blij met de blijdschap van de ander? Kunnen we er samen van genieten?
- Is er jaloezie of rivaliteit die misschien wordt aangewakkerd door wrok?
- Weten we voldoende van elkaars leven om te weten wat de ander blij maakt?

Is er gelijkmoedigheid?

- Verwachten we dat onze partner ons alles geeft wat we nodig hebben? Of houden we ook van een heleboel andere mensen, zodat we niet onredelijk afhankelijk zijn van onze partner om al onze behoefte aan contact met anderen te vervullen?
- Kunnen we accepteren dat ook een partnerrelatie zijn goede

en zijn slechte tijden kent, dat dat normaal is en dat er na slechte tijden ook weer goede tijden aanbreken?

Verantwoordelijkheid nemen

Door ons gedurende de dag gewaar te zijn van onze reacties, worden we ons bewust van onze neiging om dat wat aangenaam is na te jagen en dat wat niet aangenaam is uit de weg te gaan. Misschien hebben we gemerkt dat het niet aangenaam is om onze verantwoordelijkheid te nemen voor onze minder heilzame gedachten en gedragingen jegens onze partner. We vinden het bepaald niet prettig om toe te geven dat we ons hebben misdragen of dat we fout zaten. Ik weet van mezelf dat de nederige daad van sorry zeggen slechts voor speciale gevallen is gereserveerd, ondanks het feit dat ik me ervan bewust ben dat de kans op een week van vlekkeloze onbaatzuchtige deugdzaamheid uiterst gering is.

Onze natuurlijke reactie is om onze verantwoordelijkheid niet onder ogen te willen zien. We leiden onszelf af zodat we niet hoeven na te denken over ons eigen aandeel in de moeilijkheden: ongemakkelijke schuldgevoelens kunnen we de kop in drukken door over te gaan op het volgende belangrijke programmapunt of met een bak ijs naar een soap te gaan kijken. Het is vaak makkelijker om onze partner te beschuldigen, ook al kunnen we zo terechtkomen in een vastgeroest patroon van wrok en verwijt en eenmaal daarin beland, nemen we niet meer de tijd om ons eigen aandeel te onderzoeken. We weten dat we in dat vastgeroeste patroon zijn terechtgekomen wanneer we alleen nog maar negatieve gedachten over onze partner koesteren, ondanks het feit dat het niet erg aannemelijk is dat onze partner geen enkele positieve eigenschap zou hebben.

Verantwoordelijkheid nemen gaat over 'stoppen en realiseren'. Beide partners moeten stoppen en zich afvragen of hun gedrag naar elkaar heilzaam is. Positief gedrag bevordert de liefde; negatief gedrag bevordert het gevoel van afgescheidenheid. We weten allemaal wat dat inhoudt, positief gedrag: we tonen onze interesse, we besteden tijd en aandacht aan de ander, we uiten onze waardering voor elkaar en zoeken manieren om elkaar gelukkig te maken. Positief gedrag is niet zozeer iets wat we moeten leren, als wel iets waarvan we ons voortdurend de noodzaak moeten realiseren.

Meredith, een boeddhistische moeder, heeft ontdekt dat wanneer haar echtgenoot in een slecht humeur is, zij met haar reactie het hele huishouden in een conflict kan storten. Meredith is bezig te leren de verantwoordelijkheid voor haar aandeel in de conflicten op zich te nemen.

Als mijn echtgenoot een zware dag heeft gehad op zijn werk, kan hij nogal somber en humeurig thuiskomen. Mijn reflexmatige reactie is om dit afschuwelijk te vinden en het hem erg kwalijk te nemen dat hij de sfeer in huis vergalt met zijn norse gezicht en dreigende houding. Wat ik onder ogen moest zien, was dat de sfeer in huis minstens zozeer vergald werd door mijn weigering me aan te passen aan zijn stemming als door zijn stemming zelf. Door hem erop aan te spreken, werd zijn stemming alleen nog maar explosiever en ik verspreidde ook nog eens mijn eigen negatieve sfeer door het huis. Ten eerste moest ik gaan inzien dat negatieve buien een natuurlijk onderdeel zijn van het leven en dat hij er net zo goed als ik af en toe recht op heeft, en ten tweede dat zijn bui altijd weer overgaat en niet altijd onmiddellijk de kop in gedrukt hoeft te worden. Ik moest leren om mijn eigen reactie in de hand te houden en niet meteen de confrontatie aan te gaan waardoor de situatie vaak escaleerde. Door mijn reacties op zijn slechte humeur gewaar te zijn, werd ik me bewust van mijn haatgevoelens voor mijn echtgenoot, dat ik hem demoniseerde omdat hij niet volmaakt was. Ik voelde geen compassie voor het feit dat hij onder druk stond – het valt niet mee om thuis te komen van een slopende dag op je werk en je vol liefde aan je gezin te moeten wijden.

Het is niet zo dat hij ongestraft zijn gang kan gaan. Er zijn momenten waarop hij op de juiste manier aangesproken moet worden op zijn slechte buien, het liefst wanneer de kinderen in bed liggen. Ook hij moet zijn verantwoordelijkheid nemen voor zijn gedrag in huis. Het gaat erom dat we dat beiden moeten doen en dat het destructief kan werken om mezelf af te schilderen als het altijd en eeuwig verongelijkte slachtoffer dat met een monster moet samenleven.

Er zijn ongetwijfeld momenten waarop je partner fout zit, maar als wij ons deel van de verantwoordelijkheid voor onze problemen op ons nemen, dan kunnen we leren, groeien en de relatie verbeteren. Het komt zelden voor dat een van de partijen volkomen vrij van blaam is. Ik weet voor mezelf dat wanneer ik het met Marek over een probleem moet hebben, het hem ontwapent als ik kan beginnen met iets van mijn eigen schuld toe te geven. Ik zeg dan bijvoorbeeld: 'Ik weet dat ik Zac nog niet heb kunnen leren om zijn eigen speelgoed op te ruimen, maar het is waarschijnlijk een goed idee om wanneer je de baby op je arm hebt goed uit te kijken waar je loopt.' Wat waarschijnlijk minder provocerend is dan: 'Mijn hemel, kijk toch 's uit waar je loopt!'

We moeten onderzoeken wat de intentie achter ons gedrag naar onze partner is. Kunnen we redelijkerwijs verwachten dat onze intenties tot positief karma leiden of zorgen ze ervoor dat ons hart zich verhardt? En wat zijn de effecten van ons gedrag – op onszelf en op anderen? Meer verantwoordelijkheid nemen betekent dat je niet alleen leert luisteren naar de woorden die je uitspreekt, maar ook naar wat je tegen jezelf over je relatie zegt. Het betekent ook dat je inziet dat je reacties niet onvermijdelijk zijn – het zijn de reacties die jij kiest.

We moeten toegeven dat er dagen zijn dat we alleen maar geïnteresseerd zijn in onze eigen wereld en ons eigen welbevinden, dat we totaal geen aandacht hebben voor de beleving van onze partner. En er zijn dagen dat onze partner totaal geen aandacht heeft voor ons; en als dit te vaak gebeurt, moeten we het juiste moment kiezen om het erover te hebben en onze woorden met zorg kiezen. Het

belang van de juiste woorden kan niet worden overschat en verder-
op in dit hoofdstuk komen we terug op wat de Boeddha over dit
deel van het Achtvoudige Pad heeft gezegd.

Van jezelf houden

Of we het ons nu bewust zijn of niet, vaak behandelen we anderen
op dezelfde manier als onszelf. Als we niet naar onze eigen pijn willen kijken, hebben we ook niet de neiging andermans pijn diep-
gaand te onderzoeken. Als we streng en kritisch zijn tegenover onszelf, kan deze houding zich ook uitstrekken naar anderen. Daarom
is compassie jegens onszelf de basis voor compassie in al onze relaties, met inbegrip van onze partnerrelatie. Daarbij komt nog dat
we vanwege een gebrek aan compassie met onszelf afhankelijk en
eisend kunnen zijn naar onze partner. We verwachten dan dat onze partner ons geeft wat we onszelf niet kunnen geven.

Het boeddhisme biedt verschillende mogelijkheden om liefde
voor jezelf te ontwikkelen. Tijdens onze meditatie op liefdevolle
vriendelijkheid of door de dag heen kunnen we onszelf herinneren
aan onze goedheid. We halen ons weer voor de geest hoe we eerder
een edelmoedige daad hebben verricht en ontdekken zodoende
een dwingende reden om meer van onszelf te houden. We herinneren onszelf aan ons vermogen om lief te hebben en ontsluiten
hiermee een bron van trots doordat we onze gebruikelijke stroom
van veroordelende zelfkritiek onderbreken. Misschien hebben we
ooit geleerd dat we het eerst moeten 'verdienen' om van onszelf te
houden, dat we ergens in moeten uitblinken of dat anderen van
ons moeten houden. Het is een bevrijdend gevoel als je kunt over-
schakelen op houden van jezelf omdat je op de buurkinderen hebt
gepast of omdat je compassie hebt gevoeld met iemand of iemand
hebt geholpen.

Een andere manier om de liefde voor jezelf te laten opbloeien,
is mediteren op je boeddhanatuur of jezelf gewoon herinneren aan
je boeddhanatuur. We beschikken allemaal over de mogelijkheid

om te erkennen dat er zich in ieder van ons een volmaakt liefdevol en wijs wezen bevindt. Wanneer we in contact staan met onze boeddhanatuur en de enorme liefde die ervan uit kan gaan, naar onszelf en anderen, is het niet meer zo nodig dat onze partner ons op de voorgeschreven manier zijn liefde toont.

Veel moeders zijn teleurgesteld omdat hun partner hun niet de liefde geeft die ze nodig hebben. Het kan zijn dat onze partner ons teleurstelt op het gebied van intieme gesprekken, medeleven tonen en rekening met ons houden of niet-seksueel getinte affectie. Het probleem hoeft echter niet te liggen in een gebrek aan liefde in het hart van onze partner. Vaak gaat het om het onvermogen die liefde te uiten op de manier waar wij zo naar verlangen. Door liefde te putten uit onze eigen boeddhanatuur ontdekken we onze eigen bron van volmaakte liefde en kunnen we beter in onze eigen behoeften voorzien.

Het vermogen, en de mogelijkheid, om te genieten van alleenzijn is ook belangrijk voor het ontwikkelen van compassie. We zijn het gewend om speciaal tijd te maken voor onze dierbaren, omdat we weten dat de relatie dit nodig heeft. Waarom zouden we dan geen tijd vrijmaken voor de belangrijke relatie die we met onszelf hebben? Meditatie en gewaar-zijn geven ons de mogelijkheid wat ruimte te maken voor deze relatie, die op haar beurt al onze andere relaties voedt.

Liefde is eerlijk: het verdelen van het huishouden

Kinderen zorgen voor een ontzettende hoeveelheid extra huishoudelijk werk en een eerlijke verdeling hiervan is in de meeste huishoudens een bron van conflict. Vaak genoeg lezen we de verhalen over de woede en uitputting van moeders die het gevoel hebben dat het huishouden niet eerlijk is verdeeld en dat ze veel te veel moeten doen. Een groot aantal vrouwen geeft een eerlijke verdeling bij voorbaat al op, andere blijven zich erover opvreten. Velen van ons beginnen aan een relatie in de verwachting dat het een relatie tussen twee gelijkwaardige partners zal zijn en voelen zich achteraf bedrogen.

En dan zijn er nog de partners die – hetzij door onwillige werkgevers, hetzij door een gebrek aan interesse – te weinig tijd met hun kinderen doorbrengen en daardoor ook ons te weinig van die waardevolle kindervrije uren bezorgen waar we zo naar snakken. Hoewel sommige partners heldhaftige pogingen ondernemen om ons die dik verdiende vrije uren te gunnen, zijn er ook heel wat die niet met de kinderen alleen willen blijven en ons met een schuldgevoel het huis uit laten gaan. In de meeste huishoudens worden beide partners op de proef gesteld door de eisen die het gezinsleven aan hen stelt, maar het is hoofdzakelijk de vrouw die aan het kortste eind trekt als het gaat om zaken als slaap, vrije tijd en huishoudelijk werk. We hebben het waarschijnlijk lang niet zo zwaar als onze moeders, maar de strijd is nog lang niet gestreden.

Het is begrijpelijk dat moeders vaak denken dat het boeddhisme, met zijn nadruk op geven, helpen en houden van, hen tot onderdanige voetvegen zal maken. Hoe kunnen we spirituele deugden ontwikkelen als we het risico lopen te worden uitgebuit? Hoe kunnen we tot een eerlijke verdeling komen als we niet kwaad worden? Hoe kunnen we zuivere liefde voor onze partner voelen als hij geen rekening houdt met onze gevoelens ten aanzien van hoe wij willen leven? Dit zijn lastige vragen, waar velen van ons zich dagelijks over opwinden; anderen kiezen voor hun gemoedsrust en geven het op.

Het boeddhisme onderkent het unieke van elke situatie en geeft dus ook geen concrete oplossingen voor dergelijke problemen. Het verlangt van ons dat we ons oordeelsvermogen gebruiken. Globaal genomen is het enige wat we kunnen doen, op zoek gaan naar liefdevolle en heilzame manieren om onze problemen op te lossen. Toch staat vanuit boeddhistisch standpunt gezien één ding als een paal boven water: kwaad worden is niet de oplossing. Hoewel het vaak wel onze gebruikelijke reactie is om kwaad te worden wanneer we ons in een oneerlijke situatie bevinden, gaat het boeddhisme ervan uit dat het kwaad-zijn ons zoveel schade berokkent – aan ons geluk, onze gezondheid, onze spirituele ontwikkeling – dat het de eventuele baten niet waard is.

Wat kunnen we daar nu mee? Moeten we oneerlijke situaties gewoon geduldig over ons heen laten komen? Als we iets kunnen doen om ze te veranderen, hoeven we volgens het boeddhisme de negatieve omstandigheden niet te accepteren. Neem bijvoorbeeld dit bekende vers uit de *Guide to the Boddhisatva's Way of Life* van Shantideva:

> *Als iets kan worden verholpen,*
> *Waarom zou je er dan ongelukkig over zijn?*
> *En als er geen remedie mogelijk is,*
> *Dan nog heeft het geen zin om ongelukkig te zijn.*

Om kort te gaan, we doen wat we kunnen en zijn daarna gewoon gelukkig. Als we de hoop allang hebben opgegeven dat onze partner ooit nog zal veranderen en we kunnen, om wat voor reden dan ook, niet bij hem weg, dan oefenen we geduld en acceptatie. Persoonlijk zou ik, na al die jaren van feministische strijd door de dappere vrouwen die me zijn voorgegaan, mijn aandacht liever richten op het onderzoeken van de mogelijke remedies. Voor sommigen is de remedie een werkster nemen, voor anderen het opstellen van een rooster en voor weer anderen eindeloos blijven onderhandelen. Om vijandige confrontaties te vermijden, valt te denken aan een rustig gesprek, waarin we eerst kunnen ingaan op wat onze partner wel al doet en zelfs op zijn moeilijke situatie, alvorens meer van onze partner vragen. Als we niet in staat zijn een rustig gesprek te voeren over dit hete hangijzer, kunnen we denken aan een zorgvuldig opgestelde en goed doordachte brief aan onze partner.

Als we met onze partner gaan praten of onderhandelen, dan zou de boeddhistische leer ons op het hart drukken om dat met compassie te doen. Het is makkelijk om ons vooral te richten op ons eigen lijden, dat vaak zoveel groter voelt dan dat van onze partner. Onze partner is echter ook een mens en lijdt dus ook. Het kan ons alleen maar helpen om de tijd te nemen ons te verdiepen in de manier waarop onze partner lijdt en compassie en zorg te kunnen voelen. Als dit een onmogelijke opgave lijkt, denk dan eens aan de Tibetaanse ambtenaren die als voorbereiding op een ontmoeting met de Chinezen aan hun compassie werken zodat ze hen vanuit heelheid kunnen benaderen. Gezien de wandaden van China tegen Tibet kan dit een enorme bron van inspiratie zijn.

Hoewel edelmoedigheid een belangrijke kwaliteit is in het boeddhisme, moeten we nog wel ons oordeelsvermogen gebruiken. Een liefdevol gezin is een gezin waar ieder lid een bijdrage levert en niemand zich onderdrukt voelt. Als we het gevoel hebben dat we een onevenredig deel van de last te dragen krijgen, dan is het niet liefdevol tegenover onszelf om dat te accepteren – geven moet wel heilzaam blijven. Door toe te staan dat gezinsleden lui worden, creëren ze negatief karma voor zichzelf; ze ontwikkelen negatieve gewoontes die onderdeel gaan uitmaken van hun karakter. Karma – het gegeven dat onze daden bepaalde gevolgen hebben – is niet alleen van invloed op onze gezinsleden, maar ook op grotere maatschappelijke verbanden en toekomstige generaties. Als onze kinderen vrouwen als huishoudelijke hulp leren zien, zullen niet alleen onze dochters en hun dochters hier de ellende van ondervinden, maar ook onze zoons, die op die manier de maatschappelijke ongelijkheid tussen mannen en vrouwen bestendigen en bijdragen aan de spanningen tussen de seksen.

Een spirituele vriendin van me gelooft dat er in de meeste relaties wel een rol is weggelegd voor geduld en acceptatie. Ze heeft net haar thesis over de problemen binnen het moderne huwelijk afgerond en zegt:

De problemen rond gelijke verdeling in het huwelijk moeten we in een historisch perspectief plaatsen. We kunnen een hoop energie verspillen met kwaad zijn omdat we ons op een bepaald punt in de geschiedenis bevinden in plaats van een stuk verder. Het is alsof je zegt dat je je doctoraal wilt halen en dan kwaad wordt omdat je het nog niet hebt. Als vrouwen kunnen we ons verheugen over de enorme vooruitgang die er binnen een enkele generatie heeft plaatsgevonden en in plaats van ons kwaad te maken er alles aan doen om vooruit te blijven gaan.

Er zijn geen kant-en-klare of volmaakte antwoorden – zoals we weten is het zeer complex. Het boeddhisme geeft ons geen instructies, maar geeft ons wel een aantal bruikbare richtlijnen waarmee we onze problemen kunnen oplossen en voorkomen dat ze uit de hand lopen.

Juist spreken

Juist spreken is een van de onderdelen van het Edele Achtvoudige Pad. Het is interessant dat de Boeddha er niet voor heeft gekozen om het onder te brengen bij de categorie 'juist handelen', ondanks het feit dat spreken onmiskenbaar iets is wat we doen en dus onder het handelen zou moeten vallen. Blijkbaar vond hij dat spreken extra aandacht verdiende en dat is niet moeilijk te begrijpen. Als we terugdenken, zien we dat we nog steeds gekweld kunnen worden door bepaalde opmerkingen die misschien wel tientallen jaren geleden zijn gemaakt. De Boeddha noemde de menselijke spraak een aks, een precisie-instrument en een machtig wapen dat grote schade kan aanrichten. Het boeddhisme kent tien kwaden, waarvan drie van het lichaam, drie van de geest en vier van de tong, namelijk liegen, kwaadspreken, vloeken en doelloze praat.

iv Lieg niet, maar wees eerlijk. Spreek de waarheid met beleid, zonder angst en vanuit een liefdevol hart.

v Verzin geen kwade geruchten en spreek ze ook niet na. Ga niet op zoek naar andermans gebreken, maar heb oog voor de goede kanten van je medemensen, zodat je hen oprecht kunt verdedigen tegen hun vijanden.

vi Vloek niet, maar druk je beschaafd en waardig uit.

vii Verdoe je tijd niet met kletspraat, maar beperk je tot wat relevant is of zwijg.

Zie appendix 4 voor de volledige lijst met de Tien Kwaden.

Juist spreken is van onschatbare waarde voor alle aspecten van ons leven, maar met name voor de thuissituatie. Meer dan in onze andere relaties het geval is, kunnen we in onze partnerrelatie vrijuit spreken en onszelf zijn. Tegenover onze partner is het gepaster om de problemen direct aan de orde te stellen, gelukkig wel. Als we al onze grieven jegens onze vrienden net zo makkelijk aan de orde zouden stellen als bij onze partner, konden we wel eens snel zonder vrienden komen te zitten. De keerzijde van deze vrijheid om ons te uiten is, zoals de meesten van ons maar al te goed weten, dat het de kans op conflicten vergroot.

Door juist te spreken houden we de kans op conflicten wat in de hand. Onze manier van spreken is aanstekelijk. Wanneer wij op een geïrriteerde manier praten, is de kans groot dat er ook een geïrriteerde reactie komt. Wanneer je partner je opgewekt begroet, is de kans groot dat jij je wat ontspant en op dezelfde manier reageert, ongeacht hoe je je daarvóór voelde. Onze manier van spreken is van invloed op de sfeer in huis en dat is belangrijker dan we ons misschien realiseren. Uit onderzoek door de Flinders Universiteit en de La Trobe Universiteit onder zevenhonderdvijftig Australische gezinnen verricht, bleek dat de sociale en emotionele sfeer in huis de belangrijkste bepalende factor was voor een positieve sociale ontwikkeling van pubers. Deze bevindingen kwamen overeen met vergelijkbaar onderzoek dat in andere delen van de wereld is gedaan.

In onze manier van spreken komen onze houding en onze vooroordelen tot uiting, en net zoals we proberen ons bewust te zijn van onze houding en onze vooroordelen, moeten we ons ook proberen bewust te zijn van onze manier van spreken en het effect ervan. Mijn echtgenoot hoort hoe ik anderen bekritiseer, me beklaag over mijn problemen, tekeer blijf gaan over mijn obsessies en mijn zelfbeheersing verlies. Als ik onze gesprekken uitpluis, is het niet moeilijk om de gebieden te ontdekken waarop mijn spirituele beoefening meer aandacht behoeft. Een interessante oefening die in sommige boeddhistische scholen wordt gebruikt is de 'één-minuut' oefening, waarbij twee mensen een gesprek voeren, maar steeds één minuut pauze inlassen alvorens op de ander te reageren, als manier om te oefenen een constructief en zinvol gesprek met elkaar te voeren. Als moeder hebben we niet de tijd voor dergelijke oefeningen, maar we kunnen misschien wel de tijd vinden om een kortere pauze in te lassen voordat we onze mond opendoen.

Wat is dan de omschrijving die de Boeddha ooit heeft gegeven van juist spreken? Ten eerste heeft hij gezegd dat onze manier van spreken *eerlijk* moet zijn. Dit duidt erop dat onze interactie open, oprecht en ongekunsteld moet zijn en dat we niet moeten liegen. Vervolgens heeft hij gezegd dat onze manier van spreken *vriendelijk* en *zachtmoedig* moet zijn. We moeten ons weerhouden van grof taalgebruik en dus een manier van spreken vermijden die boosaardig, schadelijk of egocentrisch is. Onze manier van spreken moet ook *opbouwend* zijn. Dit houdt in dat we niet roddelen, geen vertrouwelijke mededelingen doorvertellen en niet voortrazen zonder enig respect voor de behoeften of belangen van de luisteraar. Een van de moeders vertelt welke verandering dit onderricht voor haar heeft betekend:

> Ik realiseerde me dat ik moest ophouden met vloeken. Als mijn manier van spreken vriendelijk, zachtmoedig en opbouwend moest zijn, dan moest ik er de bezem doorheen halen. Niet dat ik nou zo grofgebekt was, maar sommige woorden stoken de zaak gewoon op.

Ze gaf enkele voorbeelden.

> Ik moest niet meer zeggen dat ik 'pislink' was en dat het iemand 'geen reet kon schelen'. Ik moest ophouden tegen mijn echtgenoot uit te weiden over alle 'sukkels, gestoorden en imbe-

cielen' die ik was tegengekomen – hoe kon ik ook ooit compassie gaan voelen als ik dergelijke woorden gebruikte. Grof taalgebruik kan ervoor zorgen dat je kwader klinkt dan je in werkelijkheid bent en de spanning onnodig opvoeren. En als je in staat bent überhaupt niet meer in dergelijke negatieve termen te denken, heb je een grote stap in de richting van gelijkmoedigheid gezet.

Het is ook de moeite waard om de volgende boeddhistische principes in gedachten te houden:

- **De juiste persoon.** Soms hebben we de neiging te veel te zeggen wanneer we onze aandacht eigenlijk naar binnen zouden moeten richten. Als we onze problemen altijd voorleggen aan onze partner, of iemand anders, kan het zijn dat we vergeten om naar de antwoorden in onszelf te kijken; we sluiten ons af voor onze intuïtie. Anderen kunnen ons overstelpen met hun adviezen, meningen en verhalen totdat we onze eigen innerlijke stem niet meer horen. Aangezien we allemaal verschillend zijn wat betreft onze behoefte aan open communicatie en het aantal mensen met wie we communiceren, moeten we hierin zelf het juiste midden zien te vinden.
- **De juiste plaats en het juiste tijdstip.** Mark is net tekeergegaan tegen zijn driejarige zoontje, dat per ongeluk met zijn ontbijt knoeide. Sharon vindt dat Mark overdreven reageert op iets wat gewoon een ongelukje was en spreekt hem er onmiddellijk op aan. Mark voelt zich aangevallen en valt op zijn beurt Sharon aan. Ze hadden het hele conflict kunnen vermijden als Sharon Mark de kans had gegeven om zijn woede wat te laten zakken en had gewacht tot een wat rustiger moment om het over de eisen te hebben die je aan een peuter kunt stellen. We moeten goed nadenken over het moment waarop we onze zorgen kenbaar willen maken. Het moment waarop ze bij ons opkomen, is niet altijd het beste moment om ze naar voren te brengen. Wanneer onze partner ons bekritiseert, is het mis-

schien niet verstandig om direct in de verdediging te gaan. Als we achteraf, na erover te hebben nagedacht, van mening zijn dat we ten onrechte zijn bekritiseerd, kunnen we erop terugkomen, op een moment dat de lucht weer wat is geklaard en we tot bedaren zijn gekomen. Het helpt om ons niet te laten meeslepen in een verhitte discussie – problemen worden zelden op die manier opgelost. Zelfbeheersing is een dikwijls vergeten deugd.

◆ **Het juiste onderwerp.** Om het over het juiste onderwerp te kunnen hebben, moeten we ons bewust zijn van het belang van de luisteraar en de bedoelingen achter onze woorden. Voordat we onze mond opendoen, kunnen we even pauzeren om onszelf de vraag te stellen: 'Waarom zeg ik dit? Probeer ik te helpen, te bekritiseren, op te scheppen, te manipuleren, te beïnvloeden, te kwetsen?'

Hoe eenvoudig het ook klinkt, we moeten onszelf er steeds aan herinneren minder te klagen en meer uiting te geven aan onze waardering. Dit doet wonderen voor de sfeer in huis. Een van de moeders beschrijft hoe dit bij hen ging.

> *Al jarenlang koesterde ik de wens dat mijn echtgenoot meer waardering voor me zou hebben, wat liever tegen me zou doen, me vaker zou vertellen wat hij leuk aan me vond – het maakte niet uit wat. Op het spoor gezet door een goed boek, begon ik hem te vertellen wanneer ik hem er aantrekkelijk vond uitzien, hem te bedanken voor zijn positieve eigenschappen, hem vaker te omhelzen. Misschien heb ik gewoon geluk gehad, maar hij begon me inderdaad ook zelf deze kleine attenties te bewijzen. Ik kan het nauwelijks geloven dat het zo simpel was om ons huwelijk op een gelukkiger spoor te krijgen. Al die verloren jaren!*

Kort samengevat, voordat we beginnen te praten moeten we onszelf afvragen: 'Is wat ik ga zeggen waar? Is het vriendelijk? Is het heilzaam? Kan het kwaad doen? Is dit het juiste tijdstip? Moet ik überhaupt iets zeggen?' Door onszelf deze vragen te stellen, kunnen we leren van onze fouten, die in mijn geval talrijk zijn. Het zal nog wel een tijdje duren voordat ik juist spreken volledig beheers, maar ik kan in ieder geval wel alvast mijn voordeel doen met de vorderingen die ik toch ook steeds weer maak.

Sommige boeddhisten vinden het behulpzaam om zachter of langzamer te spreken, alleen al om zichzelf eraan te herinneren dat ze op hun manier van spreken moeten letten, andere doen meer hun best om pauzes in te lassen, doelbewust een seconde te wachten voordat ze antwoorden. Het is niet de bedoeling het plezier in onze gesprekken te vergallen door op eieren te moeten lopen. De inzet om het steeds beter te gaan doen kan ons echter wel de pijn van de spijt achteraf en een negatief karma besparen.

Luisteren

Werkelijk luisteren, volledig aanwezig zijn voor iemand, is een krachtige uiting van liefde. Wanneer iemand naar je luistert – stil, aandachtig en zonder oordeel – is dat een groot geschenk. Het geeft je de mogelijkheid jouw werkelijkheid te onderzoeken, ideeën te ontdekken, te verbreden en uit te werken. Je hebt de mogelijkheid om creatief te zijn. Het is een mogelijkheid om je last te delen. Wat een groot geschenk kan de eenvoudige handeling van luisteren binnen een partnerrelatie zijn.

Voor de meesten van ons is geduldig luisteren echter niet iets wat ons gemakkelijk afgaat. Hoeveel mensen ken je die goed kunnen luisteren, die je kunnen laten praten en je vergezellen op je reis? En hoe voel je je wanneer dit gebeurt? Beter, bevrijd, blij? Luisteren is een vaardigheid en zoals met alle vaardigheden het geval is, vergt het oefening en het vermogen te leren van je fouten.

We willen ons allemaal begrepen en geliefd voelen om wie we zijn. Door ons in te zetten om te leren luisteren, kunnen we onze partner beter gaan begrijpen en kan de liefde voor elkaar zich verdiepen. Wanneer we het gevoel hebben dat onze partner ons hoort en ons begrijpt, en vice versa, hebben we het vertrouwen dat we elkaar nog steeds interessant vinden. We begeven ons op gevaarlijk relatieterrein wanneer we niet meer naar elkaar luisteren.

Ironisch genoeg is luisteren naar degenen die ons het meest na staan vaak het moeilijkst. Wat onze partner betreft: aan het begin van de relatie, toen de onthullingen nog nieuw waren, was het veel makkelijker om naar elkaar te luisteren. We waren bezield en de hormonen van een nieuwe liefde deden hun werk. Na verloop van tijd doen de oude gewoontes van het halfslachtige luisteren weer hun intrede: we luisteren op de automatische piloot en misschien nog wel meer naar onszelf dan naar wat onze partner tegen ons zegt.

We veronachtzamen de waarheid van de vergankelijkheid en gaan ervan uit dat we wel weten wie onze partner is en wat hij te zeggen heeft. Of we laten ons begrip vertroebelen door onze eigen verwachtingen, behoeften en oordelen. Om goed te kunnen luisteren, moeten we erkennen dat we nooit alles weten wat er van iemand te weten is. Iedereen die we kennen maakt elke dag een subtiele verandering door. Luisteren doet een beroep op onze verbeelding, het vraagt onze bereidheid om de werkelijkheid van onze partner te betreden.

De momenten waarop we luisteren, zijn momenten van meditatie, in de zin dat we dan relatief stil zijn en ons concentreren. Luisteren is een vorm van gewaar-zijn waarbij we onze aandacht concentreren op de ander. Misschien merken we dat onze geest afdwaalt, oordeelt of een snelle oplossing wil aandragen; we keren echter steeds weer terug naar de werkelijkheid van degene die aan het woord is. We zijn alle aspecten van hun boodschap gewaar: de lichaamstaal, de intonatie en, het belangrijkst, de onderliggende gevoelens die in de woorden doorklinken.

Om mensen het vertrouwen te geven op basis waarvan ze hun verhaal aan ons kwijt willen, moeten we de controle over het gesprek loslaten. We proberen te reageren vanuit compassie en de bijdrage van ons 'zelf', ons ego, verdwijnt naar de achtergrond. Net zoals tijdens het mediteren, schorten we onze eigen oordelen op: niets is 'goed' of 'slecht'. Ook als we het ergens niet mee eens zijn of iets afkeuren, luisteren we naar de werkelijkheid van degene die aan het woord is. We geven onze eigen agenda op, samen met de behoefte om slim of wijs te klinken. We onthouden ons van onderbrekingen, betuigingen van medeleven, adviezen of onszelf weer tot onderwerp van gesprek maken.

Vragen stellen is vaak een manier om het gesprek te beheersen of onze eigen nieuwsgierigheid te bevredigen. Laat degene die aan het woord is zelf bepalen wat hij of zij wil onthullen. Een goede manier om te zorgen dat je niet toch je eigen agenda volgt, is om samen te vatten wat de ander zegt of wat je denkt dat hij of zij voelt. Je kunt bijvoorbeeld op de situatie reageren met: 'Dat klinkt nogal frustrerend.' De ander kan dan opgelucht zijn vanwege het gevoel dat hij of zij wordt begrepen en wil dan misschien meer vertellen.

Net zoals met juist spreken kunnen we ervan leren om terug te denken aan onze gesprekken en onszelf de vragen te stellen: 'In hoeverre heb ik echt aandachtig geluisterd? Zonder oordelen? Zonder mijn eigen mening en oplossingen te geven? Hoe geconcentreerd was ik?' Als goede luisteraar, iemand die de juiste concentratie en zelfbeheersing kan opbrengen, zijn we niet alleen een steun en toeverlaat voor onze partner, maar ook voor onze kinderen. Luisteren is een zekere weg uit eigenbelang, zelfingenomenheid en egocentrisme – het maakt je wereld een stuk groter.

Wat je kunt doen

- Accepteer dat alle relaties en alle personen binnen relaties goede en slechte tijden kennen; geen enkel stadium is blijvend.
- Durf zelf te beginnen met verbeteringen in je partnerrelatie.
- Onthoud dat je kinderen leren door naar jouw relatie te kijken.
- 'Stop en realiseer' als je vast komt te zitten in destructieve

gedragspatronen naar elkaar, zoals kibbelen, de ander beschuldigen of bekritiseren.

- Ga na of de liefde die je voor je partner voelt geen gehecht-heid is, of die liefde jullie een-zijn erkent en of er sprake is van liefdevolle vriendelijkheid, compassie, empathische vreugde en gelijkmoedigheid.
- Neem bij relatieproblemen verantwoordelijkheid voor je eigen aandeel.
- Realiseer je dat je zelf kunt kiezen hoe je reageert en dat je reacties niet het onvermijdelijke gevolg zijn van je situatie.
- Bekijk de zaak ook vanuit het standpunt van je partner en moedig je partner aan hetzelfde te doen met jouw standpunt.
- Onderken het belang van compassie voor jezelf – herinner jezelf aan je eigen goedheid en je boeddhanatuur.
- Maak tijd om te werken aan je relatie met jezelf. Geniet van het alleen-zijn.
- Ga op een heilzame manier – en niet met openlijke ruzies – op zoek naar een eerlijke verdeling van het huishouden en wei-ger genoegen te nemen met een regeling die jou onderdrukt en je gezinsleden aanzet tot onverantwoordelijk gedrag.
- Realiseer je dat je manier van spreken aanstekelijk is.
- Loop samen met je partner jullie gesprekken door op zoek naar spirituele gebieden die meer aandacht behoeven.
- Wacht even voordat je begint te spreken.
- Doe je best om de manier waarop je spreekt eerlijk, vriende-lijk, zachtmoedig en behulpzaam te laten zijn.
- Spreek tegen de juiste persoon – soms ben je dit zelf.
- Leer de waarde kennen van zelfbeheersing en uitstel.
- Spreek met inachtneming van de behoeften en het belang van degene die luistert.
- Kijk of je meer waardering kunt uiten voor je partner en min-der kritiek.
- Neem de tijd om zonder te oordelen, zonder het gesprek te onderbreken of in een bepaalde richting te sturen naar je partner te luisteren.

HOOFDSTUK 8

Je zelfbeeld verliezen
en geluk vinden

*A*L DIE UREN die ik heb zitten filosoferen over geluk. Hoe kunnen we geluk vinden? Hoe kunnen we het behouden? Is een gevoel van volmaakt geluk überhaupt wel mogelijk? Hoe vaak is het geluk dat we ervaren niet vermengd met angst. Hoe kunnen we het vasthouden? Verdienen we het wel? Hebben we wel het recht om gelukkig te zijn terwijl er zoveel mensen lijden?

Een hoop mensen zijn rijk geworden door hun 'tien sleutels tot geluk' op de markt te brengen. Bestaan er wel sleutels tot geluk? Op een gedenkwaardige avond legde een boeddhistische leraar iets uit wat bij mij binnenkwam als de eerste sleutel tot geluk. Het was een moment van realisatie waardoor ik me nog intensiever ging bezighouden met mijn boeddhistische beoefening. Ik had het gevoel dat ze me het eerste stukje had aangereikt van de puzzel van het geluk. Ze zei: 'Al het geluk dat we in de buitenwereld bijeensprokkelen, is slechts tijdelijk. Intens en duurzaam geluk moet van binnenuit komen.'

Terugdenkend aan de momenten van vrede en geluk in mijn leven, zie ik dat het waar is. Het geluk dat van buitenaf kwam, was meestal van tijdelijke duur en zelfs vermengd met angst. Toen Zac net was geboren en op mijn buik werd gelegd, had ik me nog nooit zo gelukkig gevoeld, maar weldra kwamen de twijfels en de zorgen. Blijft hij in leven? Wordt hij niet gestolen? Zal ik wel een goede moeder zijn? En binnen de kortste keren lag deze bron van geluk elke avond urenlang te krijsen en hij maakte me zo radeloos als ik nog nooit was geweest.

Waar we geen geluk vinden

'Geluk komt van binnenuit' klinkt misschien als een tegeltjeswijsheid. We hebben het allemaal wel eens gehoord, maar zelfs als we het ermee eens zijn, moeten we toegeven dat we veel meer tijd besteden aan onze zoektocht naar het geluk in de buitenwereld dan in onzelf. Om de een of andere reden zoeken we ons geluk altijd in de dingen buiten ons en zijn we niet in staat de waarheid tot ons te laten doordringen dat geluk op elk willekeurig moment mogelijk is.

Ons leven staat bol van de verlangens, verwachtingen en regelrechte eisen aan de wereld. We zeggen tegen onszelf dat de wereld ons moet voorzien van een liefdevolle partner, kinderen die ons met trots vervullen, vrienden die ons op handen dragen, een bevredigende carrière, vele bezittingen, regelmatige doses spanning en avontuur, en dat is nog maar het begin van ons eisenpakket. Als we ons onbevredigd voelen op een bepaald gebied, dan richten we speciaal hier onze aandacht op en geven we het de macht om ons ongelukkig te maken. Als we op een van deze gebieden succes hebben, dan kan dat ons vervullen met een groot geluk – maar dat is niet blijvend.

Ook al voldeed het leven aan onze verwachtingen, dan nog zouden we de lat hoger leggen en vinden dat we meer willen hebben. Nu het ons is gelukt om aan een aangenaam huis te komen, kunnen we net zo goed inzetten op een droomhuis – dán kunnen we gelukkig zijn, dán zullen we voor eens en voor altijd vrede kennen.

Het utopiesyndroom

We blijven onszelf voor ogen houden dat geluk wel mogelijk is, maar zich altijd in de toekomst bevindt, net buiten handbereik. 'Als ik nou maar eenmaal van school af ben', wordt 'Als ik nou maar eenmaal een goede baan heb', en vervolgens 'Als ik nou maar eenmaal iemand heb gevonden van wie ik houd', enzovoorts, mogelijk ons hele leven lang. Wie van ons heeft er nooit gezegd: 'Als ik nou maar eenmaal kinderen heb, dan ben ik gelukkig'? We kwamen al snel tot de ontdekking dat kinderen een immense bron van vreugde waren, maar ook van ontelbare obstakels en beproevingen. Als het geluk zich altijd net buiten handbereik bevindt, kunnen we aan het eind van ons leven tot de ontdekking komen dat we onszelf nooit het geluk van het moment hebben gegund en dat we talloze gelegenheden om geluk te ervaren hebben laten passeren.

Voortdurend categoriseren we onze ervaringen als 'goed' of 'slecht'. Vervolgens proberen we ons leven zo in te richten dat we het 'slechte' uit de weg gaan en het 'goede' naar ons toe trekken. Ondanks al onze inspanningen wordt het een fiasco. Iedere zenboeddhist kan je vertellen dat het leven ons 'tienduizend vreugden en tienduizend ongelukken' aanreikt. We krijgen zowel met pijn als met genot te maken en we kunnen het ons dus niet permitteren om ons geluk te laten afhangen van de uiterlijke omstandigheden.

Op onze heldere momenten kunnen we zien wat er aan de hand is – deze eindeloze jacht op tijdelijk geluk is zinloos, maar wat kunnen we eraan doen? In plaats van ons innerlijke gemis te onderkennen, doen we nog meer ons best in de buitenwereld, omdat we blijkbaar nog meer nodig hebben van hetgeen daar wordt geboden. We kunnen onszelf ervan overtuigen dat we een wereldreis nodig hebben, een affaire of een opwindende wending in onze carrière. En daarmee zijn we weer terug in de spiraal van 'het van buitenaf willen krijgen'.

We rennen rond als gekken en slagen er misschien wel in om onszelf af te leiden van onze innerlijke wereld, maar uiteindelijk voelen we toch de behoefte om te stoppen en tijd te maken om gewoon te 'zijn'. Zo heeft de boeddhistische schrijfster Sylvia Boorstein een van haar boeken als titel gegeven 'Niet zomaar iets doen, maar Zitten'. Door te mediteren en bewust te leven, maken we weer contact met ons innerlijke zelf. Als we leren om ons geluk binnen onszelf te zoeken in plaats van het aan de uiterlijke omstandigheden te koppelen, kunnen we de kracht vinden om de beproevingen die het leven op ons afvuurt te doorstaan. De uitdaging is om te stoppen met het geluk buiten onszelf te zoeken. We moeten een innerlijke reis beginnen.

Geluk, of het gemis eraan, is een probleem waarmee een moeder wanhopig kan worstelen. Vooral wanneer het tweede kind is geboren. In het tijdschrift voor ouders *Sydney's Child* werden de bevindingen van een onderzoek gepresenteerd: '… de tevredenheid over het leven van vrouwen bereikt een absoluut dieptepunt in het jaar na de geboorte van het tweede kind. Ander onderzoek heeft uitgewezen dat bij een hoog percentage van de vrouwen met twee kinderen de hoeveelheid stress zodanig is, dat medische behandeling op zijn plaats zou zijn.'

Moeders besteden zoveel tijd aan alles wat er in het leven 'moet': het huishouden, de klusjes, het papierwerk, de telefoontjes, halen en brengen, de afspraken, de verjaardagen. We moeten alle gezinsleden de juiste aandacht geven en contact houden met een hele rits familieleden. Onze hersenen tollen van alle details en het voelt alsof ze elk moment kunnen exploderen.

Wat onze gezinsverantwoordelijkheden betreft zijn we verre van vrij om ons eigen geluk na te jagen. We hebben minder tijd voor een baan, hobby's en vrienden en we kunnen tot de ontdekking komen dat een 'gezinsvakantie' een contradictio in terminis is. Van tijd tot tijd wordt alle hoop op geluk voor een moeder verpletterd onder het gekrijs van een baby, een driftaanval van een peuter, de slaapproblemen van een dochter, het asociale gedrag van een zoon of het gebrek aan medewerking van een werkgever. Er komt geen eind aan de manieren waarop onze kinderen en anderen ons het leven zuur kunnen maken. Soms is geluk een zeer verre droom en beperken we onze wensen nederig tot 'een beetje rust'.

Als moeder vinden we zeer zeker ook nieuwe bronnen van geluk in de buitenwereld: zien hoe onze kinderen opgroeien tot kleine persoontjes, lachen om hun capriolen, misschien een nieuwe vriendenkring. Toch kan een moeder ook vast komen te zitten in de cirkel van het uitgestelde geluk en verlangen naar: 'Als ze nou maar eenmaal allemaal op school zitten', 'Als we dit stadium nou maar eenmaal achter de rug hebben', 'Als ze nou maar eenmaal uit huis zijn'.

Soms horen we meer ervaren moeders verzuchten: 'Ze zijn zo snel groot, vind je niet?' Sommigen van ons geloven het niet, maar toch is het zo: deze periode van ons leven gaat voorbij en dat maakt het waardevol. Anne Cushman, boeddhistisch schrijfster en moeder, begrijpt dit:

> *Is er een betere manier denkbaar om me met mijn neus op de waarheid van de vergankelijkheid te drukken dan om in een grillige en onverschillige wereld van een kind te houden? ... En zelfs als alles volkomen volmaakt verloopt, weet ik dat deze specifieke Skye – degene die kweelt en verwoed aan de snavel van zijn rubber eend sabbelt terwijl hij samen met me in bad zit te spetteren – zal verdwijnen als een schuimbad. Gisteren was hij een schoppende uitstulping in mijn buik terwijl ik baantjes trok in de warme julizon; morgen is hij een man van middelbare leeftijd die huilend mijn as verstrooit in een bergmeer.*

Zie appendix 5 voor haar verhaal over de verzorging van een pasgeboren kind vanuit een boeddhistisch perspectief.

Door ons geluk uit te stellen totdat de kinderen ouder zijn, verliezen we uit het oog hoe belangrijk dit stadium van ons leven is. Wanneer we eenmaal ouder zijn, en bijvoorbeeld door een fotoalbum bladeren met alle foto's uit hun jeugd, hebben we misschien spijt dat we niet ten volle hebben genoten van onze kinderen toen ze nog klein waren. Onderzoek toont steeds opnieuw aan dat de eerste jaren van het leven het belangrijkst zijn voor de psychologische en intellectuele ontwikkeling van kinderen – nog iets wat ons helpt onthouden hoe kostbaar de momenten met onze kleine kinderen zijn.

Het probleem met het zelfbeeld

Voordat we kinderen hadden, konden we ons leven zo inrichten dat we dingen deden die ons zelfbeeld voedden. Als we geen bevredigende carrière hadden, konden we altijd nog andere activiteiten ondernemen om onszelf een gevoel van vervulling en identiteit te geven. We waren jong en hadden het gevoel dat we eeuwig jong zouden blijven. Hoewel het leven nooit volkomen probleemloos verliep, was het een stuk lichter en waren er tal van afleidingen van de problemen van de wereld. Het was makkelijker om ons te verschuilen voor die eerste Edele Waarheid, dat er lijden en ontevredenheid bestaan – ouderdom, ziekte en dood waren het laatste waar we aan dachten.

Nu hebben we zelf kinderen. Velen van ons hebben hun carrière afgebouwd en het valt niet mee de tijd te vinden voor interesses buiten het gezin en werk. We kunnen onszelf opeens de vraag gaan stellen: 'Wie ben ik?' en het gevoel hebben het niet meer te weten. Hoe sprokkelen we nu ons zelfbeeld bij elkaar? Er zijn uitzonderingen, die prachtige moederdieren, maar voor de meesten van ons doet het ons zelfbeeld weinig goed om de hele dag bezig te zijn met de behoeften van onze kinderen. Een vriendin liet haar veeleisende driejarige dochtertje weten: 'Ik ben je slaaf niet!', waarop haar dochtertje antwoordde: 'Ja, dat ben je wel!'

Er zijn momenten waarop het ons met trots vervult om moeder te zijn, de momenten waarop we het gevoel hebben dat we het 'helemaal voor elkaar hebben'. Op andere momenten, wanneer we worden overspoeld door problemen met de opvoeding of wanneer we onze manier van leven opeens zien als een niet-aflatende stroom van opofferingen, krijgt ons zelfbeeld het zwaar te verduren. We hebben allemaal wel eens de jammerklachten van moeders gehoord: 'Ik heb zo weinig tijd voor mezelf; en wanneer ik tijd voor mezelf heb, ben ik zo moe dat ik er niets mee kan', 'Mijn carrière is naar de maan', 'Het enige wat ik nog doe is zorgen voor anderen' en, in het slechtste geval, 'Ik weet niet meer wie ik ben'. Allemaal symptomen van een zelfbeeld dat zwaar onder vuur komt te liggen.

In de woorden van mijn boeddhistische vriendin Joanne:

In de maanden na de geboorte van mijn tweede kind, toen mijn bekende zelf zich zo ver terugtrok dat ik me niet meer kon herinneren hoe het ook alweer voelde, dacht ik dat dit misschien wel was hoe het voelde om gek te worden. En in de daarop volgende maanden keek ik machteloos toe hoe de volmaakte moeder in mij een snelle en afschuwelijke dood stierf.

Hoe kan een moeder een positief zelfbeeld voeden op dagen die zijn gevuld met activiteiten om de kinderen te stimuleren, met het huishouden, de afspraken en de boodschappen? Veel moeders zoeken het antwoord in werk, maar is een baan wel een betrouwbaar iets om ons zelfbeeld op te baseren? Sommige banen doen ons zelfbeeld meer kwaad dan dat ze het oppeppen. Of de arbeidsvoorwaarden veranderen opeens, waardoor de bron van ons zelfbeeld van de ene op de andere dag droog komt te liggen. Daarbij kan het gegoochel met de combinatie kinderen en werk ons het gevoel geven dat we geen van beide taken goed doen.

Wat heeft het boeddhisme hierover te zeggen? Het boeddhistische standpunt ten aanzien van het zelfbeeld is in één woord samen te vatten: LOSLATEN. Het boeddhisme gaat zelfs nog verder en zegt dat het je zelfbeeld is, het vasthouden aan de overtuiging dat je in een bepaalde stabiele, consistente en permanente vorm bestaat, waardoor je je ellendig voelt.

Het najagen van een identiteit

Onze grote behoefte aan een identiteit is een hele last. We hebben het gevoel alleen iemand te kunnen zijn als we 'de moeite waard' of 'waardevol' zijn. We maken mentale lijstjes met al onze goede en slechte punten en volgen onze prestaties op de voet. We verwachten van onself dat we anders zijn dan hoe we onszelf nu zien. Niet veel mensen zullen willen toegeven dat hun doel in het leven het creëren van een positief zelfbeeld is. Dat is alsof je zegt: 'Het grootste deel van mijn energie stop ik in mijn streven om echt trots op mezelf te kunnen zijn.' Dit klinkt niet erg bewonderenswaardig, maar als we naar onze gedachten en gedragingen kijken, is dat in het gros van de gevallen wel wat we feitelijk doen. Het is goed mogelijk dat we het grootste deel van ons leven besteden aan het vervullen van onze hunkering naar een positief zelfbeeld.

Hoe vaak komt het niet voor dat we:

- ernaar streven een volmaakte moeder, werknemer, huisvrouw te zijn – ongeacht of dit een aanslag op onze lichamelijke of geestelijke gezondheid betekent?
- ons schuldig voelen wanneer we niet voldoen aan onze eigen verwachtingen?
- onszelf vergelijken met anderen?
- ons zorgen maken over wat anderen van ons vinden?
- overdreven reageren op zelfs maar een zweem van kritiek?
- de goedkeuring van anderen nodig hebben?

Misschien is het pas op ons sterfbed dat we ons eindelijk realiseren: ik ben mijn hele leven op zoek geweest naar eigenwaarde – er moet een betere manier van leven zijn geweest. Het boeddhistische perspectief zou zijn: waarom zou je je druk maken over een positief zelfbeeld als je niet eens een 'zelf' hebt? Dat wil zeggen dat er op een stabiele, consistente of duurzame manier geen wezenlijk Jij bestaat. De leer van *geen-zelf* lijkt in eerste instantie misschien wat bizar, maar als je je er eenmaal in hebt verdiept, sta je misschien verbaasd hoeveel waarheid erin doorklinkt.

Wie ben je nu eigenlijk?

Als het mogelijk zou zijn om een transcript van je gedachten te maken, zou het dan klinken als een monoloog voor een enkele acteur? Of zou het eerder klinken als een script voor meerdere acteurs die ieder hun eigen agenda hebben? Kijk eens naar de gedachtestroom van deze moeder.

Misschien moet ik Anne even bellen voor een praatje... ze is waarschijnlijk een beetje eenzaam, zo in haar eentje... ik heb alleen zoveel te doen, ik heb eigenlijk geen tijd... maar ze is altijd zo'n goede vriendin geweest en ik moet wat meer aandacht voor haar hebben... eigenlijk ben ik niet zo in de stemming voor een praatje, ik ben nogal moe... ik moet de boekhouder bellen.

Het is alsof er verschillende personen in ons hoofd zitten: de stem die voorstellen doet, de stem die een veto over de acties uitspreekt, de stem die je dwingt rekening te houden met andermans gevoelens – er zit een hele commissie waarvan de leden om de macht strijden. Deze rivaliserende stemmen kunnen je in verwarring brengen en tot besluiteloosheid leiden, of je kunt degene met de luidste stem gehoorzamen en je op een later tijdstip met de andere bezighouden.

Welke stem is je zelf? Alle stemmen bestaan in je eigen hoofd en toch lijken ze allemaal een andere persoonlijkheid te hebben. Kunnen we door te luisteren naar het gebabbel in ons hoofd één stem ontdekken die we na verloop van tijd consistent zouden kunnen noemen? Kan onze neiging om onszelf als een coherent geheel te beschouwen een illusie blijken te zijn?

Op zoek naar een zelf

Het boeddhisme tart ons: hoe rationeel is het geloof in een solide zelf dat blijft voortbestaan al met al? Om te beginnen, hoe zou je het zelf definiëren? Wat is het precies? Zou je bepaalde descriptieve etiketten gebruiken? 'Ik ben ongeduldig en pessimistisch, maar ook aanhankelijk en sociaal.' Als we onszelf aan de hand van dergelijke etiketten beschrijven, gaan we ervan uit dat we persoonlijkheidskenmerken hebben die in de loop van de tijd niet veranderen.

Toch verschilt onze neiging om ongeduldig, aanhankelijk of wat dan ook te zijn per dag. Geen van deze kenmerken staat voor de rest van je leven vast.

Misschien kunnen we ons zelf definiëren als het resultaat van onze vroegere ervaringen? Maar dan zijn we overgeleverd aan ons geheugen en dat is berucht om zijn onbetrouwbaarheid. Het is niet meer dan menselijk om met je verleden te foezelen: sommige herinneringen onderdrukken we, andere halen we voortdurend op en raken elke keer een beetje meer vervormd. We redigeren onze herinneringen, verfraaien ze en voegen details toe die ons goed uitkomen, maar misschien nooit echt hebben bestaan. Daarbij komt dat als we jaren later met dezelfde situatie worden geconfronteerd, we misschien volkomen anders reageren en er een heel ander verhaal van maken. Ook als ons geheugen waterdicht zou zijn, dan nog worden we niet bepaald door onze vroegere ervaringen. We zijn vroeger op school misschien de voetveeg geweest, maar het is onze eigen keuze of we ons met die ervaringen *identificeren* en ons voor de rest van ons leven het gedoodverfde slachtoffer laten zijn.

Kunnen we ons zelf dan definiëren aan de hand van de rollen die we vervullen? In sociale situaties vragen mensen ons 'wat we doen' om enig inzicht te krijgen in wie we zijn. Wat we doen geeft echter bij lange na niet een volledig beeld en zeker niet als we ons werk niet leuk vinden. Ook kunnen we ons zelf niet definiëren aan de hand van de rol van 'liefhebbende partner', 'loyale dochter' of 'competente moeder'. Ons vermogen of verlangen om een dergelijke rol dag in dag uit gedurende langere tijd te vervullen kan per keer enorm verschillen.

We hebben een lichaam dat los van anderen en de rest van de wereld lijkt te bestaan. Maar kunnen we dit lichaam beschouwen als een stabiel, consistent zelf? Gezien de veranderingen die ons lichaam ondergaat vanaf het moment van geboorte tot aan onze dood, en het feit dat er voortdurend cellen afsterven en worden vernieuwd, lijkt het lichaam niet de aangewezen plaats om op zoek te gaan naar een permanent en onveranderlijk zelf.

Mensen die beginnen met mediteren en hun ademhaling gebruiken als ankerpunt, komen al snel tot de ontdekking dat ze worden afgeleid door tientallen stemmen die stuk voor stuk van henzelf afkomstig zijn. Gedachten vliegen voortdurend allerlei verwarrende kanten uit. Tot hun verbazing komen ze tot de ontdekking dat hun 'zelf' de zaak niet onder controle heeft, net zoals het hun, of hun zelf, niet lukt om hun dromen te beheersen of te herinneren.

Er zijn talloze dingen waaraan we ons gevoel van zelf kunnen ontlenen. Welke moeten we kiezen? We kunnen ons gevoel van zelf aan andere mensen ontlenen en door de grond gaan wanneer blijkt dat ze ons niet mogen. Soms hebben we het gevoel dat ons zelf datgene is wat we in de spiegel zien: als we er minder aantrekkelijk *uitzien*, voelen we ons ook minder de moeite waard, minder waardevol. Misschien zijn we wat we eten, of wat we in ons dagboek schrijven, of hoe we ons gisteren hebben gedragen. Zijn we ons cv of zijn we de foto's in ons fotoalbum? Geen van dat alles en dat allemaal. Hoe langer we erover nadenken, hoe moeilijker het wordt om een manier te vinden om onszelf te definiëren.

De bevindingen

We komen dus tot de ontdekking dat het niet mogelijk is om een waterdichte definitie van ons zelf te vinden. In wezen zijn we een verzameling van allerlei verschillende stukjes die niet op een logische manier in elkaar passen, elkaar tegenspreken en die voortdurend veranderen. Jij oftewel je zelf is niet te traceren en is dus ook geen betrouwbare basis voor een gevoel van stabiliteit. Het zelf is geen stabiel object, maar een verzameling van interactieve processen, voortdurend in een proces van verandering, meer een verzameling werkwoorden dan zelfstandige of bijvoeglijke naamwoorden. Elk gevoel van zelf dat we op een gegeven moment kunnen hebben, is een eigen maaksel, zoals de Boeddha zich realiseerde toen hij onder zijn bodhiboom zat:

Het wezen waarin ik geloofde, was een verzonnen bouw-
werk! Ik heb een naam, een persoonlijke geschiedenis,
herinneringen, gedachten, emoties, dromen; maar als ik
goed kijk, zijn ze volkomen illusoir.

De boodschap lijkt hier te zijn dat we niet zijn wie we denken te zijn en dat we geen idee hebben van wie we werkelijk zijn. We bestaan gewoon niet op de manier dat we denken te bestaan.

Ondanks het feit dat er geen hard bewijs bestaat voor het bestaan van een zelf, gedragen we ons op een manier die ons kwetsbare ego beschermt en we beschouwen de wereld voortdurend in termen van 'ik' en 'mijn'. Het boeddhisme laat ons zien dat deze zoektocht naar een zelf ons ongelukkig maakt – we moeten het opgeven. Het is echter zo'n gewoonte geworden, zo automatisch, dat het moeilijk is om het los te laten.

Veel boeddhisten zijn van mening dat de leer van geen-zelf met grote behoedzaamheid moet worden onderwezen en moet worden aangepast aan het inzicht van de luisteraar om te voorkomen dat het verkeerd wordt begrepen. We zouden bijvoorbeeld de conclusie kunnen trekken dat we niet bestaan of er niet toe doen en dat niets er dus toe doet. Zodoende zou het boeddhisme abusievelijk kunnen worden begrepen als een leer die onverschilligheid en zich terugtrekken uit het leven predikt, wat absoluut niet de boodschap van de Boeddha is. De leer is gecompliceerd en druist tegen ons gevoel in; we moeten hem ieder voor onszelf aan een nader onderzoek onderwerpen.

Het goede nieuws van geen-zelf

Een deel in ons voelt zich bedreigd door het concept van geen-zelf, vanuit de veronderstelling dat het een ondermijning is van al onze inspanningen om 'de persoon die we nu zijn' te worden. Het hebben van een zelf is bekend terrein – we zijn eraan gewend om op deze manier te denken en er is een geestelijke revolutie voor nodig om dit idee terzijde te kunnen schuiven.

Een ander deel in ons reageert misschien opgelucht op deze leer van geen-zelf: eindelijk kunnen we onze omslachtige pogingen om onszelf te definiëren en om ons gekunstelde zelfbeeld te beschermen en te verdedigen opgeven. We hebben toch ook helemaal geen kostbaar zelfbeeld nodig? Nu kunnen we eindelijk al onze beperkende definities van ons zelf opsporen en afschaffen. Bijvoorbeeld: 'Ik heb de pest aan feestjes', 'Ik zeg wat mensen van me verwachten', 'Ik vermijd elk risico', 'Ik moet bij mijn familie op bezoek', 'Ik mag geen geld over de balk gooien'. Alle regeltjes die we in het verleden hebben toegepast en die bedoeld waren om ons gedrag aan banden te leggen, worden onbetekenend. Als we eenmaal inzien dat we een ware natuur hebben, onze boeddhanatuur, die achter onze valse voorstelling van wie we zijn schuilgaat, kunnen we onze kooi verlaten.

In het begin kan het verontrustend zijn om je te realiseren dat je geen zelf hebt – is het nog wel nodig om jezelf te beheersen, verantwoordelijk te handelen als er geen zelf meer is dat over het gedrag regeert – maar het boeddhisme leert ons dat we door de illusie van het zelf af te leggen onze ware natuur oftewel boeddhanatuur onthullen, en dat is onze natuur van wijsheid en compassie. Van hieruit kunnen we onszelf de vraag stellen: 'Wat is er op dit moment nodig?' in plaats van: 'Hoe reageer *ik* op dit soort momenten?' en elk nieuw moment ook als nieuw tegemoet treden vanuit een onbevangen *beginner's mind*. Dit is wat we als moeder doen op onze beste momenten, zegt Susan Murphy:

Het ouderschap zet vraagtekens bij vrijwel alles wat we denken te weten, om te beginnen bij wie we denken te zijn (en die we niet zijn!). Kinderen hebben een uitgesproken talent om onze rol aan diggelen te helpen, door keer op keer te eisen dat we er 'nu' helemaal voor hen zijn, ons leven ter hand nemen, moeilijkheden het hoofd bieden, van moment tot moment het bijzondere mysterie van 'de ander' onder ogen zien en oplossen. Om dit te kunnen doen, moeten we steeds opnieuw onze zorg-

vuldig opgebouwde volwassen façade opgeven en weer de herinnering oproepen aan of weer contact maken met de bron, de mysterieuze en creatieve kern die geen naam heeft en die we in onze meditaties herhaaldelijk afborstelen.

De illusie dat we onafhankelijk zijn, of los staan en afgescheiden zijn van anderen en alles wat zich 'buiten mij' bevindt, ontstaat eveneens uit dit valse idee van zelf. Onze gehechtheid aan een ego verhindert dat we ons verbonden voelen met de mensen om ons heen; we hebben geen oog voor de werkelijkheid dat we allemaal één zijn, een onderling afhankelijk en verbonden geheel. Wat minstens zo belangrijk is, is dat onze valse voorstelling van een afzonderlijk zelf het belangrijkste obstakel vormt om de boeddhistische 'liefdevolle houding' te kunnen ontwikkelen. Wanneer ons leven is gericht op onszelf en wat van ons is, belet dat ons om de behoeften van anderen te kunnen waarnemen. We zullen anderen eerder gaan gebruiken als een instrument waarmee we kunnen aflezen hoe leuk we worden gevonden of hoe machtig we zijn of hoeveel mensen van ons houden. Ons gedrag naar anderen laten we bepalen door wat ze voor ons gedaan hebben en door het gevoel dat ze ons geven. Ironisch genoeg worden we niet gelukkiger van deze egocentrische benadering.

Onze obsessie met een zelf kan het werkelijk luisteren naar anderen in de weg staan. Wanneer we door onszelf in beslag worden genomen of uit zijn op een gevoel van eigenwaarde, is het mogelijk dat we een hoop kansen om een zinvol of ondersteunend gesprek met een ander te hebben mislopen. Zelfs eenvoudige mogelijkheden om een ander te helpen die niet veel inspanning vergen, kunnen we over het hoofd zien. Het is vrijwel geen moeite om op het kind van je vriendin te passen wanneer zij wat tijd voor zichzelf nodig heeft, maar als we in beslag worden genomen door onszelf komt het niet bij ons op om het aan te bieden. Het kost geen moeite om iemand met relatieproblemen een hart onder de riem te steken, maar wanneer we geabsorbeerd worden door onszelf trekken we het gesprek naar onszelf toe: 'Ik heb precies hetzelfde, ik…'

Het probleem is dat we er zo aan gewend zijn geraakt om dit 'zelf' met ons mee te zeulen, dat het een hoop tijd en moeite kost om het zonder te kunnen stellen. Ook als we het concept van geen-zelf verstandelijk begrijpen, dan nog is het heel wat anders om er-naar te leven. Oppervlakkig gezien begrijpen we misschien hoe ons gevoel van zelf ons saboteert, maar er is een veel dieper inzicht voor nodig om deze leer in zijn volle omvang te kunnen ervaren. Dit inzicht is alleen maar mogelijk door middel van meditatie en het gewaar-zijn dat erdoor ontstaat.

Spiegeltje, spiegeltje, doe me dit niet aan!

Een bespreking van het zelfbeeld is voor vrouwen niet compleet als we het niet hebben over het beeld dat ons aanstaart in de spiegel. De oppervlakkige consumptiecultuur waarin we leven doet zijn ui-terste best om ons te vertellen dat wie we zijn, ons zelf, en onze waarde gelijkstaan aan hoe we eruitzien. Deze cultuur krijgt in de meeste gevallen op de middelbare school nog een extra impuls en ook nu nog kom je slechts zelden een vrouw tegen die zichzelf ac-cepteert zoals ze eruitziet, laat staan een vrouw die accepteert dat ze ouder wordt. En niets versnelt het proces van ouder worden zo-zeer als het krijgen van een kind. Als we al niet zijn aangekomen tijdens de zwangerschap of het voeden van de baby, hebben de meesten van ons toch wel wat rimpels erbij gekregen, als getuigenis van het slaapgebrek.

Mijn vriendin Rachel, die me van tijd tot tijd een van haar arti-kelen mailt, worstelt met haar lichamelijke aftakeling:

Ik word oud. Niet vreselijk, maar met mijn vijfendertig jaar zie ik er niet meer echt jong uit en met het vooruitzicht dat het steeds erger zal worden, zal ik eraan gewend moeten zien te raken. Ik heb kinderen gekregen en slapeloze nachten die gepaard gaan met het krijgen van kinderen, en dat is nu alle-maal van mijn gezicht en mijn lichaam af te lezen.

Wat me werkelijk dwarszit, is de hoeveelheid tijd die ik wan-
hopig in de weer ben met mijn uiterlijk. Met een peuter en een
baby die me niet de kans geven mijn geest te ontwikkelen, slaag
ik er wel in de tijd te vinden om gefronst voor de spiegel te
staan (hoewel je fronsen te allen tijde moet zien te vermijden,
omdat je rimpels er alleen maar dieper van worden). En wan-
neer je niet kwaad in de spiegel staart, kijk je in de volmaakte
gezichtjes van je kinderen, hunkerend naar hun puntgave huid
en zachte haar.
Ooit was mijn geest vervuld van waardevolle gedachten. Nu
betrap ik mezelf op gedachten aan open poriën, dun wordend
haar, kraaienpootjes, om nog maar te zwijgen van mijn totale
fiasco op buikspiergebied. Gisteravond zei mijn echtgenoot
tegen me dat ik wel wat steun kon gebruiken – hij bedoelde
geen emotionele steun.
Ik ben gestraft met een plaatje van een zus. Ze is niet lang gele-
den getrouwd en haar bruiloft was één groot feest van vrouwe-
lijke schoonheid. Na de tweehonderdvijftig miljard trouwfoto's
te hebben bekeken waarop ik, het bruidsmeisje, eruitzag als het
demente nichtje, wist ik dat ik me niet voor niets zorgen had
gemaakt over mijn uiterlijk. Ik raakte in paniek en besloot met
mijn dertien verbeterpunten plastische chirurgen langs te gaan.
Een van die punten heb ik zelfs laten uitvoeren. Niemand die
het verschil ziet, behalve ik.

Zoals met alle problemen in het leven het geval is, geeft het ouder
worden ons de mogelijkheid onze wijsheid te verdiepen. Bij het
verglijden van onze jeugd kan het boeddhistische onderricht ons
van dienst zijn.

Erkennen dat we ouder worden

Zoals het verhaal van Rachel illustreert, verzetten we ons tegen het onafwendbare veranderingsproces in ons lichaam. Het gaat er niet om dat het verkeerd is om gezond te willen blijven, rimpelcrème te kopen of zelfs plastische chirurgie te ondergaan. Volgens het boeddhisme beginnen de problemen zodra we gehecht raken aan het idee van jeugd en schoonheid, ze angstvallig gaan najagen en geloven dat ze ons blijvend gelukkig kunnen maken. Volgens de tweede Edele Waarheid is het de gehechtheid die ons doet lijden. Het is zelfs mogelijk dat we wel al inzien hoe onze gehechtheid ons doet lijden, maar toch weigeren deze op te geven. Misschien hebben we zelfs al door hoe onze gehechtheid onze relaties met anderen schaadt, net zoals Rachel zich bewust is van haar jaloezie jegens haar zus.

Een groot deel van onze gehechtheden of verlangens is gebaseerd op de illusie van een zelf hebben. Rachel hunkert naar jeugd en schoonheid om haar eigenwaarde mee te voeden, ondanks het feit dat de eindeloze jacht op eigenwaarde niet bepaald de weg naar het geluk is. Ze houdt zichzelf voor dat ze zich beter zal voelen wanneer haar buik eenmaal is gefatsoeneerd. Maar diep vanbinnen weet ze wel dat het hoogstwaarschijnlijk niet zo zal gaan. Een 'wasbord' zal enige opluchting geven omdat ze daarmee haar hunkering kwijt is, maar het gevoel van opluchting zal vervagen en daarna zal ze haar aandacht weer richten op haar onderkin of haar dijen.

Wanneer we onze angsten omtrent ouder worden aan een onderzoek onderwerpen, komt er een boeddhistische waarheid over al het ongeluk en het lijden aan het licht: het is vaak niet zozeer het lijden zelf dat ons ongelukkig maakt, als wel onze weerstand ertegen.

Zwembandjes en rimpels op ons voorhoofd doen ons niet echt kwaad. In sommige culturen zouden ze ons zelfs een zekere status en respect bezorgen. Het is onze eigen weerstand tegen ouder worden die ons ongelukkig maakt, vanwege de energie die we in vermijdingsgedrag stoppen en de tijd die we verdoen met de angst ervoor. Het gaat om de manier waarop we onszelf wijsmaken dat als we nu maar eenmaal van die kraaienpoten af zijn, we ons veel beter zullen voelen; het gaat om de manier waarop we ons in gezelschap bewust zijn van onszelf – overtuigd dat ze ons verval in kaart staan te brengen.

We bepalen zelf hoe pijnlijk de ervaring van het ouder worden voor ons zal zijn. Gaan we ons verzetten tegen het onafwendbare? In paniek raken? Verdrietig worden? Chagrijnig worden? Zoals de boeddhistische schrijfster Sylvia Boorstein zo wijs heeft gezegd: 'Lijden is onontkoombaar; pijn is optioneel.'

Dit wil niet zeggen dat we onze gevoelens omtrent ouder worden moeten ontkennen of verdringen. Als ouder worden een pijnlijke ervaring is, dan moeten we die gevoelens onderzoeken en begrijpen waar ze vandaan komen. Wat zijn onze overtuigingen op dit gebied en hoe reëel zijn die? Gaat het werkelijk om hoe we eruitzien of is er sprake van een dieperliggend probleem, zoals eenzaamheid, de behoefte om dat wat we niet in de hand kunnen houden toch in de hand te willen houden, of alleen een pijnlijk gevoel tekort te schieten? Iedere boeddhistische leraar zal je kunnen vertellen dat aanvaarding de enig juiste houding is ten opzichte van een proces waarover we uiteindelijk weinig controle kunnen uitoefenen – zoals ouder worden.

De dood onder ogen zien

Weerstand tegen het ouder worden is vergelijkbaar met weerstand tegen dood. Het klinkt misschien morbide, maar beide krijgen ons uiteindelijk te pakken, dus waarom zouden we doen alsof het niet zo is? Leven in het bewustzijn van de onontkoombaarheid van het ouder worden en de dood is voor boeddhisten een prioriteit. Het is een manier om het concept van de vergankelijkheid te omhelzen. Sommige vrouwen werden zich door het moederschap opeens pijnlijk bewust van hun eigen sterfelijkheid. Mijn boeddhistische vriendin Joanne beschrijft het zo:

Door de helse pijnen van de bevalling werd ik voor het eerst
van mijn leven met mijn neus op het feit gedrukt dat ik eens
zal sterven, en het maakte me doodsbang. De gedachte dat ik
mijn kind moederloos zou achterlaten was ondraaglijk. Ik
voelde een vernieuwde drang om goed voor mezelf te zorgen.
Mijn bewustzijn van onze sterfelijkheid werd echter nog eens
versterkt door de kwetsbaarheid van een baby. Het gevoel over-
vloedig gezegend te zijn, maakte mijn doodsangst alleen maar
groter. Ik was me er zeer goed van bewust dat deze baby, ooit,
zou sterven. Ik had een wezen op de wereld gezet met een ein-
dig leven. Dit besef kwam behoorlijk hard bij me aan.

In onze cultuur wordt het bizar gevonden om na te denken over
onze sterfelijkheid: de dood geeft ons een ongemakkelijk gevoel en
dus staan we er ook liever niet te lang bij stil. Maar aangezien de
dood de enige zekerheid is die we in het leven hebben, verdient hij
misschien wat meer aandacht. Als we de tijd zouden nemen om er
eens bij stil te staan hoe het zou zijn om ons ene been niet meer te
kunnen gebruiken, dan gingen we het meer waarderen dat we twee
benen hebben. Als we ons ertoe zouden zetten om wat langer stil te
staan bij ziekte, dan gingen we onze goede gezondheid meer waarderen. Op dezelfde manier geldt dat als we regelmatig zouden stilstaan bij onze eigen dood, we ons leven meer leren waarderen. Met
de dood in gedachten, is de kans groot dat we zorgvuldiger met ons
leven zullen omgaan.

De meeste mensen hebben wel eens verhalen gehoord over
mensen met een bijnadoodervaring, die zich daarna realiseerden
hoe kostbaar het leven is en ingrijpende veranderingen in hun leven aanbrachten. Voor hen was het leven geen vanzelfsprekend gebeuren meer en ze besloten hun tijd beter te gaan besteden. Zij
werden zich bewust van wat er werkelijk toe doet en wat niet meer
dan opgeklopt schuim is.

Om zichzelf te herinneren aan de onontkoombaarheid van de
dood, zorgen sommige boeddhisten ervoor dat bij het wakker worden hun eerste gedachte is: 'Wauw! Ik heb de nacht gehaald zonder

te sterven.' Anderen reciteren een mantra: 'geboorte, verouderen, pijn en dood'. Weer anderen mediteren op het verval van hun lichaam of op de dood zelf. Ze visualiseren hun lichaam dat begraven ligt in de aarde en stellen zich voor hoe langzaam maar zeker de huid wegrot en de botten verdwijnen. Dit zijn allemaal beoefeningen die helpen ons onze vergankelijkheid te herinneren. Ik betwijfel of dergelijke ideeën ooit de vrouwenbladen zullen halen, maar een realistischere houding en een grotere acceptatie van de dood kunnen wellicht behulpzaam zijn bij het leren omgaan met de onontkoombaarheid van het ouder worden.

Inzicht

In mijn puberteit, toen ik een kroeskop en pukkels had, legde mijn moeder me uit, na me eerst te hebben verzekerd dat ik heel mooi was, dat als je naar de mensen op het station, in de rij bij de bank of op straat keek, er maar een heel klein percentage van hen 'mooi' was, gemeten naar de commerciële maatstaven. Uit mijn eigen navorsingen bleek dat ze gelijk had, maar toch hebben naar alle waarschijnlijkheid ook deze 'gewone' leden van de bevolking een plaatsje in een liefhebbend gezin. Sommigen hebben een interessante baan, anderen hebben een hobby waar ze blij van worden. Met enig aandringen zou Rachel waarschijnlijk toegeven dat ook mensen die er gewoon uitzien hun wensen kunnen vervullen en dat jeugd en schoonheid niet de weg zijn naar eeuwigdurend geluk en vrede. Ze herinnert zich misschien hoe vaak wereldberoemde schoonheden te kampen hebben met wanhoop en zelfdestructief gedrag. Ze weet waarschijnlijk ook dat schoonheid tot bepaalde problemen kan leiden, zoals afgunst en dat er niet van je wordt gehouden om wie je bent, maar om hoe je eruitziet.

Inzicht, oftewel het vermogen om de dingen te zien zoals ze zijn, helpt ons op de momenten dat onze gedachten en handelingen niet meer in overeenstemming zijn met hetgeen waarvan we weten dat het waar is. Ondanks het feit dat we een waarheid met ons intellect heel goed kunnen begrijpen, zoals 'schoonheid brengt geen geluk', laat ons gedrag vaak zien dat we de waarheid absoluut niet begrepen hebben. We moeten onze gedachten nauwlettend in de gaten houden om zodoende de discrepantie aan het licht te brengen tussen verstandelijk weten wat waar is en onze manier leven. Daarnaast is het minstens zo belangrijk om helderheid te krijgen over de overtuigingen en aannames waar we ons aan vasthouden, omdat deze vaak de oorzaak van onze problemen zijn.

Bijvoorbeeld, door er goed over na te denken, ontdekt Rachel haar aannames: 'Schoonheid zorgt voor een gevoel van rust', 'Als ik maar genoeg betaal, kan ik het ouder worden tegenhouden' en 'Door middel van discipline en de juiste maatregelen kan ik zorgen dat ik jong blijf'. Ze ontdekt ook de eisen die ze aan haar leven stelt: 'Om de moeite waard te zijn, moet ik er goed uitzien', 'Mijn echtgenoot moet me aantrekkelijk vinden en dat ook zeggen' en 'Dure schoonheidsbehandelingen moeten werken'.

Neem bijvoorbeeld alle diëten – de hele dieetwereld is een uitstekend voorbeeld van het ontkennen van de onderliggende problemen. We weten dat een dieet niet werkt en dat het enige wat we verliezen het vertrouwen in onszelf is. We raken zo geobsedeerd door ons droomlichaam, dat we geen idee hebben van de antwoorden op de belangrijker onderliggende vragen:

- Wat is de eigenlijke reden van het gevoel dat er iets aan me mankeert?
- Zou mijn onbehagen voor eens en voor altijd zijn verdwenen als ik eenmaal slank ben? Is het rationeel om mijn zelfacceptatie te laten afhangen van de vorm van mijn lichaam?
- Door wat voor soort gedachten ga ik te veel eten?
- Waarom voel ik me niet prettig in mijn lichaam en kan eten dat verhelpen?

Als Rachel haar onuitgesproken aannames en eisen zou onderzoeken, komt ze misschien tot de ontdekking dat daar, en niet in haar uiterlijk, de oorzaak van haar onvrede ligt.

In de meeste boeddhistische tradities wordt beweerd dat *denken* als manier om tot inzicht te komen niet altijd de meest effectieve manier is, vanwege het warrige en onbetrouwbare karakter van ons denkproces. Het is het denken dat ons in onze geestelijke chaos stort en het is dus misschien niet het beste instrument om deze chaos ook weer op te ruimen. De doeltreffendste weg naar inzicht is volgens het boeddhisme gebruik te maken van de geestelijke helderheid van meditatie, waarin je de rationele, denkende geest kunt overstijgen en je gedachten kunt waarnemen voor wat ze zijn. Wanneer we onze illusies helder waarnemen, verdwijnen onze misvattingen en slechte gewoontes moeiteloos. Als dat niet gebeurt, of als onze illusies weer terugkomen, betekent dit alleen maar dat we ze niet helder genoeg hebben waargenomen.

Onze aandacht richten op onze gedachten terwijl ze opkomen, is uitermate moeilijk, vooral voor beginners. Iedereen die wel eens heeft gemediteerd, weet dat we allemaal last hebben van een 'monkey mind', die als een aap van tak naar tak springt en een eigen chaotisch leven lijkt te leiden waar wij totaal geen zeggenschap meer over hebben. Het vergt grote discipline en vele uren geduldig mediteren om onze aandacht langduriger geconcentreerd te kunnen houden. Naarmate we langer onze meditatie beoefenen, wordt onze geest helderder en gedisciplineerder en kunnen we inzichten bereiken die onze ervaringen en dus ons leven kunnen transformeren.

Wat je kunt doen

- Realiseer je dat diep en blijvend geluk alleen maar van binnenuit kan komen – stop met te verwachten dat je het van de buitenwereld krijgt.
- Stel het geluk niet meer uit en geniet van het moment zelf.
- Maak tijd om te stoppen met 'doen' en gewoon te 'zijn'. Ga bijvoorbeeld mediteren.
- Realiseer je dat het slaafs gehoorzamen aan een positief zelfbeeld je niet gelukkig maakt.
- Raak niet opgesloten in een bepaald beeld van je zelf. Volgens het boeddhisme is jouw waarneming van je zelf een eigen maaksel.
- De enige mogelijkheid om tot werkelijk begrip te komen in het onderricht van geen-zelf is meditatie – het is een kwestie van inzicht of diepe realisatie en niet van intellectueel begrip.
- Gehechtheid aan jong en mooi zijn veroorzaakt lijden, aangezien ouder worden en sterven onontkoombaar zijn. Werk aan loslaten, aan acceptatie.
- Realiseer je dat niet het ouder worden de boosdoener is, maar je weerstand ertegen.
- Neem de tijd om na te denken over de enige zekerheid in je leven: de dood. Het helpt je om bewuster te leven.

HOOFDSTUK 9

Mediteren

*W*AAROM ZOU EEN MOEDER, met het beroep dat er van verschillende kanten al op haar tijd wordt gedaan, tijd maken om te mediteren? Daar moeten dan wel zeer gegronde redenen voor zijn. En die zijn er. In hoofdstuk 2 hebben we gezien hoe we door bewuster te leven – wat we oefenen in onze meditaties – juist de energie krijgen om onze dagelijkse taken te vervullen, evenals de rust om te kunnen omgaan met de negatieve emoties en de inzichten om spiritueel te kunnen groeien. Ons gewaar-zijn helpt ons om aandachtige ouders te zijn die beter in staat zijn de situatie helder te beoordelen. We hebben ook gezien dat hoe beter we in staat zijn in het hier en nu te leven, zoals we tijdens onze meditaties leren, hoe voller we in ons leven staan en hoe meer vreugde we ervaren.

Zoals de Boeddha ooit heeft gezegd, creëren we de wereld met onze geest. Hoe gezonder, positiever en vriendelijker onze geest is, hoe meer geluk we kunnen ervaren en des te meer onze kinderen hier weer van profiteren. Het boeddhisme leert ons dat meditatie het beste instrument is om je geest te transformeren. Meditatie is het moment waarop we vertrouwd raken met de positievere gemoedstoestanden, we onszelf erin laten opgaan en kennismaken met het gevoel van helderheid, kalmte en vriendelijkheid. Tijdens meditatie oefenen we met een hogere manier van zijn, die we langzaam maar zeker uitbreiden naar ons dagelijkse leven.

Er is ook een schat aan informatie uit medisch onderzoek waaruit het positieve effect van meditatie op onze gezondheid blijkt. Dr. Herbert Benson, verbonden aan de Harvard Medical School, heeft bijna dertig jaar lang onderzoek gedaan naar het effect van meditatie en kwam tot de ontdekking dat mensen die mediteerden hierdoor hun doktersbezoek met dertig procent terugbrachten. Hij zegt dat het lichaam zichzelf herstelt wanneer het zich in een staat van diepe rust bevindt. Terwijl stress het evenwicht van het lichaam verstoort en onze natuurlijke afweer tegen ziekten en infecties doet afnemen, brengt diepe ontspanning ons lichaam in een staat van evenwicht die heilzaam is voor onze gezondheid.

Dr. Benson staat hierin zeker niet alleen. Ook andere medisch onderzoekers geven aan dat de rust die door meditatie ontstaat een positief effect heeft op het stressniveau gedurende de dag, onze bloeddruk met wel vijftig procent kan verlagen en de werking van het hart bevordert. Meditatie heeft ook bewezen een gunstige invloed te hebben op onze slaap en algehele stemming. In een onderzoek verricht door de American Association of Health Plans is aangetoond dat acht van de tien artsen vinden dat meditatie onderdeel zou moeten zijn van hun opleiding, in het belang van zowel de arts als de patiënt. Als meditatie in pilvorm bestond, zouden we er een hoop geld voor over hebben.

De voordelen voor het gezinsleven van een moeder die mediteert, zijn ook duidelijk. Wanneer ik moeders vraag waarom ze mediteren, zeggen ze: 'Het maakt me kalmer', 'Ik word minder snel boos', 'Het helpt me om mijn irritaties te relativeren', 'Ik voel me gelukkiger/minder verward/minder chagrijnig en prikkelbaar'. Zoals een van de moeders het verwoordt:

Ik mediteer als een vorm van woedehantering, angsthantering en algehele negativiteitshantering. Het gaat echter niet alleen om het hanteren van het negatieve, het is ook een manier om contact te maken met het positieve en de kans op vreugde en geluk te vergroten en een heel nieuwe manier om naar mijn leven te kijken.

Chittaprabha is een ingewijd lid van de Friends of the Western Buddhist Order. Met haar lange blonde haren en levendige manier van doen, lijkt ze jonger dan ik, hoewel ze al vijf kleinkinderen heeft. Chittaprabha zegt een aantal interessante dingen over de voordelen van meditatie:

Te veel taakgericht bezig zijn, kan ons verwijderen van de
essentiële ervaring van volledig aanwezig zijn en het waar-
nemen en reageren op de schoonheid en het lijden om ons
heen. Door te mediteren kom ik in contact met een geestelijk
gevoel van ruimte waarin een diepere ervaring van mijn relatie
met de wereld en een dieper gevoel van intimiteit en vertrou-
wen in mezelf mogelijk is. Mijn perspectief verbreedt zich en in
plaats van te opereren op basis van kracht, handel ik vanuit
liefde. Ik heb manieren gevonden om dit gevoel van ruimte met
kinderen te delen, door bijvoorbeeld samen te genieten van de
natuur en lief te zijn voor dieren.

Door meditatie en het ontwikkelen van een ruimer bewustzijn
leer ik dat het leven veel meer is dan mijn eigen directe behoef-
ten en omstandigheden. Ik ben in contact met een veel dieper
intuïtief begrip van de onderlinge verbondenheid van het leven.
Daarbij is het belangrijk dat ik me ga realiseren wat de gevol-
gen van mijn daden zijn; dit heeft mijn moraliteitsbesef
verfijnd.

Gezien deze voordelen zou meditatie wel eens een van de belangrijkste ontdekkingen van ons leven kunnen zijn. Natuurlijk is het,
zoals met alle nieuwe verworvenheden, in het begin niet makkelijk
– we krijgen te maken met twijfel en laten onszelf afleiden door alle andere dingen die we zouden kunnen gaan doen. Doordat meditatie echter de mogelijkheid in zich draagt om elk aspect van ons
leven te verbeteren – emotioneel, lichamelijk, spiritueel, psycholo-
gisch – kan het ook zijn dat we eerder toegewijd raken dan we
dachten.

In het boeddhisme bestaan veel verschillende meditatietechnieken en na verloop van tijd kun je er een uitkiezen die het beste
past bij jouw specifieke situatie en karakter. In dit hoofdstuk verkennen we de twee bekendste vormen van boeddhistische meditatie: het mediteren op de ademhaling en het mediteren op liefdevolle vriendelijkheid, oftewel mettameditatie. Onthoud echter goed
dat in alle boeddhistische tradities wordt benadrukt hoe belangrijk
het is dat je bij een bevoegd leraar leert mediteren.

Wat het zwaarst is moet het zwaarst wegen

Boeddhistische leraren raden je vaak aan om een speciale plek te reserveren voor je meditaties. Sommige mensen vinden het prettig om deze speciale plek te versieren met symbolen: een afbeelding van de Boeddha, een beeldje, wat wierook, kaarsen, een foto van je leraar of andere inspirerende boeddhistische figuren, bepaalde versregels uit de geschriften. Je kunt je eigen altaar maken. Als je een sfeervolle ruimte kunt creëren, maakt dat je beoefening aantrekkelijker, maar het is geen must. Mijn echtgenoot wil een dergelijke ruimte niet in zijn huis hebben – de arme schat vindt het allemaal maar 'raar' en dus doe ik het zonder. Voor hem is het al genoeg om een vrouw te hebben die ervan houdt om 'in trance te gaan', laat staan een huis met allerlei vreemde parafernalia, dus ik dring maar niet verder aan.

De traditionele meditatiepositie is met gekruiste benen op de vloer, maar een stoel met een rechte leuning voldoet net zo goed. Het gaat erom dat je rechtop blijft zitten – ingezakt of onderuitgezakt zitten leidt tot pijn en slaperigheid. Als je weinig tijd hebt om echt te gaan zitten, kun je in de verleiding worden gebracht om 's ochtends bij het wakker worden in bed te mediteren. Het is een slecht alternatief voor echt gaan zitten, dat het ook moeilijker maakt om een goed concentratieniveau te bereiken. Toch kan het op bepaalde dagen de enige tijd zijn die je hebt en op zo'n moment kun je beter proberen te mediteren dan alleen maar in je bed liggen en als een berg tegen de dag opzien. Net als alle andere momenten van de dag is het een gelegenheid om je gewaar-zijn te oefenen. Ongeacht je houding, probeer je je ogen bij het mediteren een klein beetje open te houden. In het begin kan het vreemd aanvoelen, maar het beetje licht dat je zo toelaat, houdt de slaperigheid op afstand.

In principe is 's ochtends nadat je bent opgestaan de beste tijd om te mediteren, omdat je geest op dat moment relatief vrij is van allerlei beslommeringen. Toch is het heel persoonlijk wat de beste tijd is om te mediteren. Sommige mensen voelen zich 's ochtends veel te slaperig; voor hen is mediteren voor het naar bed gaan een goede manier om voor een ongestoorde nachtrust te zorgen. Andere mensen worden veel te wakker van 's avonds mediteren of krijgen er zoveel energie van dat ze de slaap niet meer kunnen vatten. Om je geest voor te bereiden op mediteren, kan het goed zijn om eerst iets kalmerends te doen – yoga, een spirituele tekst lezen, strijken, de was opvouwen of iets anders dat je helpt je tempo te verlagen en je aandacht te concentreren.

Hoewel er in het boeddhisme vele verschillende soorten meditatie worden gebruikt, is er één die door alle scholen wordt gebruikt en die we ook altijd als eerste leren wanneer we voor het eerst met het boeddhisme aan de slag gaan. Meestal wordt deze meditatie 'het gewaar-zijn van de ademhaling' genoemd; het vereist dat we stilzitten, ons ontspannen, onze ogen sluiten en ons bewust zijn van het rijzen en dalen van onze ademhaling. We hoeven niet over onze ademhaling te *denken* of deze op enigerlei wijze te beheersen. Ook hoeven we ons niet heel erg diep te concentreren. Het is meer een kwestie van ontspannen en onze ademhaling waarnemen en uiteindelijk één worden met het rijzen en dalen ervan. Wanneer onze aandacht wordt afgeleid, brengen we hem geduldig weer terug naar onze ademhaling, zonder enig mentaal commentaar.

Voor iemand die begint te mediteren, is het een onmogelijke opgave om de aandacht te concentreren; daarom wordt bij de meditatie vaak gebruikgemaakt van een extra ondersteuning. Het wordt vaak makkelijker gevonden om de aandacht bij de ademhaling te houden wanneer er een geleidelijke overgang wordt gemaakt naar het eerste stadium. Mijn meditatielerares neemt haar klas langzaam maar zeker mee naar het gewaar-zijn van de ademhaling door ons eerst op ontspanning te richten:

Sluit je ogen en luister naar de geluiden om je heen… breng je aandacht naar deze ruimte en de mensen in deze ruimte… en nu ga je met je aandacht naar je eigen lichaam; de vorm van je lichaam, daar waar het de grond raakt… ga langzaam met je

aandacht langs je lichaam naar beneden en laat alle spanning
die je tegenkomt los; begin met je schedel... nu richt je je aan-
dacht op de spieren van je gezicht, laat je gezicht zacht worden,
als smeltende boter... en ga langzaam naar beneden, naar je
nek...

Na op deze manier het hele lichaam langs te zijn gegaan, beginnen
we met het gewaar-zijn van het rijzen en dalen van de ademhaling.

Het tellen van de ademhalingen, als een soort anker voor je
aandacht, kan ook helpen. Een van de manieren is de hieronder
beschreven meditatie in vier stadia die door de Friends of the Western Buddhist Order wordt onderwezen bij hun introductiecursus.
Op dagen dat je je helder en geconcentreerd voelt, kun je je misschien op je ademhaling concentreren zonder de vier stadia te gebruiken – zodra je merkt dat je geest te vaak afdwaalt, kun je er altijd weer op terugvallen. Het algemene advies voor beginners is
ongeveer vijf minuten per stadium, maar maak je niet te druk over
de tijd. Mensen die beginnen met mediteren en er moeite mee
hebben, kunnen beginnen met niet meer dan een paar minuten en
het per keer langzaam opbouwen.

Het gewaar-zijn van de adem

1 Wanneer we beginnen met onze aandacht naar onze ademhaling te brengen, tellen we elke UITADEMING. We tellen
  steeds opnieuw van één tot tien. Het tellen helpt ons geconcentreerd te blijven, maar onze aandacht is gericht op de
  ademhaling zelf en niet op het aantal.
2 In het tweede stadium blijven we onze ademhalingen tellen,
  maar nu tellen we elke INADEMING in plaats van elke uitademing. Het verschil met het vorige stadium is slechts gering,
  maar de verschuiving geeft een subtiele verdieping van de
  concentratie.
3 In het derde stadium laten we het anker van het tellen los en

concentreren we ons op het VOLLEDIGE ADEMHALINGSPROCES en alle gewaarwordingen die het veroorzaakt. We worden ons dan misschien bewust van de stilte tussen de ademhalingen in, het rijzen en dalen van onze buik of het geluid van onze ademhaling.

4 In het vierde stadium verfijnen we het proces door onze AANDACHT TE BEPERKEN tot één aspect van de ademhaling. We beperken onze aandacht tot de gewaarwordingen van de ademhaling op het punt waar de adem ons lichaam verlaat en binnentreedt – rond de neusgaten of HET PUNTJE VAN DE NEUS. We worden ons er dan bijvoorbeeld van bewust dat de lucht die we inademen enigszins koeler is dan die we uitademen.

We ronden het vierde stadium af door onze aandacht weer terug te brengen naar het volledige ademhalingsproces en de gewaarwordingen in het lichaam. Langzaam maar zeker beëindigen we de meditatie en openen onze ogen. Of we kunnen blijven zitten en gewoon alleen maar gewaar-zijn en genieten van de stilte. Dit kan een moment zijn waarop we alleen maar waarnemen wat er gebeurt, zien wat er opkomt, 'zijn'.

Wanneer we onze meditatie hebben beëindigd en teruggaan naar de eisen van alledag, proberen we zo lang mogelijk het gewaar-zijn en de verstilling die we tijdens de meditatie hebben bereikt vast te houden. Vastberaden proberen we onze geest gedurende de dag in het hier en nu te houden en we volgen oplettend wat zich voor ons of in ons afspeelt. Wanneer we worden afgeleid door gedachten aan het verleden of de toekomst, brengen we net als in een meditatiesessie onze geest geduldig, volhardend en vriendelijk weer terug in het hier en nu.

Juiste inspanning

Ik herinner me dat toen ik voor het eerst deze vier meditatiestadia leerde, de leraar ons waarschuwde dat het goed mogelijk was dat we de tel kwijtraakten en bijvoorbeeld bij de zeventien konden zitten voordat we het doorhadden. Ik dacht toen: 'Hoe kan ik in hemelsnaam bij de zeventien komen zonder het me te realiseren?' De volgende week nog zat ik bij de vijfenveertig – ik was vast niet helemaal wakker.

De waarheid hierbij is, dat je geest hoe dan ook zal afdwalen. Dat is normaal en je hoeft niet gefrustreerd te raken of jezelf op je kop te geven omdat het gebeurt. De drie magische woorden zijn: geduld, doorzettingsvermogen en vriendelijkheid. Wanneer je merkt dat je gespannen wordt of je voorhoofd fronst vanwege de inspanning om geconcentreerd te blijven, dan ben je te hard je best aan het doen. De bedoeling is dat je je adem gewaar bent zonder al te veel geestelijke worsteling. Bezien vanuit het Edele Achtvoudige Pad proberen we in onze meditatie de 'juiste inspanning' te verwezenlijken. Dit betekent dat we een tussenweg zien te vinden tussen intensiteit en slaperigheid, tussen onszelf opjagen en futloosheid.

Inzicht verwerven tijdens meditatie

Wanneer we tijdens de vier stadia van meditatie worden afgeleid, brengen we onze aandacht steeds opnieuw terug naar de ademhaling. Meditatie is echter een nog krachtiger instrument indien we alle afleidende gedachten hun beloop laten hebben, maar ze nauwlettend gewaar blijven. Dit is veel moeilijker, zeker als je nog niet zoveel ervaring hebt met meditatie en moeite hebt om je te concentreren. Het vermogen om je gedachten gewaar te blijven en ze nauwlettend te volgen zonder erin verstrikt te raken, kan een doel zijn voor de langere termijn, wanneer we ons concentratievermogen hebben vergroot. Het vermogen om onze eigen gedachten te observeren kan absoluut meehelpen om ingrijpende inzichten te verwerven en ons te ontdoen van de meer zelfdestructieve overtuigingen en gedragingen.

Of we de afleidende gedachten nu waarnemen of ze proberen tegen te houden, we mediteren niet speciaal om inzicht te bereiken – we scheppen alleen de voorwaarden waarbinnen inzicht kan ontstaan door te proberen onze geest helder te maken. Helen Jandamit is een meditatielerares en moeder en heeft een speciale flair voor analogieën. Ze legt uit hoe meditatie de weg baant voor inzicht: 'Het gewaar-zijn van de ademhaling wordt langzaam maar zeker een soort witte achtergrond. Wanneer er een vuiltje op dat witte vlak terechtkomt, dan is de vorm ervan beter te zien dan wanneer het op een vuil vlak terechtkomt.'

Door te oefenen en het concentratievermogen te vergroten wordt het vuiltje en al zijn eigenschappen nog weer duidelijker zichtbaar. En wanneer we onze diepst ingesleten neigingen kunnen zien voor wat ze zijn, verliezen ze hun macht en worden we er niet meer door beheerst. Door het inzicht gaan we begrijpen wat er werkelijk aan de hand is in ons leven en kunnen we ons bewust worden van onze ingesleten manier van reageren en gedragen en die veranderen.

Ook geeft inzicht ons de mogelijkheid het onderricht van de Boeddha niet alleen verstandelijk te begrijpen, maar zelf direct te ervaren, wat het veranderingsproces een enorme impuls geeft. In het *Handbook for Mankind* noemt Buddhadasa Bhikkhu een aantal onderdelen van de leer die door inzicht helderder kunnen worden voor ons:

> De uitdrukking 'inzicht in de ware natuur der dingen' wil zeggen dat we de vergankelijkheid, de ontevredenheid en het 'nietzelf' gaan begrijpen; dat we gaan inzien dat geen enkel ding de moeite waard is om te verwerven, geen enkel ding de moeite waard is om te zijn; dat er geen enkel ding is waarnaar je moet grijpen, waaraan je je moet vasthouden als een zelf of als behorende tot een zelf; als goed of slecht, als aantrekkelijk of weerzinwekkend.

Inzichtmeditatie

Deze meditatie draagt meer bij tot het inzicht dan de benadering met de vier stadia, maar het is wat moeilijker om geconcentreerd te blijven. Net zoals bij de vier stadia bij het gewaar-zijn van de ademhaling, richten we onze aandacht eerst op de ademhaling; vervolgens benoemen we elke inademing met 'rijzen' en elke uitademing met 'dalen'. Wanneer er gewaarwordingen of gedachten opkomen, houden we ze niet tegen, maar we benoemen ze door langzaam tegen onszelf te zeggen 'voelen, voelen, voelen' of 'denken, denken, denken'. We laten de gedachten en sensaties gewoon opkomen, er zijn, en vanzelf weer verdwijnen. Daarna gaan we weer terug naar het benoemen van onze ademhalingen.

Wanneer we merken dat onze aandacht afdwaalt van onze ademhaling, maken we een mentale aantekening; wanneer we pijn voelen, registreren we 'pijn, pijn, pijn' totdat de pijn zakt; wanneer we in ons hoofd een ruzie nog eens herbeleven, benoemen we onze herinnering 'herinneren, herinneren, herinneren', alvorens naar onze ademhaling terug te keren. Wanneer we een geluid horen dat ons afleidt, registreren we 'horen, horen, horen' en wanneer we ons gaan afvragen wat we die avond zullen eten, benoemen we het met 'plannen, plannen, plannen'.

Andere mentale ervaringen die we kunnen tegenkomen zijn bijvoorbeeld boos zijn, ontspannen, weerstaan, glimlachen, wensen, verlangen – alles wat er maar opkomt. Wanneer we merken dat we moeite hebben de juiste benaming te vinden, kan het goed zijn om ons te beperken tot de meest basale categorieën, zoals 'denken' en 'voelen'. We gebruiken werkwoorden omdat die duiden op een proces en alle mentale toestanden processen zijn die na verloop van tijd overgaan in andere toestanden.

Wanneer we pijn, jeuk of een andere onaangename gewaarwording ervaren, nemen we die waar, evenals onze reactie erop, totdat het gevoel is verdwenen. Als het gevoel niet snel verdwijnt, kunnen we wel krabben of iets gaan verzitten, maar we proberen de verleiding te weerstaan om gedachteloos op elke fysieke gewaarwording te reageren. In meditatie wordt ongemak iets positiefs, omdat het iets is wat moeilijk te negeren is en ons dwingt om ons bewust te blijven van het nu. Ongemak biedt ook een mogelijkheid om te leren 'zijn' met ons lijden en ongemak, om het onder ogen te zien in plaats van uit de weg te gaan.

Mensen die mediteren en gefrustreerd raken door het afdwalen van hun geest, doen graag inzichtmeditatie, omdat alles wat er gebeurt onderdeel wordt van de meditatie; afleidende gedachten, geluiden en gewaarwordingen zijn dan minder frustrerend. Door onze mentale processen te leren benoemen, vergroten we ook onze zeggenschap erover. We laten ons er minder snel door meeslepen en identificeren ons er minder mee. Langzaam maar zeker leren we de dingen die opkomen niet meer te labelen als 'goed' of 'slecht', wat een belangrijke vaardigheid is om geduld te leren hebben met alles wat het leven ons voorschotelt.

Obstakels

Mediteren kan prettig, ontspannend, wonderbaarlijk en hemels zijn. Soms is het tegenovergestelde het geval. Het opbouwen van je meditatiebeoefening gaat niet altijd van een leien dakje. Mensen die beginnen te mediteren raken gefrustreerd door hoe hun geest onophoudelijk afdwaalt en gaan twijfelen aan de zin van meditatie. Of ze vinden dat ze 'er niet voor in de stemming zijn'. Bij hun pogingen om zich te concentreren op hun ademhaling tijdens de vier stadia van de ademmeditatie kan het zijn dat hun geest de volgende weg bewandelt:

'Een, twee, mijn voet jeukt... zal ik krabben of niet? Ik vraag me af of mijn voet wel helemaal is genezen van die blessure. Hou op! … Drie, vier, vijf… O, nee, ik ben vergeten die brief te versturen, wat moet ik nu doen, oeps… Zes, zeven, ik vraag me af of ik het wel goed doe… gister heb ik mijn meditatie zeker verknald… hou op met denken! Dit werkt zo niet…'

Door te blijven oefenen, wordt het concentratievermogen groter, worden de afleidingen minder talrijk en ontwikkelt de beginner een gevoel van zelfvertrouwen; weldra ga je merken hoezeer je leven wordt verrijkt door het gewaar-zijn dat je hebt ontwikkeld, wat een enorme stimulans is om ook op de moeilijke dagen vol te houden. Door toewijding bereik je uiteindelijk een punt waarop meditatie net zo natuurlijk is geworden als douchen of je tanden poetsen en ga je het missen als je het een dag niet hebt gedaan.

Interessant genoeg zegt de Thaise schrijver Gunaratana in zijn boek *Eight Mindful Steps to Happiness, Walking the Buddha's Path* dat westerlingen die beginnen te mediteren te streng kunnen zijn voor zichzelf; hij beschrijft hen als 'ambitieus, gedreven, doelgericht en onzeker'. Hij vervolgt: 'Ze proberen de geest de kop in te drukken en hem zuiver op wilskracht manieren bij te brengen… ze gaan vaak negatief en hardvochtig met zichzelf om.' Hij wijst erop dat we moeten mediteren om de geest te kunnen waarnemen, niet om hem te kunnen beheersen.

De Boeddha was zich bewust dat zijn volgelingen moeite zouden hebben met mediteren en formuleerde vijf hindernissen of obstakels die we op onze weg kunnen verwachten.

1 Afleidende gedachten.
2 Kwaadwilligheid, zoals boosheid of andere sombere gemoedsstemmingen.
3 Slaperigheid.
4 Onrust.
5 Twijfel.

Een bevoegde leraar kan ons adviseren over hoe we moeten omgaan met de obstakels waar we mee worstelen.

Ik herinner me nog dat mijn geest toen ik begon te mediteren zo makkelijk afdwaalde naar allerlei dagdromen, ik het zo moeilijk vond om stil te zitten, dat een meditatiesessie vaak voelde als verloren tijd. Het kostte me een paar maanden van gestaag blijven oefenen voordat er enige vooruitgang merkbaar was, voordat er wat meer ruimte ontstond tussen de gedachten, voordat ik ging leren dat het mogelijk was om een toestand van verstilling te bereiken waaruit ik weer nieuwe energie kon putten.

Het ontwikkelen van een liefdevolle houding

Een liefdevolle houding betekent dat je inziet dat alle levende wezens kostbaar zijn. Het helpt om je te herinneren dat kostbaarheid geen eigenschap van het object is, maar zich in je eigen geest bevindt. Stel je eens twee voorwerpen voor, een diamant en een kom met water. Welke van de twee is het kostbaarst? Voor iemand die in de woestijn is verdwaald, is de kom water kostbaarder. Voor een juwelier is een diamant kostbaarder. Kostbaarheid is subjectief; het is meer een mentale eigenschap dan een eigenschap van het voorwerp zelf. Om van mensen te kunnen houden, is een liefdevolle houding belangrijker dan dat de mensen zich zo gedragen dat we van hen kunnen houden. Onze liefde voor hen is dan niet afhankelijk van hun persoonlijke karakter, gedrag of relatie met ons, maar van onze eigen innerlijke houding.

We kunnen zelfs van 'moeilijke' mensen houden, alleen al omdat ze in ons leven de rol van spirituele leraar kunnen vervullen. Hier kunnen we hen dankbaar voor zijn. Als we alleen maar aardige mensen zouden kennen, dan hadden we niet de mogelijkheid om een wijzer mens te worden. Het zijn echter niet alleen de moeilijke mensen van wie we om deze reden kunnen houden – we kunnen dankbaarheid voelen naar iedereen die we ontmoeten, omdat ieder van hen ons wijzer kan maken, ieder van hen ons de mogelijkheid biedt onszelf te trainen in deze innerlijke houding.

Mediteren op liefdevolle vriendelijkheid, mettameditatie, is een manier om deze liefdevolle houding te ontwikkelen, door onszelf en anderen het beste toe te wensen. Het uitzenden van liefdevolle vriendelijkheid is een manier om je geest te transformeren in een geest die in staat is tot liefde voor alle levende wezens. Hiervan kunnen anderen uiteindelijk op een zeer praktische manier profiteren, omdat er iemand in hun leven is die om hen geeft en het beste met hen voorheeft.

Om te beginnen ontwikkelen we het gevoel van liefdevolle vriendelijkheid voor onszelf. Vervolgens doen we hetzelfde voor een dierbaar persoon, daarna voor iemand die we niet erg goed kennen en ten slotte voor iemand die we niet echt mogen. Als laatste stap zenden we liefdevolle vriendelijkheid naar alle levende wezens, beginnend bij de wezens die zich het dichtst in onze buurt bevinden en langzaam maar zeker in steeds wijder wordende cirkels, totdat we de hele wereld beslaan. Terwijl je je op de verschillende personen concentreert, herinner je jezelf eraan dat zij, net als jijzelf, gelukkig willen zijn en vrij van lijden en ongeluk; dat we door middel van dit gemeenschappelijke verlangen allemaal met elkaar verbonden zijn.

Tijdens het gewaar-zijn van de ademhaling observeren we hoe er een gedachte ontstaat, maar we keren vervolgens met onze aandacht weer terug naar de ademhaling; tijdens de mettameditatie is er echter sprake van een actief en creatief denkproces. Bijvoorbeeld, bij de moeilijke persoon moeten we misschien eerst aan het lijden en de ontevredenheid in zijn of haar leven denken alvorens compassie te kunnen voelen. Dit vereist misschien enige verdieping in hun situatie – hun worstelingen, hun teleurstellingen – voordat we in staat zijn te erkennen dat deze persoon dierbaar is.

Mettameditatie

Om te beginnen sluit je je ogen, je ontspant je en langzaam maar zeker ga je je concentreren. Om je denken te vertragen en je geest wat tot rust te brengen, kun je beginnen met een tijdje je ademhaling gewaar te zijn.

1 In het eerste stadium werk je aan het ontwikkelen van liefde-volle vriendelijkheid jegens JEZELF. Het is makkelijker om van anderen te houden wanneer je vriendelijke gevoelens voor jezelf koestert. Je kunt beginnen met contempleren op de goedheid in jezelf, bijvoorbeeld door je aandacht te richten op iets aardigs dat je in de afgelopen tijd hebt gedaan. In het boeddhisme wordt bij het ontwikkelen van liefdevolle vrien-delijkheid een onuitputtelijke verzameling gedachten en beelden gebruikt, vaak beeltenissen van de Boeddha of van stralend licht. De meest gangbare techniek is het gebruik van zinnetjes als:

Moge ik gezond zijn
Moge ik vrij zijn van lijden
Moge ik vrij zijn van begeerte, haat en illusie
Moge ik in liefde leven
Moge ik veilig zijn
Moge ik gelukkig zijn
Moge ik wijsheid en compassie kennen

2 Na je enige tijd op de liefde voor jezelf te hebben geconcen-treerd, ga je door naar het tweede stadium en zend je liefde-volle vriendelijkheid naar IEMAND VAN WIE JE HOUDT. Visuali-seer een kind, een gezinslid of een goede vriend of vriendin en spreek je wens uit tot hun geluk.

Mogen zij liefde ervaren
Mogen zij vreugde ervaren

3 Vervolgens, in het derde stadium, richt je je aandacht op een NEUTRALE PERSOON voor wie je negatieve noch positieve gevoelens koestert. Dit kan bijvoorbeeld een plaatselijke winkelier zijn, iemand op straat, iemand op je werk. Misschien heb je nooit een woord met deze persoon gewisseld, maar je zendt hem of haar liefdevolle vriendelijkheid, eventueel door te putten uit het goede gevoel dat je in het vorige stadium voor de persoon van wie je houdt hebt ervaren. Liefdevolle vriendelijkheid zenden naar een neutraal persoon is een manier om te oefenen met houden van mensen, ongeacht wat ze voor jou persoonlijk kunnen betekenen.

4 In het vierde stadium kies je IEMAND MET WIE JE DE OMGANG MOEILIJK VINDT, vaak aangeduid als 'een vijand'. Je kunt iedereen kiezen voor wie je geen vriendschappelijke gevoelens koestert. Hoe kun je compassie voor hen gaan voelen? Je kunt aan hun positieve kanten denken. Stel je hen voor als het dierbare kind van een moeder die van hen houdt. Denk aan hun lijden, hun angsten en teleurstellingen. Erken dat het gedrag dat jou stoort misschien wel voortkomt uit pijn of lijden. Put inspiratie uit je reactie als moeder wanneer je kind zich kwaad of egoïstisch gedraagt – het maakt je liefde voor je kind er niet minder op. Over het algemeen raden leraren echter aan om met de echt moeilijke mensen, de mensen die je diep hebben gekwetst, te wachten totdat je meer vertrouwd bent geraakt met de meditatie. Op dit punt van de meditatie aangekomen, kan het een hele toer zijn om je geest niet te laten afdwalen, maar zoals altijd, zodra je merkt dat je gedachten worden afgeleid, breng je je aandacht weer geduldig terug naar de opdracht.

5 Ten slotte ga je liefdevolle vriendelijkheid zenden naar ALLE WEZENS in de wereld, te beginnen met de wezens die zich het dichtst bij je in de buurt bevinden of die je al kent en lang-

zaam maar zeker steeds verder weg, totdat je iedereen in je eigen land, de wereld en vervolgens alle levende wezens beslaat. Koester in je hart de wens dat alle levende wezens gelukkig mogen zijn en vrij van lijden en ongeluk.

Door onze aandacht weg te halen bij onze egocentrische belangen en op een vriendelijke manier over anderen te gaan denken, overwinnen we ons gevoel van afgescheidenheid. Het kan natuurlijk vele jaren duren voordat we onze geest hebben getransformeerd in een waarachtig liefdevollere geest, met name als we aan onze moeilijker relaties gaan werken. Maar zelfs een beginner kan zich al in korte tijd een liefdevoller persoon gaan voelen door te mediteren op liefdevolle vriendelijkheid. Tijdens de meditatie kunnen er allerlei ideeën in ons bewustzijn opkomen over hoe we mensen zouden kunnen helpen. Misschien denken we er opeens aan dat we iemand die jarig is of het moeilijk heeft een kaartje kunnen sturen of opbellen. Vaak beëindigen mensen hun meditatie met het bedenken van één daad van vriendelijkheid die ze in de eerstkomende uren willen uitvoeren.

Buigen

Sommige mensen vinden het handig om zich tijdens de mettameditatie voor te stellen dat ze buigen voor de persoon naar wie ze de liefdevolle vriendelijkheid zenden. Het idee om te buigen stuit vele westerlingen in eerste instantie tegen de borst, maar onze reactie heeft alles te maken met de associaties die we met buigen hebben – alsof we schuldbewuste straatschoffies zijn die buigen voor een tirannieke vorst, een afschrikwekkende God of een of andere magische kracht.

Voor de meeste boeddhisten is buigen eenvoudig een uitdrukking van respect en dankbaarheid. Buigen is een eerbetoon aan de waardigheid, menselijkheid en dierbaarheid van die persoon. Het voelt nederig, maar dan in de meest positieve zin van het woord, doordat we elke neiging tot oordeel en superioriteit van ons af zetten en er een gevoel van compassie ontstaat – niet vanuit medelijden, maar vanuit de oprechte waardering voor een levend wezen. We kunnen buigen ook zien als een uitdrukking van dankbaarheid jegens deze persoon, hetzij een vriend, hetzij een vijand, voor alles wat hij of zij ons leert. We buigen uit dankbaarheid voor het potentieel van deze persoon om ons wijzer te maken en de kans die hij of zij ons biedt om onze liefde te oefenen.

Zelf vind ik het behulpzaam om te visualiseren dat de Boeddha zijn handen vlak boven mijn hoofd houdt en er krachtige stromen liefdevolle vriendelijkheid doorheen laat stromen. Vervolgens visualiseer ik mezelf met mijn handen boven het hoofd van de mensen naar wie ik liefdevolle vriendelijkheid zend.

Wanneer doen we mettameditatie

Een van de doelen van mediteren op liefdevolle vriendelijkheid is het ontwikkelen van ons vermogen om van alle wezens te houden: onszelf, onze dierbaren, neutrale personen en moeilijke mensen. Omdat dit zo lastig is, doen we deze meditatie zo vaak mogelijk. Maar ook nu weer, waar vinden we als moeder hiervoor de tijd? Mettameditatie is echter een beoefening die zich makkelijk laat inpassen in het dagelijks leven. Idealiter vinden we de tijd om het als een zitmeditatie te beoefenen, maar het is even waardevol om onze liefde uit te zenden terwijl we met anderen praten of zelfs onder het winkelen of wanneer we op straat lopen. We kunnen liefdevolle vriendelijkheid richten op iedereen die we zien. In het begin voelt het een beetje raar, maar het duurt niet lang of het wordt heel gewoon en het is zeker een manier om te voorkomen dat we gedurende de dag volkomen in beslag worden genomen door onze gedachten. Het verricht wonderen voor onze gemoedstoestand: we hebben meer positieve gevoelens en meer energie om te doen wat we op een dag moeten doen.

Persoonlijk vind ik mettameditatie met name vóór en tijdens sociale bijeenkomsten zinvol. Het helpt mij om

- aandachtiger te kunnen luisteren en de ander niet te onderbreken;
- vriendelijker over anderen te praten;
- me bewust te worden van de manier waarop ik anderen kan helpen;
- niet hedonistisch hele verhalen op te hangen waar de luisteraar niets mee kan;
- van mezelf te genieten, omdat ik me beter op m'n gemak voel en minder egocentrisch bezig ben.

Liefdevolle vriendelijkheid uitzenden is ook zinvol vóór en tijdens een werkdag of een andere situatie waarin we met mensen te maken hebben. Het verhoogt onze gevoeligheid voor wat anderen ervaren, zodat we ongeacht waar we ons bevinden een waardevol persoon kunnen zijn.

De tijd vinden om te mediteren

De tijd vinden om te mediteren is voor moeders misschien een groter obstakel dan alle andere obstakels waarmee ze tijdens hun meditatie te maken kunnen krijgen. Gezien de voordelen van meditatie is het toch zinvol om je af te vragen of je misschien een ander programmaonderdeel kunt laten vallen? De tijdwinst haal je misschien door bepaalde televisieprogramma's over te slaan – de gemiddelde persoon kijkt twee à drie uur televisie per dag. Moeders halen dit gemiddelde waarschijnlijk wel omlaag, maar zelfs als je maar een halfuurtje per dag kijkt, kun je er nog steeds enorm veel baat bij hebben wanneer je besluit in plaats hiervan te gaan mediteren. De tijdwinst kun je ook halen door je eisen aan het huishouden bij te stellen, eerder opstaan of het gezin regelmatig zonder jou een uitstapje laten maken.

Chittaprabha, moeder en lid van de Western Buddhist Order, is altijd een toegewijd meditatiebeoefenaar geweest. Toen haar kinderen klein waren, stond ze 's ochtends vroeger op en toen ze ouder waren ging ze naar meditatieweekends of meditatieweken. Ze is ervan overtuigd dat ze door de tijd te nemen om te mediteren een veel betere moeder heeft kunnen zijn.

Meditatie is niet alleen een manier om in mijn eigen behoeften te voorzien, maar ook om mijn bewustzijn van anderen te vergroten, zodat ik alles wat ik doe op een positievere en creatievere manier kan doen. Door me meer bewust te worden van de diepere betekenis van mijn leven en mijn ware natuur, ontstaat er een dieper gevoel van vreugde, tevredenheid en gelijkmoedigheid waar iedereen in mijn omgeving baat bij heeft.

Het doel is het bewustzijn dat we tijdens onze meditatie ontwikkelen zich te laten uitbreiden naar ons hele leven. Als moeder heeft dit bewustzijn me geholpen om te zien hoe ik met mijn kinderen omging en wat het effect was van mijn gedrag. In plaats van gewoontegetrouw steeds in dezelfde fouten te vervallen, kon ik mijn bewustzijn gebruiken om positieve veranderingen te bewerkstelligen en een vastgeroeste en onveranderlijke manier van opvoeden los te laten.

Het ouderschap kan een belangrijk en verrijkend aspect van ons leven zijn, maar ons leven is meer. Als ik al mijn aandacht zou hebben geconcentreerd op de verlangens van mijn kinderen, zou ik alleen maar oog hebben voor mijn directe leefomgeving en zou ik de kans om een werkelijk individu te worden opgeven. Toen ik het bredere perspectief dat zich door meditatie opende ging omhelzen, werd ik veel creatiever, vrijer en ontvankelijker voor al het leven om me heen en minder afhankelijk en minder gehecht aan mijn kinderen en de dingen waaraan ik vreugde ontleende.

Het genot om van kinderen te houden en de spontane manier van omgaan met hen werd minder zodra ik hen te stevig wilde vasthouden. Ik heb dus altijd geprobeerd mijn vreugde uit een heel scala van inspirerende bronnen te putten en tegelijkertijd te vermijden te zeer gehecht te raken aan de vreugde die ik eruit putte.

Haar twee dochters, Michelle en Cara, moeten lachen wanneer ze terugdenken aan de keren dat ze in hun jeugd tegen hun moeder zeiden: 'Mam, ik denk dat het tijd wordt dat je weer een meditatieweek gaat doen.' Het is grappig dat vele boeddhistische ouders vertellen dat het vaak de kinderen zijn die hen eraan herinneren dat ze de tijd moeten nemen om te gaan mediteren.

Chittaprabha wijst er ook op dat we om onze kinderen op te voeden tot verantwoordelijke en attente volwassenen, we hun moeten leren zich bewust te zijn van en respect te hebben voor de behoeften van anderen, met inbegrip van die van hun ouders. Hoewel dit lastiger is wanneer onze kinderen nog jong en egocentrischer zijn, moeten ze uiteindelijk toch begrip leren hebben voor onze behoefte aan ruimte voor onszelf.

Chittaprabha dringt er bij alle moeders op aan om elke dag wat tijd te maken, ook al is het maar een enkele minuut, om te mediteren op iets hogers dan henzelf en hun directe leven:

Elke dag maken we wat tijd waarin we proberen ons betere zelf te zijn. Het kan een moment zijn om te lezen en na te denken over een kort gedicht. We kunnen een kaars aansteken of wat wierook branden als offer voor de Boeddha. Of we mediteren. En als we deze tijd níet maken, kunnen we onszelf afvragen wat ons kan inspireren om het wel te doen. Voor sommigen van ons is het de natuur. Of is het misschien lezen? Praten met onze spirituele vrienden? Ons aansluiten bij een spirituele gemeenschap?

Het is de moeite waard om te onthouden dat het ontwikkelen van gewaar-zijn ertoe kan leiden dat we meer tijd hebben op een dag. Zoals we hebben besproken, met een heldere en meer geconcentreerde geest gebruiken we onze tijd efficiënter en krijgen we meer energie. Mensen die mediteren zeggen vaak met minder slaap toe te kunnen, doordat het diepe concentratieniveau dat ze tijdens meditatie bereiken de kwaliteit van hun nachtrust verbetert.

HOOFDSTUK 10

De praktijk

I K STOND MET DE BABY IN MIJN ARMEN in de potten en pannen te roeren, toen de telefoon ging. Ik moest moeite doen om boven de gebruikelijke herrie van de huiselijke avondspits te horen wat er aan de ander kant werd gezegd:

'Oliver heeft gezegd dat hij Zac niet meer wil zien, omdat Zac hem steeds pijn doet en hij wil niet meer naar Zacs partijtje. Dat is de reden waarom we elkaar de laatste tijd niet meer zo vaak hebben gezien – Oliver wil gewoon niet meer in de buurt van Zac komen omdat hij bang is dat Zac hem pijn doet. Ik heb het niet met eigen ogen gezien dat Zac hem pijn doet, maar het is niets voor Oliver om zoiets te verzinnen en hij heeft het nu al twee of drie keer gezegd. Oliver is niet zo lichamelijk en hij vindt het gewoon niet prettig. Ik dacht dat het maar het beste was om het je te vertellen.'

Oliver was Zacs allerbeste vriend. Ik dacht terug aan het partijtje van Zac, een week geleden, en herinnerde me hoe het had geleken alsof Oliver Zac negeerde en steeds weg was gelopen wanneer Zac bij hem in de buurt kwam. Ik was geschokt en verward door het bericht en antwoordde:

'Eh, heel erg bedankt dat je het me hebt laten weten. Het zal niet makkelijk geweest zijn voor je om het me te vertellen. Ik vind het heel dapper en ik ben blij dat je het niet voor je hebt gehouden. Ik weet niet goed wat ik moet zeggen – ik heb Zac ook nog nooit Oliver pijn zien doen.'

Ik legde de telefoon neer, tevreden met mijn kalme, weloverwogen reactie, en stortte vervolgens volkomen in. Ik zei tegen mijn echtgenoot: 'We hebben een crisis.'

Was mijn zoon heimelijk een gewelddadige sadist, zoals onze vierjarige informant beweerde? Ik wist wel dat Zac zou terugslaan als hij zelf werd geslagen. Ik wist dat hij nogal 'lichamelijk' was en soms ruw, maar ik had hem nog nooit een ander kind zomaar zien aanvallen. Ik merkte dat ik kwaad werd op Oliver: hij had zich duidelijk tegen Zac gekeerd en zich voorgenomen het hem betaald te zetten. Vervolgens werd ik kwaad op zijn moeder: hoe kon ze in hemelsnaam een vierjarige die duidelijk ook geen engeltje was op zijn woord geloven? Trouwens, alle jongetjes op het partijtje van Zac gingen nogal ruw met elkaar om en botsten voortdurend tegen elkaar op in het opblaasbare kasteel. Maar misschien hadden zij en haar zoon toch helemaal gelijk. Ik was volkomen in verwarring.

De volgende dag belde ik het peuterklasje van Zac en de begeleidster vertelde me dat Zac even ruw was als alle andere jongetjes van zijn leeftijd, en dat ze wel eens had gezien dat hij kwaad werd en uithaalde, maar dat hij 'onmiskenbaar een van de gematigden was'. We moesten toegeven dat Zac de laatste tijd thuis wat opvliegender was geworden, maar dat hadden we toegeschreven aan de aanmaak van testosteron. Ik besloot dat het het beste was om Zac het slechte nieuws te vertellen – misschien zou hij er iets van leren. Hij vroeg trouwens steeds of hij naar Oliver mocht. Zac ontkende dat hij Oliver ooit had geslagen, zei toen dat Oliver hem eerst had geslagen en moest ten slotte even huilen. Ik wist nog niet wat er echt was gebeurd, maar was blij dat het verdrietige nieuws Zac blijkbaar geen ernstige psychologische schade toebracht.

Het grootste deel van de dag voelde ik me behoorlijk terneergeslagen door het telefoontje. Op het avondjournaal luisterde ik naar de verhalen van Afghaanse vluchtelingen die na twee jaar in wrakke bootjes en in gevangenissen te hebben doorgebracht weer thuiskwamen, en zelf was ik volkomen van slag over een kibbelpartij tussen twee vierjarige kinderen?! Ik had mezelf gerustgesteld met de gedachte dat Zac niet meer dan een matig probleem had met agressie, dat kon worden verholpen door er wat beter op te letten, dus waarom reageerde ik zo heftig? Waarom beet ik me vast in een negatieve gemoedstoestand waardoor ik me ongelukkig voelde? Het ging allemaal over de tweede Edele Waarheid van het boeddhisme. Begeerte – of in dit geval de keerzijde ervan, afkeer – veroorzaakt lijden.

Boeddhisme en problemen met de opvoeding

Ik hield koppig vast aan mijn verlangen dat de wereld anders was dan ze was. Ik wilde dat mijn zoon zich gedroeg als een pacifist. Ik wilde dat hij een beste vriend had, een toegewijde en trouwe vriend. Het had me altijd al een warm gevoel gegeven om Oliver en Zac samen te zien spelen. Wat me echter het meeste pijn deed, was mijn verlangen dat Zac nooit te maken zou krijgen met afwijzing. Toen ik mijn gedachten bewust ging onderzoeken, zag ik dat deze gebeurtenis mijn eigen pijn naar boven had gebracht, de pijn die het me vroeger had gedaan wanneer mijn vrienden me opeens niet meer hadden gemoeten en me gefrustreerd en gekwetst hadden achtergelaten. Ik wilde niet dat Zac ooit met dit aspect van het leven te maken zou krijgen, zeker niet op de gevoelige leeftijd van vier jaar, en deze gebeurtenis dwong me mijn angst onder ogen te zien. De ironie was echter dat terwijl ik zat te mokken, Zac met zijn leven doorging en kangoeroetje met de buurkinderen ging spelen.

Hoe hielp het boeddhisme me hier dan doorheen? Ik weet zeker dat ik tien jaar geleden aan de telefoon in de verdediging was gegaan en de andere moeder zou hebben aangevallen met beschuldigingen over wat haar zoon de mijne aandeed. Door het boeddhisme ben ik echter gaan inzien dat ik elke keer dat ik kwaad reageerde iemand schade heb toegebracht, niet in het minst mezelf. Het boeddhisme helpt me om niet mee te gaan in automatische reacties zoals ontkennen, beschuldigen en verdedigen, en om wat dieper te kijken naar wat er eigenlijk aan de hand is. De uitdaging was om niet mijn territorium te gaan verdedigen, maar een helder beeld te vormen van de gebeurtenissen.

Door mijn beoefening was ik in staat het verloop van dit minidrama waar te nemen en de vinger te leggen op alle gedachten, overtuigingen, aannames en emoties die mijn ongeluk voedden. Het bood me de mogelijkheid tot spirituele beoefening; het liet me zien waar ik aan vasthoud en het vereiste dat ik losliet en ruimte maakte voor geduldige acceptatie van iets wat ik toch niet in de hand had. Het boeddhisme heeft me ook geleerd om niet te snel mijn conclusies te trekken en niet te zeer vast te houden aan mijn standpunten. In plaats van te ontkennen dat Zac agressief zou kunnen zijn, zoals ik het liefst zou doen, moet ik open blijven staan voor alle mogelijkheden en zijn gedrag in deze periode in de gaten houden. In plaats van Olivers gezin te demoniseren, zeg ik 'Ik weet het niet' en geef ik me over aan het zich voortdurend ontvouwende mysterie van dit alles.

Toch zouden sommige mensen zeggen dat ik te veel denk. En daar hebben ze volkomen gelijk in.

Waar ik werkelijk behoefte aan had, was een time-out op mijn meditatiekussentje en in het daaropvolgende weekend lukte het me om veertig minuten ononderbroken te mediteren. Ik begon met het gewaar-zijn van mijn ademhaling en vervolgens koesterde ik me in de verstilling en de ruimte die ontstond. Geïnspireerd door enkele recente lezingen werkte ik daarna aan mijn voornemen om gelukkiger te zijn en herhaalde langzaam de woorden 'ik zal mijn geest transformeren', als een manier om me niet meer te laten meenemen door negatieve gemoedstoestanden. Na deze meditatiesessie voelde ik me niet alleen kalm en weer opgeladen, maar was het hele gebeuren ook opeens een vage herinnering geworden en ik vroeg me af waarom ik er zo'n drukte over had gemaakt. Zoals mijn wijze schoonmoeder schouderophalend tegen me zei: 'Czasami dzieci się kłuca. Zdarza się', wat Pools is voor 'Kinderen maken nu eenmaal ruzie.' Hoewel mijn wond soms weer wordt opengereten wanneer mijn zoon vraagt of hij naar zijn vriend mag, kan ik voelen hoe mijn beoefening me helpt op een volwassen manier met dit probleem om te gaan.

Wat is boeddhisme ook alweer?

Wellicht als reactie op de enorme omvang en de complexiteit van het hedendaagse boeddhisme, met zijn vijfentwintig eeuwen van geschiedenis in allerlei verschillende culturen, zijn er diverse pogingen gedaan om er een samenvatting van te geven, om het te reduceren tot één pakkende boodschap. Sommige mensen beschrijven boeddhisme gewoon als gewaar-zijn, bewust leven of aanwezig zijn in het hier en nu. In de woorden van Ikkyu, een zenmeester uit de vijftiende eeuw:

Aandacht. Aandacht. Aandacht.

Een andere samenvatting van het boeddhisme die eerder in dit boek werd gegeven, verwijst naar ons potentieel om onze gebruikelijke gedachten en gedragingen te vervangen door heilzamere alternatieven:

Stoppen en realiseren.

Sommige mensen beschrijven het boeddhisme als:

Het cultiveren van wijsheid en compassie.

Deze samenvatting gaat meestal gepaard met de opmerking dat er zonder compassie geen wijsheid mogelijk is en zonder wijsheid geen compassie.

In het boeddhisme loopt de weg naar het goddelijke via het hart: het boeddhisme gaat over liefde. De Dalai Lama zegt vaak:

Mijn religie is vriendelijkheid.

Andere mensen zouden het boeddhisme beschrijven als de vier Edele Waarheden in combinatie met het Edele Achtvoudige Pad, of zoals de Boeddha het kernachtig heeft verwoord:

Ik onderwijs het lijden en het eind van het lijden.

Het Achtvoudige Pad vraagt dat we onze beoefening niet beperken tot de meditatiesessies, keurig gescheiden van de rest van ons leven, maar ons bewustzijn zich laten uitstrekken tot alle aspecten van ons leven, zodat ons gewaar-zijn, onze compassie en moraliteitsbesef op ieder moment zo groot mogelijk zijn. Een beknoptere manier om dit idee te verwoorden en mijn eigen favoriete samenvatting van het boeddhisme is:

> *Leren het goede te doen.*
> *Stoppen het kwade te doen.*
> *Het zuiveren van de geest.*

Vaak nemen boeddhisten deze samenvatting als geheugensteuntje en als een mantra die ze door de dag heen of tijdens een meditatiesessie gebruiken. Het is een prettige samenvatting die geruststellend kan werken wanneer je het gevoel hebt dat je wordt overspoeld door de indrukwekkende verzameling boeddhistische leerstellingen.

Wat mij zo aanspreekt in het boeddhisme

Vanwege zijn lange geschiedenis en de grote variëteit aan culturele settings, is het niet verstandig om te generaliseren over de manier waarop mensen het boeddhisme beoefenen, aangezien op alles wat je erover kunt zeggen wel een uitzondering zal bestaan. Toch wil ik enkele algemene uitspraken over het boeddhisme doen die zijn gebaseerd op mijn eigen ervaring, hoewel ik zeker weet dat er mensen zullen zijn die het er niet mee eens zijn.

Het boeddhisme behandelt je als een volwassen persoon. Het is geen religie. Je hoeft iets pas aan te nemen op het moment dat het aansluit bij je eigen ervaring. Je gebruikt je eigen oordeelsvermogen, bezield door wijsheid en compassie, in plaats van een stelsel van heilige geboden te volgen. Spirituele groei is je eigen verantwoordelijkheid. Je bepaalt zelf het tempo. In het boeddhisme is er geen God, geen Schepper, geen rechter die de regels bepaalt, je in de gaten houdt en je gedrag beoordeelt. Voor veel mensen is het een opluchting om te horen dat het boeddhisme zich niet zozeer tegen de 'zonde' richt als wel tegen de illusie. En de illusie ga je niet te lijf met schuld en onderdrukking, maar met bewustzijn en inzicht. De Boeddha heeft nooit blind vertrouwen gevraagd van zijn volgelingen, maar juist het tegenovergestelde: een onderzoekende houding. In de woorden van de Boeddha:

Weiger iets te aanvaarden:

1 *vanwege de herhaalde mondelinge overlevering.*
2 *vanwege de afstamming of de traditie.*
3 *omdat het alom wordt beweerd.*
4 *omdat het in boeken staat geschreven, zoals de geschriften.*
5 *omdat het logisch en verstandig is.*
6 *op basis van deductie en conclusies trekken.*
7 *omdat het is uitgedacht.*
8 *op basis van aanvaarding en overtuiging door een theorie.*
9 *omdat de spreker deskundig lijkt.*
10 *uit respect voor de leraar.*

Weet welke dingen door een wijze zouden worden gelaakt en welke, indien nagestreefd, zouden leiden tot kwaad en leed.

Door de aansporing om vragen te stellen, ontwikkelen zijn volgelingen hun eigen wijsheid. De nadruk ligt op het onderzoek, het zelf uitproberen van de leer en het onderwerpen aan de test van je eigen persoonlijke ervaring.

De Boeddha heeft nooit verwacht dat we de totale boeddhistische leer blind zouden aanvaarden. Zelf heb ik moeite met het idee van reïncarnatie, ook al vinden andere boeddhisten die ik ken het 'vanzelfsprekend' of 'volkomen logisch'. Niet dat ik overtuigend bewijsmateriaal heb dat het níet klopt, maar als het over mijn dood gaat dan is het overheersende gevoel bij mij dat ik het gewoon niet weet. Ik ben er dankbaar voor dat mijn reserve op dit gebied nooit een reden zal zijn om me uit te sluiten van boeddhistische kringen.

De Boeddha klinkt niet erg als de leider van een 'religie', bijvoorbeeld in dit citaat:

Ik onderwijs je niet om je tot mijn leerling te maken. Ik ben er niet in geïnteresseerd om je tot mijn leerling te maken. Ik ben er niet in geïnteresseerd om je weg te halen bij je oude leraar. Ik ben er zelfs niet in geïnteresseerd om je doel te veranderen, want iedereen wil zich bevrijden van het lijden. Probeer wat ik heb ontdekt zelf uit en oordeel dan voor jezelf. Als het je goed doet, aanvaard je het. Zo niet, aanvaard het dan niet.

Omdat mensen nu eenmaal mensen zijn, hebben sommige boeddhisten het boeddhisme een meer religieus karakter gegeven. Zoals met alle stelsels het geval is, hebben ook bij het boeddhisme mensen een manier gevonden om er een politiek of een seksistisch stelsel van te maken of het door rituelen wat aan het oog te onttrekken. Het boeddhisme wordt al zó lang in zó veel landen beoefend dat het hier en daar wat exotische toeters en bellen heeft verzameld. Die zijn echter altijd minder van belang dan de voornaamste leerstellingen en als ze je beoefening in de weg staan, kun je ze gewoon laten voor wat ze zijn.

Het boeddhisme hoeft geen mensen te bekeren. Het is niet nodig om mensen te 'redden', je eerstgeborene te offeren of je partner over te halen tot overgave. Mijn eigen echtgenoot, een overtuigd atheïst, heeft niet de minste interesse in het boeddhisme en zal dat waarschijnlijk ook nooit krijgen. Onze verschillende visies zijn echter nooit aanleiding geweest tot een conflict; wel tot levendige en stimulerende gesprekken. Doordat het me kalmer en gelukkiger heeft gemaakt, heeft het boeddhisme onze relatie in feite eerder gevoed dan gepolariseerd.

Een religie kan geruststellende 'antwoorden' geven op al die vragen over de zin van het leven. In het boeddhisme daarentegen vind je richtlijnen waarmee je je eigen antwoorden kunt vinden en, wat misschien wel belangrijker is, je eigen vragen – het leven wordt namelijk gezien als een aaneenschakeling van mysteries. Het boeddhisme spoort ons aan om open te staan voor elke nieuwe ervaring zonder automatisch onze vooroordelen en uitgekauwde meningen erop los te laten. Zoals de grote zenmeester Shunryu Suzuki heeft gezegd: 'De *beginner's mind* kent vele mogelijkheden, die van de expert slechts enkele.'

De noodzaak om je tempo te verlagen

Wanneer we voortdurend druk bezig zijn, hebben we niet de tijd om het hier en nu in ons op te nemen, oog te hebben voor onze omgeving of te mediteren. Ook hebben we niet de ruimte om over ons leven na te denken, te analyseren waar we heen gaan en of we dat wel willen. Het voortdurend bezig zijn ondermijnt ons vermogen om liefdevol te handelen doordat het ons berooft van de tijd om naar anderen te luisteren, te zien hoe ze zich voelen en hen te helpen. Een citaat van de Boeddha:

De rusteloze, bezige natuur van de wereld – dít, zeg ik u, is de wortel van het lijden. Bereik die gemoedstoestand die rust in de vrede van de onsterfelijkheid. Het zelf is niets dan een verzameling bijeengeraapte uiterlijke kenmerken en de wereld van het zelf is net zo leeg als een fantasie.

Diegenen onder ons die zich in bochten wringen om werk en kinderen te combineren, weten dat het samenzijn met onze kinderen een bezoeking kan zijn op het moment dat we gestrest zijn door de hoeveelheid werk die op ons ligt te wachten. Het is heel lastig om met je kind in het park te zitten terwijl er 'belangrijk werk' gedaan moet worden. Wanneer je te zeer geobsedeerd raakt door productiviteit, is het moeilijk om je aan te passen aan het tempo van een kind, om aanwezig te zijn in het hier en nu en het hier en nu te aanvaarden.

Soms is er geen andere mogelijkheid dan druk bezig te zijn – dit lijkt de eis te zijn die het gezinsleven aan ons stelt. In de andere periodes van ons leven moeten we onszelf echter de vraag stellen of het misschien zo is dat we onszelf begraven in bedrijvigheid om de grote vragen des levens uit de weg te gaan. Hebben we zoveel moeite met ongestructureerde tijd dat we ons leven zo inrichten dat we er niet mee te maken hoeven hebben? Als dat het geval is, wat is dan de prijs die we betalen voor onze verslaving aan het almaar bezig zijn? Voor veel mensen is de prijs een gevoel van vervreemding van de mensen om hen heen en van de mogelijkheid om zich te koesteren in het soort gezin en de contacten waar we als mens zozeer behoefte aan hebben. De prijs kan ook vervreemding van onszelf zijn, verslaafd raken aan stress of het onvermogen om te genieten van het leven.

Als we vooruit willen komen op het spirituele pad, zullen we wat ruimte moeten creëren in ons leven. In de periode vóór ons ouderschap konden we ons op de momenten dat het leven te problematisch werd op ons werk storten, een nieuwe hobby nemen of onszelf verliezen in een druk sociaal leven – alles om maar niet alleen te hoeven zijn met onze gedachten. Nu hebben we kinderen en lopen we het gevaar hen te verwaarlozen als we dergelijke tijdrovende afleidingsmanoeuvres zouden toepassen. We zullen op zoek moeten naar een manier om harmonieus samen te leven met onszelf en ons gezin.

Tijd maken

Wat zou er voor nodig zijn om meer tijd te maken voor spirituele activiteiten, zoals meditatie, spirituele boeken, de natuur in gaan of met volledige aandacht naar iemand luisteren? Minder televisie kijken? Toch maar niet de radio aanzetten? Minder tijd besteden aan doelloos geklets? Het is niet ongebruikelijk dat mensen in de loop van hun spirituele ontwikkeling grote veranderingen aanbrengen in hun manier van leven om meer tijd te creëren. Mensen geven hun onbevredigende baan op, verhuizen naar een minder dure buurt, doen hinderlijk bezit van de hand, beëindigen een destructieve relatie, besteden minder tijd aan hun sociale leven of geven minder geld uit.

In hoeverre kunnen we allemaal ons leven vereenvoudigen? Grote schoonmaak houden? Spullen weggeven? Minder tijd besteden aan het 'nieuws' (waarvan we het meeste ook weer heel snel vergeten)? Zorgt het soort ontspanning dat we zoeken ervoor dat het tempo in ons leven hoog blijft, of helpt het ons om het tempo te verlagen en innerlijke vrede te bereiken? De Boeddha heeft ons herhaaldelijk geadviseerd om 'te matigen met eten'. We kunnen eenvoudiger voedsel eten in plaats van voedsel dat onze energie ondermijnt, en genoeg slapen en bewegen. De Boeddha spoort ons aan om te zorgen dat we gezond zijn, zodat we voldoende energie hebben voor onze spirituele ontwikkeling:

Het is onze plicht om het lichaam in goede gezondheid te houden, want anders zullen we de lamp der wijsheid niet juist kunnen afstellen en de vlam van onze geest niet krachtig en helder laten branden.

Het helpt om onszelf regelmatig de vraag te stellen: hoe zou ik deze dag, week of maand doorbrengen als ik wist dat het mijn laatste was? Met andere woorden, wat doet er werkelijk toe en wat is koude drukte? Als we te weten kunnen komen wat we nodig hebben om gelukkig te zijn, kunnen we ophouden met energie te verspillen aan onze illusies. Het helpt ook om in te zien dat wat we werkelijk van het leven willen niet zozeer de uiterlijke dingen of ervaringen zelf zijn, maar de positieve gemoedstoestanden die we ermee associëren. Zou het dan niet verstandiger zijn om die gemoedstoestanden via innerlijk werk proberen te bereiken in plaats van de uiterlijkheden na te jagen? Het doet me denken aan de mop: 'Als de pret van een vakantie voor de helft bestaat uit het plannen ervan, blijf dan gewoon thuis en plan er twee!'

Stel dat het ons lukt om ons leven een beetje te reorganiseren, te ontdoen van wat overbodige rommel, wat biedt deze nieuwe ruimte ons dan?

We zouden tijd hebben voor stilte, verstilling, meditatie. We zouden naar onze slapende kinderen kunnen kijken, in de ogen van een baby staren, een wandeling maken, de natuur in gaan, in ons dagboek schrijven, langzaam van een maal genieten of naar alle geluiden om ons heen luisteren. We zouden iets volkomen spontaans kunnen doen: wat bloemen plukken, een praatje maken met een vreemde, een ontspannen wandelingetje maken om de buurt te verkennen. Deze activiteiten geven ons de mogelijkheid weer in contact te komen met onszelf en nieuwe energie op te doen. Ze herinneren ons er ook aan dat het leven lichter, spontaner en leuker kan zijn.

Je aansluiten bij een spirituele gemeenschap

Van tijd tot tijd vangen we misschien een glimp op van een betere manier van leven, van de betere persoon die we zouden kunnen worden of misschien van wat we verkeerd doen. Heldere momenten. Die kunnen komen doordat we een bepaald boek zitten te lezen, de tijd hebben gevonden om na te denken of iemand te ontmoeten die ons inspireert. De vraag die ertoe doet is: hoe kunnen we ervoor zorgen dat dit soort inspirerende momenten ook werkelijk ergens toe leiden? Hoe kunnen we ons leven werkelijk veranderen? Als we af en toe een boek over het boeddhisme lezen, dan blijft onze beoefening iets wat komt en gaat en op een dieper niveau weinig voor ons doet. We gaan het boeddhisme dan gebruiken als een van de vele manieren om onszelf een goed gevoel te geven, iets wat we eens in de zes maanden, of eens in de zoveel jaar uit de kast halen.

Voor mensen die zich werkelijk willen inzetten voor hun spirituele ontwikkeling, is de oplossing dat ze zich aansluiten bij een spirituele gemeenschap. Door regelmatig onderricht te krijgen van een bevoegd leraar en in contact te komen met anderen die ook dit onderricht in praktijk proberen te brengen, hoeft de motivatie niet langer een probleem te zijn. De Drie Juwelen die ons volgens de Boeddha op ons spirituele pad kunnen ondersteunen, zijn de *Boeddha* (die ons inspireert tot bewustwording), de *Dharma* (zijn leer) en de *Sangha* (de spirituele gemeenschap).

Julie Henderson, een schrijfster die meer dan twintig jaar onderricht heeft gehad van Tibetaanse lama's, geeft een interessante verklaring voor het feit dat we *sangha* nodig hebben:

We worden in hoge mate beïnvloed door de tribale behoeften die we als primaat hebben. Praktisch betekent het dat we een grote behoefte hebben om deel uit te maken van de groep mensen om ons heen. De neiging om de zijnstoestand van de mensen om ons heen over te nemen, is veel groter dan om zelf onze eigen 'zuiverder' toestand te creëren. Zelfs wanneer de toestand van de mensen om ons heen deplorabel of onaangenaam is, dan nog is het gewoon makkelijker om er aan mee te doen dan om onze eigen, afwijkende toestand te creëren. Dit verschijnsel werpt een bepaald licht op sangha als de groep mensen die actief en doelbewust de belichaming van de vier verheven gemoedstoestanden nastreven en die dat zodoende makkelijker maken voor ons allemaal.

Je moet sterk in je schoenen staan om de boodschappen waarmee de materialistische samenleving ons bestookt te weerstaan en de mensen in onze omgeving zetten misschien geen vraagtekens bij die boodschappen. Vaak genoeg hebben we te maken met mensen die geluk denken te vinden in auto's, geld, bezit, schoonheid en jeugd, en het is niet moeilijk om die waarden ook zelf over te nemen. Het is dan zeer verfrissend om ons te laten onderdompelen in een cultuur waar diepere waarden gelden, waarden als liefdevolle vriendelijkheid, compassie, empathische vreugde en gelijkmoedigheid.

Een traditie kiezen

Op mijn wekelijkse 'vrije avond' zonder gezinsverplichtingen ging ik altijd de hele stad door om te kijken wat de verschillende boeddhistische scholen te bieden hadden. De ene avond was ik dan in het Tibetaans aan het chanten, de andere avond liep ik met vijftig anderen langzaam door een met kaarsen verlichte ruimte tijdens een loopmeditatie. In het ene centrum maakte ik een reis met creatieve visualisaties, in het volgende zond ik liefdevolle vriendelijkheid naar alle levende wezens. De ontmoetingen met al die verschillende leraren en beoefenaren waren stimulerende en fascinerende belevenissen.

Om een serieus begin te maken met ons spirituele pad is het echter nodig dat we ons toeleggen op één bepaalde leraar van één bepaalde boeddhistische school; anders maken we alleen maar oppervlakkig kennis met diverse beoefeningen, in plaats van dieper door te dringen in één ervan. In het boeddhisme is 'afstamming' een sleutelwoord bij het uitkiezen van een leraar. Bij een bevoegd leraar is er sprake van een lange lijn van leraar-leerlingverhoudingen, die helemaal teruggaan tot de Boeddha zelf. Per 'afstamming' zijn er meestal verschillende mogelijkheden om de leer of andere programma's te volgen op het niveau dat we zelf wensen. We kunnen het net zo serieus nemen als we zelf willen en het pad kiezen dat tot volledige inwijding leidt, of slechts af en toe langsgaan om te luisteren naar een voordracht.

De keuzemogelijkheden die we hebben zijn: zenboeddhisme, Tibetaans boeddhisme en Theravadaboeddhisme. De centrale boodschap is in essentie voor alle boeddhistische scholen dezelfde, het verschil ligt meestal in de manier van beoefening. Het kan zelfs verstandiger zijn om een *sangha* te kiezen op basis van het contact met de leraar dan van boeddhistische school. We moeten echter realistisch blijven: de keuze die een moeder maakt kan net zo goed gebaseerd zijn op gemak, wat inhoudt dat het de school wordt die het dichtste bij is of waarvan de tijden het beste uitkomen.

We kunnen wel wat algemene uitspraken doen over de verschillen die tussen de scholen bestaan, maar aangezien het boeddhisme zich meestal aanpast aan de cultuur waarin het is ingebed, zijn het slechts grove generalisaties. Een westerse oriëntatie van elk van deze scholen komt waarschijnlijk neer op minder regels, rituelen en vaste gebruiken. Zonder in te gaan op de scholen die weer *binnen* elk van deze scholen bestaan, kunnen we voorzichtig de volgende algemene uitspraken doen:

Het **Tibetaans boeddhisme** kent waarschijnlijk de meeste exotische extra's in de zin van chanten en standbeelden en rituelen, wat wellicht te maken heeft met de pogingen van Tibetanen om hun bedreigde cultuur te redden. Van de westerse boeddhistische centra die de laatste tijd in Australië zijn opgericht, is het grootste deel Tibetaans. De Tibetaanse school legt de nadruk op vriendelijkheid en is van alle tradities de meest altruïstische: alle inspanningen om verlichting te bereiken worden verricht met het oog op alle levende wezens helpen. Het is interessant dat het Tibetaans boeddhisme van de andere scholen verschilt in de grote waardering voor de geschriften, voor studie, uit het hoofd leren en bediscussiëren van de leer en het gebruik van het intellect. Het maakt in meditatie ook meer gebruik van creatieve visualisaties en mentale voorstellingen.

Het **Theravadaboeddhisme** wordt beoefend in Sri Lanka, Thailand, Laos, Cambodja en Birma en wordt vaak beschouwd als de eenvoudigste traditie met de minste rituelen. Het benadrukt het belang van inzicht bereiken tijdens meditatie door de afleidingen gewaar te zijn in plaats van ze met dwang uit ons bewustzijn te weren. De Theravadaschool wordt beschouwd als een zuiverder vorm van boeddhisme, omdat deze gebruikmaakt van de oudste en oorspronkelijkste boeddhistische geschriften.

Het **zenboeddhisme**, dat met name wordt beoefend in China, Korea en Japan, kan worden getypeerd als de meest rigoureuze school, waar bij de meditaties de nadruk ligt op hard werken en de grote inspanning. De populaire Vietnamese monnik Thich Nhat Hanh, daarentegen, staat aan het hoofd van een zenboeddhistische school die volgens sommige mensen zachtaardig is en relatief toegankelijk voor een westerling. Het traditionele zenboeddhisme is nogal anti-intellectueel en beschouwt boeken, gesprekken, denken en onderricht als afleidingen van de ware beoefening. Hoewel compassie een belangrijk onderdeel is van het zenboeddhisme, ligt de meeste nadruk op de ontwikkeling van het vermogen om in het hier en nu aanwezig te zijn. Rinzai-zenboeddhisme staat bekend om het gebruik van *koans* waar de meditatiebeoefenaren uren, weken of maanden over moeten doen om ze op te lossen. Het beroemdste voorbeeld is waarschijnlijk: 'Wat is het geluid van één klappende hand?' Het doel van een koan is de beperking van de rationele geest aan te tonen en de noodzaak die te overstijgen om inzicht te kunnen bereiken.

Het pad van de praktiserende ouder

Shantideva, de Indiase wijze uit de veertiende eeuw, stelt ons de vraag: Het is een gegeven dat er overal distels en doornen en rotsen zijn, maar waarom zou je de hele wereld met leer willen bedekken wanneer je ook sandalen kunt aandoen? Analoog hieraan kunnen we onszelf de vraag stellen: Waarom zouden we de hele wereld willen veranderen wanneer we ook gewoon onze eigen geest kunnen veranderen? Het duurt echter een hele tijd voordat we doorhebben hoe zinloos het is om het leven te dwingen anders te zijn dan het is. We geven onze onrealistische hoop niet snel op dat we ons leven zo kunnen organiseren dat we het lijden en de ontevredenheid uit de weg kunnen gaan. Daarvoor moeten we een jarenlange conditionering overwinnen en een aantal diepgewortelde illusies uitroeien. Het kan zijn dat we jarenlang moeten oefenen met gewaar-zijn alvorens ons überhaupt bewust te worden van een aantal van onze illusies. We moeten onszelf er regelmatig aan herinneren dat de wereld om ons heen niet in staat is om ons duurzaam, betrouwbaar geluk te schenken en dat we moeten streven naar innerlijke vrede. Het boeddhisme leert ons dat romantiek, rijkdom, prestaties en relaties allemaal lijden veroorzaken zolang we er vanuit een begerige gehechtheid naar grijpen. Als we gelukkig willen zijn, moeten we onze geest transformeren.

Als het gaat om de buitenwereld als bron van geluk op te geven, hebben ouders een voorsprong: onze kinderen zorgen er wel voor dat we er in de verste verte niet zo intensief aan kunnen deelnemen als we zouden willen. Ze dwingen ons te stoppen met geluk in de buitenwereld na te jagen en in plaats daarvan regenachtige dagen thuis door te brengen, zonnige dagen op de speelplaats en bewolkte dagen in het winkelcentrum. Door ons zo'n groot deel van de afleidingen in ons leven af te nemen, dwingen ze ons naar binnen te gaan voor ons geluk. En vaak genoeg houden ze ons een spiegel voor waarin we zien hoe het in werkelijkheid met ons innerlijk is gesteld. Soms is het geen prettig gezicht en realiseren we ons waar we aan moeten werken. Inderdaad, kinderen zijn de meest veeleisende en genadeloze spirituele leraren die je je maar kunt voorstellen.

Steeds opnieuw maken onze kinderen ons weer tot beginnelingen. Ze gaan van de ene naar de andere fase en ons vermogen om onder ogen te zien wat zich voordoet, verschilt van maand tot maand, gelijk oplopend met ons vermogen en onze toewijding om de boeddhistische leer in praktijk te brengen. Maar als het ons lukt om wat innerlijke vrede te ontwikkelen, wat gelijkmoedigheid, dan zal alles wat er om ons heen gebeurt ons minder snel van streek maken of onderuit halen. Onze innerlijke vrede creëert wat ruimte tussen wat er om ons heen gebeurt en onze reactie erop. Hierdoor zijn we alleen maar beter in staat onze kinderen te helpen, omdat we hen met meer aandacht opvoeden en een beter rolmodel zijn.

Wanneer je de boeddhistische leer net in praktijk begint te brengen, kan het zijn dat allerlei aspecten van je leven drastisch verbeteren. Sommige veranderingen zijn makkelijk door te voeren – het kost ons niet al te veel moeite om iets aardiger te zijn tegen de mensen in onze buurt, wat liefdevoller te zijn tegen onze gezinsleden en wat positiever tegen de wereld aan te kijken. Binnen een heel korte tijd zijn we onder de indruk geraakt hoezeer ons leven is verbeterd door de boeddhistische beoefening. We moeten echter ook rekening houden met een groeistop – een groot aantal aspecten van ons leven verbetert slechts na een jarenlange beoefening. Het kan jaren duren voordat we in staat zijn ons te bevrijden van onze schadelijke gedachten, de mensen die ons hebben gekwetst te vergeven of negatieve gemoedstoestanden de baas te blijven.

Voor niemand is de reis langs het spirituele pad een rechte lijn van vooruitgang; het leven heeft nog steeds zijn ups en downs en op dezelfde manier kent ook onze toewijding pieken en dalen. Ons emotionele leven kan er zelfs eerst op achteruitgaan voordat het uiteindelijk beter wordt. Het is niet aangenaam om verborgen of onderdrukte wonden aan het licht te brengen en het kan onverwachte emotionele reacties oproepen. Na onze innerlijke pijn al die jaren te hebben ontkend of genegeerd, is het waarschijnlijk zaak om onze heelwording de eerste prioriteit te geven. Op langere termijn kunnen we alleen maar baat hebben bij de innerlijke voorjaarsschoonmaak van alle troep die ons plezier in het leven in de weg zit.

In *After the Ecstacy, the Laundry*, het alom gelezen boek van Jack Kornfield, die al decennialang het boeddhisme beoefent en onderwijst, staat:

Bij vrijwel iedere beoefenaar... worden de momenten van

diepe vrede en hervonden liefde vaak weer ingehaald door
perioden van verlies, zich afsluiten, door angst of de ontdek-
king van verraad, om vervolgens weer over te gaan in gelijk-
moedigheid of vreugde.

Een spiritueel pad biedt geen uitweg voor het lijden in het leven en kan ons er juist met onze neus op drukken. Maar na verloop van tijd, wanneer onze geest gezonder terrein wordt, zal de vooruitgang op alle gebieden van ons leven merkbaar worden.

Ten slotte...

Aangezien meditatie zo'n krachtig instrument is, waarom stoppen we dan niet al onze energie daarin en vergeten we het boeddhistische deel? Overal op de wereld wijden mensen zich aan meditatie om hun gezondheid te verbeteren, als stressmanagement of als middel om hun doelen te bereiken. Dit roept echter de vraag op: 'In wat voor een wereld wil ik leven?' Een wereld waarin iedereen bezig is met zelfverbetering en de wereld aangenamer probeert te maken voor Nummer Een? Of heb ik liever een wereld van onderling verbonden wezens die om elkaar geven, zich inzetten voor hun leefomgeving, van anderen houden en elkaar helpen?

Een van de manieren waarop je iets kunt doen aan het isolement en het gebrek aan gemeenschapszin van de moderne samenleving is je sterk maken voor een oriëntatie die niet alleen maar oog heeft voor onszelf en ons eigen beperkte wereldje. In plaats van bij te dragen tot een cultuur van meditatiebeoefenaars die zich alleen maar richten op hun eigen heelwording, hogere bewustzijnsstaten bereiken en de vervulling van hun wereldlijke doelen, wil ik onderdeel zijn van een beweging die ons ook in staat stelt weer in contact te komen met elkaar, een beweging die de dierbaarheid en de kwetsbaarheid van de mens erkent. In het boeddhisme is compassie voor anderen een manier om in contact te komen met het goddelijke.

Woorden zullen nooit de lading dekken van de immense Waarheid die we allemaal over het hoofd zien – ze kunnen hooguit een hint geven, maar zullen nooit in staat zijn om alles wat we kunnen ervaren en kunnen zijn te beschrijven. Het boeddhisme leert ons dat we met liefde zoveel meer kunnen zijn dan een lichaam dat bestaat uit de vijf zintuigen en een rationele geest; dat we een veel groter potentieel hebben dan we ons realiseren. Door te allen tijde het lijden en de onvolmaaktheid van ons leven te erkennen, geeft de boeddhistische beoefening ons een adempauze waarin hoop is. Dit is ongetwijfeld de reden waarom boeddhisme zo'n snelgroeiende en populaire beoefening is.

Het Edele Achtvoudige Pad

Het Edele Achtvoudige Pad omvat vrijwel het hele boeddhistische onderricht. Het is een manier van leven die discipline vereist en het leidt tot bevrijding.

Wijsheid

Juist inzicht

Juist inzicht betekent het leven zien zoals het is: inzicht hebben in de vier Edele Waarheden over het lijden en het eind van het lijden, evenals de waarheid van de vergankelijkheid en *geen-zelf*. Vaak is het inzicht in deze waarheden in eerste instantie intellectueel, maar we hoeven alleen maar naar onze manier van leven te kijken om te beseffen dat het ons ontbreekt aan een werkelijk diep inzicht. Door ons door middel van meditatie en spirituele groei te ontdoen van de onzuiverheden van onze geest, vergroten we de mogelijkheid tot diepe realisatie van deze waarheden.

Juist denken

Dit is de intentie om ons bewustzijn te vergroten en onze gedachten te zuiveren van hebzucht, haat en illusie. Als we meer vat kunnen krijgen op onze gedachten, heeft dit een groot effect op ons gevoel en ons gedrag. Door middel van ons denken, creëren we onze realiteit – de kwaliteit van onze ervaring van het leven hangt in grote mate af van onze manier van denken. We hebben de keuze om onszelf het geluk of de treurnis in te denken; ook kan onze manier van denken het leven van de mensen om ons heen verbeteren of hen juist demoraliseren.

Ethiek

Juist spreken

De Boeddha heeft gezegd dat juist spreken *eerlijk, vriendelijk, zachtmoedig* en *opbouwend* is. Wat we proberen, is op het juiste moment het juiste tegen de juiste persoon te zeggen; we moeten dus zorgvuldig omgaan met wat we zeggen. Wanneer wat we zeggen niet nuttig of bruikbaar is voor de luisteraar, dan moeten we terughoudendheid betrachten. We onthouden ons van grove taal en vermijden dingen te zeggen die kwaadwillig, schadelijk of egocentrisch zijn. We roddelen niet en vertrouwelijke mededelingen houden we voor onszelf. We zijn ons er ook van bewust of de luisteraar iets heeft aan wat we zeggen of dat we de tijd van de ander verdoen.

Juist handelen

Ons gedrag moet ethisch zijn en met compassie vervuld, evenals de bedoelingen achter ons gedrag. Door ons bewust te zijn van onszelf kunnen we ontdekken wat de motieven zijn achter ons handelen. Juist handelen omvat tevens Vijf Voorschriften, namelijk

1 Geen leven vernietigen
2 Niet stelen
3 Geen seksueel wangedrag
4 Niet liegen
5 Geen drugs of alcohol gebruiken die ons oordeelsvermogen kunnen vertroebelen

Het verschilt per school, en zelfs binnen een en dezelfde school, hoe strikt deze geboden worden toegepast. Als algemene regel is het belangrijker om wijs en met compassie te reageren op de situatie waarmee je wordt geconfronteerd, dan dat je je aan de regels houdt.

Juist levensonderhoud

Boeddhisten moeten in hun levensonderhoud voorzien met werk dat anderen geen schade toebrengt. We moeten ons vooral onthouden van beroepen waarin sprake is van wapenhandel, handel in sterke drank, het doden van dieren of zwendel. Of we nu in een fabriek werken of een accountant zijn, we zullen in ons leven altijd te maken krijgen met gebieden die in conflict zijn met onze waarden en soms zullen we daar iets mee moeten doen. Dit kunnen kwesties zijn met betrekking tot de gezondheid van onze afnemers, het milieu, de eerlijkheid van onze reclameboodschappen of de manier waarop we omgaan met de mensen met wie we te maken krijgen.

Geestelijke discipline

Juiste inspanning

Zowel in onze meditatiesessies als ons dagelijkse leven is de juiste inspanning vereist. Tijdens de meditaties is het niet nodig om te fronsen of onszelf te dwingen ons te concentreren, om onszelf te disciplineren als een strenge schoolmeester. We moeten echter ook niet zo ontspannen raken dat we ons niet meer zo bekommeren om onze concentratie of in slaap vallen. We zoeken naar een middenweg. In het dagelijkse leven gaat juiste inspanning over de wil om heilzame gemoedstoestanden te bevorderen en onze geest te zuiveren van begeerte, haat en illusie.

Juiste aandacht

Aandacht gaat over gewaar-zijn, niet alleen tijdens meditatie maar op elk moment van de dag. We moeten leren op een meditatieve manier te leven en onze aandacht te richten op het voortdurende veranderende Nu in plaats van op gesprekken en gebeurtenissen in het verleden en in plaats van op onze verlangens en angsten voor de toekomst. De Boeddha heeft vier ervaringsniveaus onderscheiden waarop we gewaar moeten zijn:

1 ons lichaam – de gewaarwordingen, ongemak, pijn, jeuk, spanning, genot;

2 onze gevoelens – onze emoties en gemoedstoestanden zoals woede, vreugde, verdriet en vrede;

3 onze gedachten – onze plannen, dromen, herinneringen, oordelen, spijt;

4 onze houding ten opzichte van de universele wetten van het leven – vergankelijkheid, geen-zelf en niet-gescheiden zijn.

Juiste concentratie

Juiste concentratie wordt vaak eenpuntigheid genoemd. Het verwijst naar het vermogen je te concentreren op één aspect van de ervaring zonder dat de geest afgeleid raakt. Het is het leren beheersen van ons denken.

Nuttige boeken

Why Buddhism? Westerners in Search of Wisdom van Vicki Mackenzie

Ik heb ontdekt dat er in de buurt van Sydney weinig mensen zijn die geïnteresseerd zijn in het boeddhisme en dit boek niet hebben gelezen. Het bevat zestien interviews met voornamelijk vooraanstaande boeddhisten, waarin Mackenzie probeert te achterhalen wat ieder van hen aansprak in het boeddhisme en hoe het hun leven heeft verrijkt. Het zijn allemaal westerlingen, maar met een verschillende achtergrond. Van ieder van hen is een korte levensbeschrijving opgenomen, evenals in hun eigen woorden hoe zij het boeddhisme beleven.

The Naked Buddha, A Simple Explanation of a 'New' Old Religion van Adrienne Howley

Adrienne Howley is moeder van twee zoons en in 1982, toen ze begin zeventig was, is ze door de Dalai Lama gewijd. Haar boek is een 'primeur' op het gebied van het boeddhisme en benadrukt hoe belangrijk het is om je beoefening en al je overtuigingen op je persoonlijke ervaring te baseren. Eerst beschrijft ze de kern van de boeddhistische leer en vervolgens gaat ze in op onderwerpen als het monastieke leven en het boeddhisme in de verschillende culturen. Ze beschikt over een indrukwekkende hoeveelheid kennis van het boeddhisme zoals dat in Oost en West wordt beoefend en heeft ook zelf veel ervaring opgedaan met beide.

The Path to Peace Within, A Guide to Insight Meditation van
Helen Jandamit

Een dun boekje dat een uitstekende samenvatting geeft van de
stappen van de Theravada inzichtmeditatie. Het bevat een degelij-
ke uitleg van loopmeditatie. Jandamit besteedt ook enkele hoofdstukken aan een aantal van de belangrijkste leerstellingen van het
boeddhisme en is in staat om dat vanuit haar rijke ervaring als meditatieleraar in Thailand zeer helder te doen.

Stumbling Toward Enlightenment van Geri Larkin

Sex in the City en boeddhisme in één. Om haar bewering te sta-
ven dat het beoefenen van boeddhisme belangrijker is dan het te
onderzoeken, speculeert Geri Larkin: 'Waarom zou je gaan lezen
over fantastische seks wanneer je het ook gewoon kunt gaan doen?'
Ze heeft ook een hoofdstuk opgenomen met de titel 'Wanneer je
alleen nog maar aan seks kunt denken'. Geri Larkin heeft twee kinderen en was ooit een uitstekend betaalde management-consultant
met een gemiddelde werkweek van meer dan zeventig uur. Langzaam maar zeker heeft ze haar uren teruggebracht, vervolgens ver-
kocht ze haar prachtige huis en bezittingen en verhuisde naar een
tempel. Dit is een prettig, toegankelijk boek: het zit vol humor en
het is fascinerend hoe eerlijk Larkin is over haar gebreken, worstelingen en mislukkingen op het spirituele pad. Zeer inspirerend,
motiverend en geruststellend.

Light on Enlightenment, Revolutionary Teachings on the Inner Life van Christopher Titmuss

Voordat hij zes jaar als boeddhistische monnik in Thailand en
India doorbracht, was Christopher Titmuss journalist. Daarna is
hij leraar geworden en heeft over de hele wereld retraites van inzichtmeditatie geleid. Hoewel hij geen kinderen heeft, beveel ik dit
boek toch aan vanwege de duidelijke uiteenzetting van boeddhistische begrippen. Elk hoofdstuk heeft een titel als 'De vier Edele
Waarheden', 'De acht Wereldlijke Condities' of 'De vier Funda-
menten van het Bewustzijn'. Hij illustreert het onderricht met he-

dendaagse voorbeelden en in eenvoudige taal. Na elk onderdeel geeft hij een lijst met nuttige vragen die de lezer kan gebruiken om zijn eigen ziel te onderzoeken, zoals: 'Hoe zit het met jouw visie, passie, interesse, bekwaamheid?', 'Wat zijn de beweegredenen voor je belangrijkste activiteiten?', 'Doe je dingen omdat je niet weet wat je anders moet doen?'.

Lovingkindness, The Revolutionary Art of Happiness en *A Heart as Wide as the World, Stories on the Path of Lovingkindness* van Sharon Salzberg

Sharon Salzberg is een van de populairste boeddhistische auteurs van onze tijd. Ze is grondlegger van de beroemde Insight Meditation Society in Massachusetts en heeft over de hele wereld meditatie beoefend en gedoceerd. Haar grote passie zijn de boeddhistische leerstellingen over liefde, in het bijzonder de vier goddelijke hemelrijken van liefdevolle vriendelijkheid, compassie, empathische vreugde en gelijkmoedigheid. Haar manier van schrijven is zo toegankelijk en inspirerend dat je haar boeken onmogelijk kunt lezen zonder je houding ten opzichte van al je relaties radicaal te veranderen. Ze slaagt er zelfs in om van de meest verstokte cynicus een vriendelijker persoon te maken. Ze put uit de ervaringen die ze heeft opgedaan in Rusland, Birma, India, Thailand, Australië en haar thuisland Amerika en haar verhalen zijn even aangrijpend als exotisch.

Forgiveness and Other Acts of Love en *The Universal Heart* van Stephanie Dowrick

Stephanie Dowrick is een van mijn favoriete inspirerende auteurs en dit zijn mijn twee favoriete boeken van haar. De manier waarop zij schrijft over een onderwerp als liefde is niets minder dan meeslepend. Zoals zij het beschrijft, wordt liefdevol leven aantrekkelijk en opwindend. Ter illustratie verwerkt ze ontelbare anekdotes in haar argumenten en put daarbij uit haar rijke ervaring op het gebied van psychotherapie. Ondanks het feit dat haar boeken de veelomvattende wijsheid uit diverse tradities beslaan, waaronder het boeddhisme, heb ik de indruk dat haar boeken de boeddhistische boodschap uitdragen. In *Forgiveness and Other Acts of Love* (Ned. vert. *Bewijzen van liefde*, Contact) wordt aan elk van de zes deugden – moed, trouw, terughoudendheid, generositeit, verdraagzaamheid en vergeving – een hoofdstuk gewijd. *The Universal Heart* (Ned. vert. *Het universele hart*, Contact) gaat in op het positieve effect dat het heeft om van alle mensen te houden in plaats van slechts van een select handjevol, om op een zuiverder manier van mensen te houden die ons dierbaar zijn en om van onszelf te houden. Beide boeken kun je steeds opnieuw lezen en af en toe doorbladeren om inspiratie op te doen.

A Path with Heart (Ned. vert. *Een licht voor jezelf*) en *After the Ecstacy, the Laundry* (Ned. vert. *Na het feest komt de afwas*) van Jack Kornfield

Jack Kornfield heeft waarschijnlijk het indrukwekkendste cv van de hele boeddhistische wereld. Hij is in Thailand, Birma en India opgeleid tot monnik en geeft sinds 1974 onderricht in het boeddhisme. Als productief schrijver en medeoprichter van de vermaarde Insight Meditation Society heeft hij een spilfunctie vervuld om de boeddhistische leer naar het Westen te brengen. Hij is afgestudeerd psycholoog en heeft een dochter. De manier waarop hij zijn favoriete onderwerpen – zelfbewustzijn, gewaar-zijn en compassie – behandelt, is zeer toegankelijk voor de westerse geest en hij kan uit een veelheid aan ervaring putten: in de loop der jaren heeft hij met duizenden studenten, leraren en boeddhistische kopstukken indringende gesprekken gevoerd. Zijn benadering is realistisch, eenvoudig en met beide benen op de grond. Hij is ook verrassend open over zijn eigen persoonlijke strubbelingen, met zijn vader, zijn vrouw en zijn eigen demonen.

Peace of Mind van dr. Ian Gawler

Hoewel dit geen boeddhistisch boek is, geeft het wel een goed overzicht van het positieve effect van meditatie en de verschillende technieken en benaderingen die er zijn. Dr. Gawler verdeelt meditatie in drie soorten: gezondheidsmeditatie, inzichtmeditatie en creatieve meditatie. Hij beschrijft tevens zeven niveaus van hoger bewustzijn die we door middel van meditatie kunnen bereiken. Het is een zeer motiverend boek en is dus bij uitstek behulpzaam op de momenten dat we last hebben van twijfel of dat onze toewijding aan de spirituele beoefening in een dal zit. Dr. Gawler is meer geïnteresseerd in resultaten dan in een spirituele oriëntatie en legt de nadruk op mediteren ten bate van de gezondheid en als stressmanagement. Tegen de achtergrond van zijn eigen succesvolle gevecht tegen 'terminale' kanker, tien jaar geleden, is dit goed te begrijpen en aan de hand van zijn ervaringen hebben duizenden mensen leren mediteren als middel in hun strijd tegen ziekte, met name kanker.

Nuttige websites

www.buddhanet.net

Deze website wordt beheerd door Pannyavaro, een zestigjarige Australische monnik, en is de grootste boeddhistische internetsite van de wereld. De site is inderdaad enorm omvangrijk en bevat diverse bestanden, zoals een adressenbestand van boeddhistische centra over de hele wereld, audiolezingen, e-boeken, meditatie-instructies en een schat aan algemene informatie. Er zijn speciale verwijzingen voor kinderen, zoals een kinderpagina, kruiswoordpuzzels, studiemateriaal en instructies hoe je liefdevolle vriendelijkheid kunt inbouwen in het ritueel rond bedtijd. Je kunt er ook informatie vinden over bekende, vrouwelijke boeddhisten evenals besprekingen van de rol die vrouwen in de loop van de boeddhistische geschiedenis hebben gespeeld.

Enkele suggesties voor andere websites:

www.vwbo.nl

Vrienden van de Westerse Boeddhisten Orde (Amerikaanse tak wordt in de tekst genoemd)

www.boeddhisme.nl

Boeddhistische Unie Nederland

Uit de geschriften

Preek te Rajagaha

Bevrijd je van de inhaligheid van het egocentrisme en je zult de kalme gemoedstoestand bereiken die volmaakte vrede, goedheid en wijsheid schenkt…

Bedrieg noch veracht
Om het even wie.
Wees niet kwaad en koester
Geen heimelijke wrok;
Zoals een moeder haar leven riskeert
En waakt over haar kind,
Zo grenzeloos moet je liefde voor ieder zijn,
Zo teder, vriendelijk en zacht.

Wees welwillend, links en rechts,
Overal en vroeg of laat,
Ongeremd en onbeperkt,
En vrij van haat of afgunst,
Hetzij in staan, gaan of zitten,
Ongeacht wat je in gedachten hebt,
De levensregel die het altijd wint,
Is liefdevol-vriendelijk te zijn.

De geschenken zijn groots… meditatie en religieuze oefeningen brengen het hart tot rust, begrip van de waarheid leidt tot het Nirvana, maar nog groter dan dit alles is liefdevolle vriendelijkheid. Zoals het licht van de maan zestien maal sterker is dan het licht van alle sterren, zo is liefdevolle vriendelijkheid zestien maal doeltreffender om het hart te bevrijden dan alle andere religieuze verrichtingen bij elkaar.

(Verzen 18–22 van de preek te Rajagaha)

De Tien Kwaden Vermijden

De Boeddha heeft gezegd: 'Er zijn tien dingen waardoor de daden van levende wezens slecht worden, en door die tien dingen te vermijden, worden ze goed. Er zijn drie kwaden van het lichaam, vier van de tong en drie van de geest.

De kwaden van het lichaam zijn moord, diefstal en overspel; van de tong liegen, laster, vloeken en doelloze praat; van de geest inhaligheid, haat en dwaling.

Ik maan jullie de tien kwaden te vermijden:

1 Dood niet, maar heb respect voor het leven.
2 Steel niet, maar help eenieder meester te zijn over de vruchten van de eigen arbeid.
3 Onthoud je van onzuiverheid en leid een kuis leven.
4 Lieg niet, maar wees eerlijk. Spreek de waarheid met beleid, zonder angst en vanuit een liefdevol hart.
5 Verzin geen kwade geruchten en spreek ze ook niet na. Ga niet op zoek naar andermans gebreken, maar heb oog voor de goede kanten van je medemensen, zodat je hen oprecht kunt verdedigen tegen hun vijanden.
6 Vloek niet, maar druk je beschaafd en waardig uit.
7 Verdoe je tijd niet met kletspraat, maar beperk je tot wat relevant is of zwijg.
8 Wees niet begerig of afgunstig, maar verheug je over het geluk van anderen.
9 Zuiver je hart van boosaardigheid en koester geen haat, zelfs niet jegens je vijanden; omhels alle levende wezens met vriendelijkheid.
10 Bevrijd je geest van onwetendheid en wees leergierig naar de waarheid, vooral wanneer je ten prooi valt aan scepsis of dwaling. Scepsis maakt je onverschillig en dwaling zet je op het verkeerde spoor, zodat je het edele pad dat naar het eeuwige leven leidt niet zult vinden.

(Verzen 1–13)

Boeddhisme voor moeders met een pasgeboren kind

Mothering as Meditation Practice door Anne Cushman
(verschenen in het tijdschrift *Tricycle*, herfst 2001, New York)

In de eerste twee weken van zijn leven sliep mijn zoon Skye alleen maar wanneer hij mijn hartslag kon horen. Van middernacht tot zonsopgang lag hij op mijn borst, zijn hoofdje in het holletje onder mijn kin genesteld, en werd om de twee uur wakker om te worden gevoed. Overdag sliep hij in mijn armen terwijl ik hem wiegde, één lange film van emoties – vreugde, ergernis, plezier, angst, verwondering – gleed er over zijn slapende gezichtje heen, alsof hij bezig was alle uitdrukkingen die hij in de rest van zijn leven nodig zou kunnen hebben te oefenen. Als ik het waagde hem in zijn wiegje te leggen, werd hij brullend van woede, rood aangelopen en wild om zich heen slaand wakker. Hij begon te huilen zodra ik hem in een slendang, een draagzak, een kinderwagen of autozitje probeerde te doen. Hij huilde wanneer ik zijn luier verwisselde. En elke avond tussen zeven en negen uur huilde hij zonder enige aanwijsbare reden.

Toen Skye twee weken oud was, at ik een keer bij het avondeten zwarte-bonentaco's, waarna Skye tot zonsopgang aan een stuk door krijste, zijn lichaampje stijf en zijn vuistjes gebald. Terwijl ik met hem meehuilde, belde mijn echtgenoot de Eerste Hulp, waar de verpleegster hem heel vriendelijk uitlegde dat het klonk alsof hij last had van darmgas. De volgende ochtend verzekerde een bevriend voedingsdeskundige me dat er geen vuiltje meer aan de lucht zou zijn zolang ik maar geen zuivel, tarwe, gist, soja, maïs, peulvruchten, knoflook, uien, tomaten, suiker, pepers, broccoli en citrusvruchten at (en eventueel ook vis, champignons en eieren liet staan). Toen Skye uiteindelijk in slaap viel in het holletje van mijn rechterarm, plofte ik in mijn badjas neer op de bank en at met mijn linkerhand koude bruine rijst waarvan de helft in zijn haar terechtkwam.

Dat was denk ik het moment dat ik tot het besef kwam dat waar ik aan was begonnen in feite een intensieve meditatieretraite was. Het vertoonde alle kenmerken, zo zei ik tegen mezelf: de lange uren van stilzitten; het doelloos heen en weer lopen; de slopende dagindeling en het gebrek aan slaap; de hypnotische, cryptische chants (ozewiezewoze wiezewalla kristalla); het langzaam doordringende besef dat er niets is om naar uit te kijken behalve meer van hetzelfde. En in het centrum van dit alles bevond zich natuurlijk de gekke ervaringsdeskundige in luiers, wiens opdrachten veeleisender waren dan ik op al mijn reizen door India had meegemaakt – zoals: 'Vanavond loop je twee uur lang de zitkamer rond met de meester in je armen, waarbij je om de stap een diepe kniebuiging maakt en 'poepie-poepie-poepie-poep-poe' chant. Of 'Om middernacht draag je de slapende meester met je mee naar de wc en beantwoord je de koan: Hoe kun je zonder je handen te gebruiken je pyjamabroek laten zakken?'

Zoals elke grote spirituele beoefening, waren dit dingen die uitzonderlijk doeltreffend waren om mijn ego op zijn grondvesten te doen schudden. Ze denderden dwars door mijn ideeen over hoe de dingen behoorden te zijn heen (schommelen in de hangmat in de tuin bij de lavendelstruik, kijken naar de kolibries, terwijl mijn pasgeboren zoon in de wieg aan mijn voeten ligt te slapen) en openden met grof geweld mijn hart voor hoe de dingen in werkelijkheid waren (bij de commode staan en de kleine knietjes van Skye om de beurt tegen zijn kramperige buikje drukkend, 'hoera' roepend op het moment dat er een mosterdgele fontein uit zijn achterwerk spoot). En met elke ademhaling van mijn 'baby-sesshin' werd mij de gelegenheid geboden mijn kind als de baby Boeddha in mijn armen te wiegen en aanwezig te zijn voor een zich ontvouwend mysterie...

Als kersverse moeder vroeg ik me af: hoe vinden andere moeders hun weg in deze dans tussen spirituele beoefening en ouderschap? Welk effect heeft hun beoefening op het moederschap? Welk effect heeft het moederschap op hun beoefening? Zorgen moeders ervoor dat het boeddhisme in Amerika een andere vorm krijgt?

En – voor mij de allerbelangrijkste vraag – kan het moederschap werkelijk een pad van beoefening zijn dat net zo waardevol is als het monastieke pad? Kan het verwijderen van het snot uit de neus van een zieke baby dezelfde eenvoud en zuiverheid in zich dragen als de ootmoedige aanbidding van een non? Kan het schoonmaken van de luieremmer leiden tot 'het ontwaken van de Boeddha en de voorouders'?

Op een bepaald niveau lijkt dit absurde vragen. Niets vertoont minder overeenkomsten met het gereglementeerde verloop van een officiële retraite dan de chaotische dans van het moederschap. De boeken op mijn nachtkastje gingen vroeger over op zoek gaan naar spiritueel ontwaken in de Himalaya. Nu gaan ze over hoe je kunt voorkómen dat je midden in de nacht wakker wordt gemaakt. Op de plek waar mijn altaar was, staat nu de commode; mijn meditatiekussentjes zijn geconfisqueerd om als stootkussen in de speelhoek van Skye te dienen. Vijf minuten op één enkele rozijn kauwen en aanmaningen als 'wanneer je eet, eet je alleen maar' kun je op je buik schrijven – ik sta bij de telefoon met Skye op mijn heup veiligheidsstopcontacten te bestellen terwijl ik met mijn vingers koude vegetarische loempiaatjes zo uit de verpakking in mijn mond stop en met een slechts in een sok gehulde voet het verse spuug in het vloerkleed wrijf. Het is zelfs moeilijk om de tijd te vinden om tegen mezelf te zeggen dat dit een spiritueel pad is – ik heb het te druk met naar Skye's andere wantje zoeken...

Is er een betere manier denkbaar om me met mijn neus op de waarheid van de vergankelijkheid te drukken dan om in een grillige en onverschillige wereld van een kind te houden? Terwijl ik met Skye een dutje doe in het grote bed – zijn hoofdje op mijn borst, mijn neus in zijn zwarte zijdeachtige haar gedrukt – kijk ik naar zijn hartslag die trillend zichtbaar is op de zachte plek op zijn schedel. Hoezo snelwegen en plutonium en heimelijke bommenwerpers – mensen hebben me ernstig gewaarschuwd dat hij zelfs door een speelgoedbeer in zijn wiegje kan stikken. Wanneer ik 's nachts een paar uur lang niets heb gehoord, sluip ik naar zijn kamer en blijf daar in het donker staan, bewegingsloos uit angst dat de vloer kraakt, totdat ik hem hoor zuchten. En zelfs als alles volkomen volmaakt verloopt, weet ik dat juist deze Skye – degene die kweelt en verwoed aan de snavel van zijn rubber eend sabbelt terwijl hij samen met me in bad zit te spetteren – zal verdwijnen als een schuimbad. Gisteren was hij een schoppende uitstulping in mijn buik terwijl ik baantjes trok in de warme julizon; morgen is hij een man van middelbare leeftijd die huilend mijn as verstrooit in een bergmeer. Terwijl hij naar Skye kijkt die gepureerde wortel in zijn oogharen smeert, zegt mijn echtgenoot: 'Het is zo prachtig dat het pijn doet.'

Ik voel me tegenwoordig ingeplugd in het leven op een manier die ik nooit eerder heb gekend. Zoals ik mijn kind voed uit mijn eigen lichaam, zie ik hoe ik zelf door het lichaam van de aarde word gevoed. Ik ben een schakel in een keten van moeders vóór mij en een keten van ongeboren kinderen die een wereld zullen erven die ik me zelfs niet kan voorstellen. Ik wil dat Skye's kleinkinderen in de oceaan kunnen zwemmen en door de granieten bergketens van de Sierra kunnen wandelen en zich vergapen aan de blauwe reigers die op één poot in de Bolinaslagune staan.

Is dit gehechtheid? Of verbondenheid?

Ik heb niet de bedoeling grandioos te lijken. Ik weet dat deze inzichten niet hetzelfde zijn als de ongerepte diamant van samadhi. Ze zijn een sentimenteler, lastiger soort werkelijkheid, bedekt met spuug en koekkruimels. Maar misschien is juist dit het geschenk van het moederschap als beoefening – een soort allesomvattendheid die ook chaos en gruis en onvolmaaktheid in zich sluit. Die niet is gebaseerd op alles netjes onder controle houden.

Die ruimte geeft in het hart voor een plastic kiepauto midden in de huiskamer en rapmuziek die om middernacht onder een slaapkamerdeur door komt zetten. Die er niet midden in de nacht vandoor gaat op zoek naar verlichting. Die thuisblijft bij Rahula 'de gekluisterde' en daar het gezochte vindt.

Wat moeten we als moeders denken van het verhaal over de Boeddha die midden in de nacht zijn gezin verlaat?

Ik vroeg het aan Fu Schroeder. 'O, maar toen hij zijn kind verliet was hij nog niet de Boeddha. Hij was een jonge prins, die gebukt ging onder hevig leed,' antwoordde ze.

'Als je ontwaakt bent, verlaat je je kind niet. Waar zou je heen kunnen?'

Literatuur

Abrams, Rebecca, 'She's Not My Little Baby Anymore', *Sydney's Child*, Juni 2001

American Association of Health Plans, Survey, Boston, 1996, 1997

Barber, Jim et al., 'Things Aren't so Bad at Home After All', *News, Events and Notices*, Flinders University South Australia en La Trobe University Victoria, 1998

Boorstein, Sylvia, *It's Easier Than You Think: The Buddhist Way to Happiness*, HarperCollins, San Francisco, 1995

Buddhadasa Bhikkhu, *Handbook for Mankind*, Dharma Study and Practice Group, Bangkok, 1988

Claxton, Guy, *The Heart of Buddhism: Practical Wisdom for an Agitated World*, Crucible, Northamptonshire, 1990

Cushman, Anne, 'Mothering as Meditation Practice', *Tricycle, The Buddhist Review*, herfst 2001

Dalai Lama, Zijne Heiligheid de, *The Heart of the Buddha's Path*, Thorsons, Londen, 1999

Dhammananda, Sri K., *How to Live Without Fear and Worry*, Buddhist Missionary Society, Kuala Lumpur, 1989

Dowrick, Stephanie, *Forgiveness and Other Acts of Love*, Penguin, Ringwood, Victoria, 1997 (Ned. vert. *Bewijzen van liefde*, Contact)

Dowrick, Stephanie, *The Universal Heart*, Viking Penguin Books, Ringwood, Victoria, 2000 (Ned. vert. *Het universele hart*, Contact)

Figes, Kate, *Life After Birth: What Even Your Friends Won't Tell You About Motherhood*, Viking, Londen, 1998 (Ned. vert. *En dan ben je moeder*, Kosmos-Z&K)

Film Australia, *Myths of Childhood*, Sydney, 1998

Gawler, dr Ian, *Peace of Mind*, Hill of Content, Melbourne, 1987

Geshe Kelsang Gyatso, *Understanding The Mind: An Explanation of the Nature and Functions of the Mind*, Tharpa, Cumbria, Engeland, 1997

Geshe Kelsang Gyatso, *Transform Your Life: A Blissful Journey*, Tharpa, Cumbria, Engeland, 2001

Gunaratana, Bhante Henepola, *Eight Mindful Steps to Happiness: Walking the Path of the Buddha*, Wisdom Publications, Boston, 2001

Hagen, Steve, *Buddhism Plain and Simple*, Tuttle Publishing, New York, 1998 (Ned. vert. *Boeddhisme in alle eenvoud*, Altamira-Becht)

Henderson Julie, 'Tulku', in Lenore Friedman en Susan Moon (red), *Being Bodies: Buddhist Women on the Paradox of Embodiment*, Shambhala, Boston, 1997

Hope, Jane & Van Loon, Borin, *Buddha for Beginners*, Icon Books, Trumpington, Cambridge, 1994 (Ned. vert. *Boeddha voor beginners*, Elmar)

Howley, Adrienne, *The Naked Buddha: A Simple Explanation of a 'New' Old Religion*, Bantam, Sydney, 1999

Jandamit, Helen, *The Path to Peace Within: A Guide to Insight Meditation*, Gateway Books, Bath, 1997

Kabat-Zinn, Jon en Myla, *Everyday Blessings: The Inner Work of Mindful Parenting*, Hyperion, New York, 1997 (Ned. vert. *Met kinderen groeien*, Asoka)

Kornfield, Jack, *A Path with Heart: A Guide Through the Perils and Promises of Spiritual Life*, Bantam Books, New York en Toronto, 1993

Kornfield, Jack, *After the Ecstasy, the Laundry: How the Heart Grows Wise on the Spiritual Path*, Bantam Books, Londen, 2000 (Ned. vert. *Na het feest komt de afwas*, Servire)

Landaw, Jonathan & Brooke, Janet, *Prince Siddhartha*, Wisdom, Boston, 1984 (Ned. vert. *Prins Siddharta*, Maitreya)

Larkin, Geri, *Stumbling Toward Enlightenment*, Celestial Arts, Californië, 1997

Mackenzie, Vicki, *Cave in the Snow: A Western Woman's Quest for Enlightenment*, Bloomsbury, Londen, 1998

Mackenzie, Vicki, *Why Buddhism? Westerners in Search of Wisdom*, Allen & Unwin, Sydney, 2001

Masters, Kamala, 'Just Washing Dishes', in Sharon Salzberg (red), *Voices of Insight*, Shambhala, Boston, 1999

Rich, Adrienne, *Of Woman Born: Motherhood as Experience and Institution*, Virago, USA, 1977 (Ned. vert. *Uit vrouwen geboren*, Sara)

Salzberg, Sharon, *A Heart as Wide as the World: Stories on the Path of Lovingkindness*, Shambhala, Boston, 1997

Salzberg, Sharon, *Lovingkindness: The Revolutionary Art of Happiness*, Shambhala, Boston, 1997

Suzuki, Shunryu, *Zen Mind, Beginner's Mind*, Weatherhill, New York, 1970 (Ned. vert. *Zen-begin*, Ank-Hermes)

Thich Nhat Hanh, *Teachings on Love*, Parallax Press, Californië, 1998

Thurman, Robert, *Inner Revolution: Life, Liberty, and the Pursuit of Real Happiness*, Riverhead Books, New York, 1998 (Ned. vert. *Innerlijke revolutie*, Altamira-Becht)

Thynn, Thynn, *Living Meditation, Living Insight*, Sae Taw Win II Dharma Foundation, Sebastopol, Californië, 1998

Titmuss, Christopher, *Light on Enlightenment: Revolutionary Teachings on the Inner Life*, Shambhala, Boston, 1998